FELICIDADE

MATTHIEU RICARD

FELICIDADE
A PRÁTICA DO BEM-ESTAR

TRADUÇÃO
ARNALDO BASSOLI

Palas Athena

Título original: *Plaidoyer pour le bonheur*
Copyright © NIL éditions, Paris, 2003
Copyright © Palas Athena 2007, da tradução para o português
Grafia segundo o Acordo Ortográfico da Língua Portuguesa de 1990,
que entrou em vigor no Brasil em 2009.

Produção editorial	*Laura Bacellar*
Revisão técnica	*Lia Diskin*
Preparação	*Maria Viana e Nair Hitomi Kayo*
Revisão	*Tereza Gouveia*
Capa e Projeto gráfico	*Marina Mattos e Raquel Matsushita*
Diagramação	*Julina Freitas	Entrelinha Design*
Revisão ortográfica	*Lidia La Mark*

Dados Internacionais de Catalogação na Publicação (CIP)
(Câmara Brasileira do Livro, SP, Brasil)

Ricard, Matthieu
Felicidade : a prática do bem-estar / Matthieu Ricard;
tradução de Arnaldo Bassoli. - São Paulo: Palas Athena, 2007.

Título original: Plaidoyer pour le bonheur.
Bibliografia.
ISBN 978-85-60804-01-6

1. Felicidade - Aspectos religiosos - Budismo
2. Vida espiritual - Budismo - Narrativas pessoais
I. Título.

07-5965   CDD-294.3442

Índices para catálogo sistemático
1. Felicidade: Ensinamentos: Budismo   294.3442

7ª edição - fevereiro de 2024

Todos os direitos reservados e protegidos
pela Lei 9.610 de 19 de fevereiro de 1998.
É proibida a reprodução total ou parcial, por quaisquer meios,
sem a autorização prévia, por escrito, da editora.

Direitos adquiridos para a língua portuguesa, pela
PALAS ATHENA EDITORA
Alameda Lorena, 355 - Jardim Paulista
01424-001 - São Paulo - SP - Brasil
fone/fax: (11) 3050-6188
www.palasathena.org.br   editora@palasathena.org.br

Para Jigme Khyentse Rimpoche, à minha irmã Ève, que soube extrair a felicidade da adversidade, e a todos aqueles que inspiraram as ideias deste livro.

ÍNDICE

11 *Prefácio de Daniel Goleman*

15 *Introdução*

27 CAPÍTULO 1.   Sobre a felicidade

35 CAPÍTULO 2   A felicidade é o propósito da vida?

43 CAPÍTULO 3.   Um espelho de duas faces: olhar para dentro, olhar para fora

49 CAPÍTULO 4.   Falsos amigos

59 CAPÍTULO 5.   A felicidade é possível?

69 CAPÍTULO 6.   A alquimia do sofrimento

89 CAPÍTULO 7.   Os véus do ego

105 CAPÍTULO 8.   Quando os pensamentos se tornam nossos piores inimigos

117 CAPÍTULO 9.   O rio das emoções

129 CAPÍTULO 10. Emoções perturbadoras: os remédios

145 CAPÍTULO 11. O desejo

155 CAPÍTULO 12. O ódio

167 CAPÍTULO 13. A inveja

171	CAPÍTULO 14.	O grande salto em direção à liberdade
181	CAPÍTULO 15.	Uma sociologia da felicidade
197	CAPÍTULO 16.	A felicidade no laboratório
211	CAPÍTULO 17.	Felicidade e altruísmo
221	CAPÍTULO 18.	Felicidade e humildade
227	CAPÍTULO 19.	Otimismo, pessimismo e ingenuidade
239	CAPÍTULO 20.	Tempos dourados, tempos cinzentos, tempo perdido
245	CAPÍTULO 21.	Ser um com o fluxo do tempo
251	CAPÍTULO 22.	A ética como ciência da felicidade
265	CAPÍTULO 23.	A felicidade na presença da morte
271	CAPÍTULO 24.	Um caminho

281 *Notas*

296 *Agradecimentos pelos direitos autorais*

297 *Agradecimentos*

299 *Sobre o autor*

300 *Nota do tradutor*

> A felicidade não chega automaticamente, não é uma graça
> que a boa sorte pode derramar sobre nós e uma virada do
> destino nos proporcionar. Ela depende unicamente de nós.
> Não nos tornamos felizes do dia para a noite, mas graças a
> um trabalho paciente, realizado dia após dia. A felicidade se
> constrói, o que exige tempo e esforço. Para nos tornarmos
> felizes, temos que saber mudar a nós mesmos.
>
> LUCA E FRANCESCO CAVALLI-SFORZA

PREFÁCIO

Quando encontrei Matthieu Ricard pela primeira vez, ele estava debruçado sobre um monitor de computador, em uma sala no fundo do Monastério de Shechen, em Katmandu, no Nepal. Matthieu supervisionava vários monges, que com cuidado transcreviam textos, palavra por palavra, das páginas em forma de longos retângulos tradicionalmente impressas pelo processo de litografia, para um programa de computador com uma fonte tibetana projetada para isso.

Tudo o que havia sido mantido em pilhas enormes de papel, um papel feito à mão, já amarelado pela ação do tempo e protegido por capas de madeira talhada, estava sendo armazenado digitalmente, em um espaço eletrônico do tamanho da palma da mão. A era digital tinha chegado ao monastério. Agora, qualquer um que tivesse acesso a um computador poderia mergulhar em textos que, por séculos, só teria sido possível encontrar dentro dos eremitérios ou monastérios nos vales escondidos e elevados do Tibete. Matthieu ajudava a preservar, para o mundo moderno, a sabedoria dos antigos.

Matthieu, a meu ver, era o candidato perfeito para esse trabalho. Ele teve uma educação das mais refinadas que o mundo moderno pode oferecer, tendo obtido o título de doutor em biologia pelo prestigiado Instituto Pasteur e tido como principal orientador um laureado com o Prêmio Nobel. E, no entanto, mesmo tendo tudo isso, decidiu passar mais de um quarto de século como monge budista no Himalaia, no papel de aprendiz de alguns dos mestres tibetanos mais realizados de nossos dias.

Mais recentemente, trabalhei com Matthieu no Mind and Life Institute, instituição que promove o diálogo entre homens da ciência e eruditos do budismo. Essa conversa contínua resultou em descobertas notáveis a respeito de como a meditação pode remodelar o cérebro, fortalecendo os centros correlacionados aos bons sentimentos e à compaixão.

Neste caso, Matthieu fala com uma autoridade sem paralelo. Testemunhei seu trabalho em colaboração com o professor Richard J. Davidson, chefe do Laboratório de Neurociência Afetiva da Universidade de Wisconsin-Maddison, na preparação de uma série-piloto de testes do cérebro, que seriam aplicados em meditadores avançados. Matthieu era, ao mesmo tempo, um colaborador-chave nas considerações sobre quais medidas poderiam fazer mais sentido e o primeiro participante da experiência.

Ao realizarem-se os primeiros testes, Matthieu se deita e é engolido pela barulhenta garganta do aparelho de ressonância magnética (RM), que obtém imagens por meio de enormes ímãs que giram em torno do corpo da pessoa, deitada dentro da máquina. A RM oferece uma imagem precisa do cérebro (ou outros tecidos internos), mas é também uma provação para muita gente, que fica em pânico por sentir-se fechada dentro do escâner. Matthieu suportou o seu cativeiro por mais de três horas, entrando em vários tipos de meditação: concentração, visualizações e compaixão.

No final dessa sessão extenuante, corremos para a sala para ver como Matthieu havia se saído, um pouco apreensivos sobre os efeitos dessa experiência difícil sobre ele. Mas ele saiu de dentro da máquina sorrindo. O seu comentário? "Foi como um minirretiro."

Essa reação a uma situação que a maior parte das pessoas sentiria como insuportável indica um estado mental especial, uma capacidade de confrontar os altos e baixos da vida com equanimidade e até alegria. E Matthieu, eu percebo, tem, em abundância, essa *joie de vivre*.

O psicanalista C. G. Jung descreveu certa vez o papel do "intermediário gnóstico" como alguém que mergulha nas profundezas espirituais e emerge para trazer a visão daquela possibilidade interior para o resto de nós. Matthieu cumpre esse papel.

Além de seu temperamento bem cultivado, Matthieu tem um brilho sereno e uma mente sempre rápida. Presenciei-o em certas sessões dos encontros do Mind and Life Institute, em que o Dalai Lama explorava em profundidade um tópico científico acompanhado de um grupo de cientistas. Matthieu sempre representava a perspectiva budista, unindo com uma inteligência fluida o paradigma espiritual e o científico.

Em *Felicidade – A prática do bem-estar* ele exibe ambos: a sua facilidade de lidar com o mundo dos estudos científicos e filosóficos e a sua íntima familiaridade com as tradições de sabedoria do budismo, unindo essas vertentes em uma combinação perfeita. Os *insights* resultantes são ao mesmo tempo inspiradores e pragmáticos. A visão da felicidade aqui trazida à luz desafia as nossas noções cotidianas de alegria, constituindo um convincente argumento em favor do contentamento, em vez da busca da diversão; em favor do altruísmo, em vez da saciedade autocentrada. E, além disso, Matthieu nos sugere maneiras para cultivar a própria capacidade para ser feliz.

Por outro lado, ele não nos fornece expedientes fáceis, pois sabe muito bem que treinar a mente demanda tempo e esforço. Em vez disso, vai à raiz dos mecanismos que subjazem ao sofrimento e à felicidade, oferecendo-nos novos e estimulantes *insights* sobre o funcionamento da mente, bem como estratégias para lidar com as emoções mais difíceis. O resultado é um guia sólido, baseado no cultivo das condições para o genuíno bem-estar.

Poucos dias depois de minha esposa e eu encontrarmos Matthieu pela primeira vez, tivemos a oportunidade de passar algumas horas com ele no aeroporto de Katmandu, esperando pelos voos, que sempre atrasam muito. Essas horas passaram tão depressa que pareceram minutos, no puro prazer de orbitar em torno de Matthieu. Ele é, sem dúvida, uma das pessoas mais felizes que conheço – e sua felicidade é contagiante. Desejo ao leitor um contágio similar, desfrutando os prazeres que encontrará nestas páginas.

Daniel Goleman, Mendocino, Califórnia, outubro de 2005

INTRODUÇÃO

Pela manhã, quando me sento na relva em frente ao meu local de retiro, descortinam-se à minha frente centenas de quilômetros de picos elevados do Himalaia, brilhando ao sol nascente. A serenidade do cenário combina de maneira natural e perfeita com a paz interior. De fato, um longo caminho foi percorrido desde o Instituto Pasteur, onde, há trinta e cinco anos, fiz pesquisas sobre a divisão celular, mapeando genes dos cromossomos da bactéria *Escherichia coli*.

Isso pode parecer uma mudança bem radical. Teria eu renunciado ao mundo ocidental? A renúncia, pelo menos se considerarmos como os budistas usam esse termo, é um conceito muito mal interpretado. Não se trata de abrir mão daquilo que é bom e belo. Como isso seria tolo! Trata-se de desembaraçar-se daquilo que é insatisfatório e mover-se com determinação em direção ao que mais importa. Isso é uma questão de liberdade e significado: libertar-se da confusão mental e das aflições autocentradas e encontrar o propósito das experiências por meio do *insight* e da bondade amorosa.

Aos vinte anos eu tinha uma boa ideia do que não queria: uma vida sem sentido. Mas era incapaz de imaginar o que eu queria. A minha adolescência fora tudo, menos tediosa. Lembro-me da excitação que senti aos dezesseis anos, quando tive a oportunidade de almoçar com Igor Stravinsky na companhia de um amigo jornalista. Bebi com avidez todas as suas palavras. Autografou-me uma cópia da partitura de *Agon*, que naquele momento era uma obra pouco conhecida, mas de que eu gostava especialmente. Ele escreveu estas palavras: "Para Matthieu, *Agon*, da qual eu próprio gosto muito".

Não faltavam encontros fascinantes no círculo intelectual em que meus pais viviam. Minha mãe, Yahne Le Toumelin, uma pintora bem conhecida, cheia de vida e calor humano que também se tornou uma monja budista, era amiga dos grandes expoentes do surrealismo e da arte contemporânea: André Breton, Leonora Carrington, Maurice Béjart – para quem pintou grandes cenários teatrais. Meu pai, que sob o pseudônimo Jean-François Revel tornou-se um dos pilares da vida intelectual francesa, teve jantares inesquecíveis com os grandes pensadores e as mentes criativas da época: Luis Buñuel; o filósofo Emmanuel Cioran; Mário Soares, que liberou Portugal do jugo do fascismo; Henri Cartier-Bresson, considerado um dos maiores fotógrafos do século; e muitos outros.

Em 1970 meu pai escreveu *Nem Marx nem Jesus*, expressando sua rejeição ao totalitarismo muito similar da política e da religião. O livro ficou na lista de *bestsellers* americanos por um ano.

Fui contratado pelo Instituto Pasteur, em 1967, como jovem pesquisador, para trabalhar no laboratório de genética celular de François Jacob, que fora agraciado com o Prêmio Nobel de Medicina. Lá, trabalhei com alguns dos grandes nomes da biologia molecular, inclusive Jacques Monod e André Lwoff, que almoçavam juntos todos os dias na mesa comunitária, num canto da biblioteca, acompanhados de cientistas de todas as partes do mundo. François Jacob tinha apenas dois alunos de doutorado. Ele confidenciou a um amigo mútuo que havia me aceitado não só por causa do meu trabalho universitário, mas também por ter ouvido falar que eu tinha planos de construir um cravo – um sonho que nunca levei em frente, mas que, pelo visto, rendeu-me um lugar num laboratório muito concorrido.

Eu também gostava muito de astronomia, de esquiar, de velejar e de ornitologia. Aos vinte anos publiquei um livro sobre animais migratórios.[1] Aprendi fotografia com um amigo, que era fotógrafo naturalista profissional, e passei muitos fins de semana espreitando mergulhões e gansos selvagens nos brejos de Sologne e nas praias do Atlântico.

Visitei as encostas dos Alpes da minha região natal durante vários invernos e passei muitos verões na praia, com amigos do meu tio, o navegador Jacques-Yves Le Toumelin, que, pouco depois da Segunda Guerra Mundial, empreendeu uma das primeiras viagens à vela ao redor do globo, navegando sozinho em seu veleiro de trinta pés. Ele me apresentou a muitas pessoas incomuns – aventureiros, exploradores, místicos, astrólogos e metafísicos.

Um dia fomos visitar o estúdio de um de seus amigos em Paris e encontramos o seguinte bilhete na porta: "Desculpe-me por não estar aqui para recebê-lo. Fui para Timbuktu a pé".

A vida estava longe de ser monótona, mas faltava algo essencial. Em 1972, quando tinha vinte e seis anos e estava farto da vida em Paris, decidi mudar para Darjiling, na Índia, nos contrafortes do Himalaia, para estudar com um grande professor tibetano.

Como cheguei a essa encruzilhada? Cada um dos surpreendentes indivíduos cujo caminho eu cruzara tinha seu gênio especial. Gostaria de ter tocado piano como Glenn Gould, ter jogado xadrez como Bobby Fisher ou ter tido o dom poético de Baudelaire, mas não me senti inspirado a *tornar-me* o que eles eram como seres humanos. Apesar de suas qualidades artísticas, científicas e intelectuais, quando o assunto era o altruísmo, a abertura para o mundo, a determinação e a alegria de viver, as habilidades desses homens não eram nem melhores nem piores do que as de todos nós.

Tudo mudou quando encontrei poucos mas notáveis seres humanos que me mostraram o que pode ser uma vida humana realizada. Antes desses encontros, eu já me inspirava na leitura de grandes personagens como Martin Luther King Jr. e Mohandas Gandhi, que, pela força pura de suas qualidades humanas, foram capazes de inspirar outros a mudar o seu modo de ser. Quando fiz vinte anos, assisti a uma série de documentários feita por um amigo, Arnaud Desjardins, sobre os grandes mestres espirituais que tinham deixado o Tibete após a cruel invasão da China comunista e que viviam como refugiados na Índia e no Butão. Fiquei perplexo. Eram todos diferentes mas, de modo notável, tinham em comum o fato de emanarem beleza interior, força compassiva e muita sabedoria. Encontrar Sócrates, ouvir os diálogos de Platão ou sentar-me aos pés de são Francisco era impossível, mas, de repente, aqui estavam duas dúzias de seres especiais, bem diante dos meus olhos. Não demorei muito para me decidir a viajar até a Índia e encontrá-los.

Como descrever meu primeiro encontro com Kangyur Rimpoche, em junho de 1967, numa casinha de madeira distante alguns quilômetros de Darjiling? Ele irradiava bondade interior, sentado de costas para uma janela que dava para um mar de nuvens, trespassadas pela majestosa cadeia de montanhas do Himalaia, com picos de mais de oito mil metros de altitude. As palavras não são suficientes para expressar a profundidade, a serenidade e a compaixão que emanavam dele. Por três semanas, sentei-me diante dele o dia inteiro e tive a impressão de que fazia aquilo que as pessoas chamam de meditação. Em outras palavras, acalmava-me na presença dele, tentando ver o que estava por trás da tela dos meus pensamentos.

Mas foi só depois de voltar da Índia, durante o meu primeiro ano no Instituto Pasteur, que percebi a importância do encontro que tivera com Kangyur Rimpoche. Percebi que havia descoberto uma realidade que podia inspirar o resto da minha vida e dar-lhe direção e sentido. Foi no decorrer das viagens seguintes, realizadas em todos os verões de 1967 a 1972, que fui notando que, a cada estada em Darjiling, esquecia tudo o que se referia à minha vida na Europa. Mas durante o restante do ano, quando estava no Instituto Pasteur, meus pensamentos ficavam voltando para o Himalaia. Meu professor, Kangyur Rimpoche, me aconselhou a terminar o doutorado, pois assim eu não apressaria as coisas. Apesar de ter esperado vários anos, não foi difícil para mim tomar a decisão da qual jamais me arrependi: viver onde eu queria estar.

Meu pai ficou bastante desapontado quando me viu interromper uma carreira cujo começo considerava muito promissor. Mais ainda, como agnóstico convicto, ele não levava o budismo muito a sério ainda que, como escreveu certa vez, "não tinha nada contra, pois a abordagem direta e livre de influências estranhas conferia ao budismo uma posição distinta entre as doutrinas religiosas e havia granjeado o respeito de alguns dos mais rigorosos filósofos ocidentais".[2] Apesar de não nos termos visto com frequência por muitos anos – ele veio visitar-me em Darjiling e mais tarde no Butão –, permanecemos próximos. Quando indagado por jornalistas, meu pai respondeu: "As únicas nuvens que existiram em nosso relacionamento foram as das monções da Ásia".

O que descobri jamais me exigiu uma fé cega. Era uma ciência da mente rica e pragmática, uma maneira altruísta de viver, uma filosofia cheia de significado e uma prática espiritual que levava a uma genuína transformação interior.

Ao longo dos últimos trinta e cinco anos eu nunca me vi em contradição com o espírito científico da maneira como o compreendo, ou seja, como a busca empírica da verdade. Nesse percurso, encontrei seres humanos que eram permanentemente felizes. Mas, de modo diferente daquilo que nós costumamos chamar de felicidade: eram imbuídos de uma profunda visão da realidade e da natureza da mente, e cheios de benevolência para com os outros. Vim a entender também que, apesar de algumas pessoas terem uma inclinação natural para serem mais felizes do que outras, essa felicidade ainda é vulnerável e incompleta, e que alcançar a felicidade duradoura como modo de ser é uma habilidade que se adquire. Isso requer esforço constante no treino da mente e no desenvolvimento de qualidades como paz interior, atenção plena e amor altruísta.

Todos os ingredientes para que eu descobrisse o caminho para uma vida realizada chegaram juntos: um modo de pensar profundo e saudável e o exemplo vivo daqueles que corporificaram a sabedoria em suas palavras e ações. Não havia nada do tipo "faça o que eu digo, mas não o que eu faço" que desanima tantos buscadores em todas as partes do mundo.

Permaneci em Darjiling pelos sete anos seguintes. Vivi perto de Kangyur Rimpoche até a sua morte, em 1975. Depois, continuei a estudar e a meditar em um pequeno local de retiro, que ficava um pouco acima do monastério. Aprendi tibetano, que atualmente é a língua que mais uso na minha vida diária no Oriente. Foi então que encontrei aquele que viria a ser o meu segundo principal mestre, Dilgo Khyentse Rimpoche, com quem passei, no Butão e na Índia, treze anos inesquecíveis. Ele foi um dos grandes luminares do seu tempo, reverenciado por todos, do rei do Butão ao mais humilde fazendeiro e tornou-se um mestre bem próximo do Dalai Lama. Sua jornada interior levou-o a uma profundidade de conhecimento extraordinária, tornando-o, para todos os que o conheceram, uma fonte de bondade amorosa, sabedoria e compaixão.

Havia um fluxo constante de mestres e discípulos que vinham visitá-lo e estudar com ele, e assim tive oportunidade, quando eu comecei a traduzir as escrituras tibetanas para idiomas ocidentais, de pedir esclarecimentos sobre os textos para pessoas que eram verdadeiros tesouros vivos de conhecimento. Servi também de intérprete para Khyentse Rimpoche, e viajei com ele para a Europa e para o Tibete, quando, após trinta anos no exílio, ele voltou pela primeira vez à Terra das Neves. No Tibete, só restavam ruínas. Seis mil monastérios tinham sido destruídos, mais de um milhão de tibetanos haviam morrido de fome e nas perseguições, e muitos dos que sobreviveram tinham passado quinze ou vinte anos em campos de trabalho forçado. O retorno de Khyentse Rimpoche foi como o sol surgindo repentinamente após uma noite longa e escura.

Na Índia, e depois no Butão, vivi uma vida simples. Recebia uma carta a cada alguns meses, não tinha rádio e sabia pouco do que acontecia no mundo. Em 1979, Khyentse Rimpoche começou a construir um monastério no Nepal para preservar a herança tibetana. Artistas, eruditos, meditadores, filantropos e muitos outros foram em grandes grupos reunir-se no monastério de Shechen. Passei a viver lá e, depois da morte de Khyentse Rimpoche em 1991, ajudo seu neto Rabjam Rimpoche, o abade de Shechen, a realizar o sonho do nosso mestre.

Um dia alguém me ligou da França para saber se eu gostaria de publicar um livro em que dialogaria com meu pai. Eu não levei a proposta muito a sério, mas respondi: "Por mim tudo bem. Mas pergunte a meu pai". Pensei que não ouviria mais falar sobre o assunto. Não podia imaginar que meu pai, um agnóstico, concordasse em escrever um livro no qual dialogasse com um monge budista, mesmo sendo seu filho. Eu estava errado. Em um almoço, o editor propôs-lhe várias ideias de livros, que ele prontamente rejeitou, mantendo-se concentrado na arte gastronômica. Mas quando, durante a sobremesa, esse editor propôs nosso diálogo, meu pai ficou paralisado e, após alguns segundos de silêncio, respondeu: "Não posso negar-me a isso". Esse foi o fim da minha vida calma e anônima.

Quando eu soube da sua resposta afirmativa, fiquei um pouco preocupado pensando que o meu pai, famoso por seus destruidores ataques a visões que considerava errôneas, talvez acabasse comigo. Felizmente o encontro aconteceu no meu território. Ele veio ao Nepal e passamos dez dias numa pequena hospedaria na floresta sobre o vale de Katmandu, gravando as nossas conversas, que aconteciam durante uma hora e meia pela manhã e uma hora à tarde. O resto do dia perambulávamos juntos pelos campos e pelas matas. Talvez ele também tivesse ficado preocupado, temendo que o debate não fosse estar à altura de seus padrões intelectuais, mas ao final do primeiro dia enviou um fax ao nosso editor, Nicole Lattès, dizendo: "Tudo está indo bem". De minha parte, eu tinha rascunhado uma lista exaustiva de tópicos. Ao vê-la pela primeira vez, meu pai exclamou: "Mas isso é tudo o que os filósofos vêm discutindo nos últimos duzentos anos!". Dessa forma, seguimos. Os dias passaram, e na última sessão ele trouxe a lista novamente, mostrou-me alguns tópicos que tinham restado, dizendo: "Ainda não discutimos estes aqui".

Nosso livro, *O monge e o filósofo*, foi um sucesso imediato. Mais de 350 mil cópias foram impressas na França, e ele foi traduzido para vinte e um idiomas. Fui convidado para inúmeros programas na TV e arrastado para um redemoinho de atividades na mídia. Apesar de contente por poder compartilhar algumas ideias preciosas para mim e que tinham contribuído tanto para a minha vida, esse episódio me fez perceber como é artificial a construção de uma celebridade. Eu era a mesma pessoa de sempre, mas de repente tinha me tornado uma figura pública.

Também desabou sobre mim a compreensão de que começava a vir para o meu caminho muito mais dinheiro do que eu jamais imaginara chegar a ter – uma mudança e tanto, considerando os vários anos em que vivi na Índia com apenas cinquenta dólares por mês. Como não conseguia me ver comprando uma enorme casa com piscina, decidi doar todos os lucros e direitos desse livro, bem como dos seguintes, para uma fundação que realiza projetos humanitários e educativos na Ásia. Essa decisão me deixou mais tranquilo. Os projetos humanitários, desde então, foram o foco central da minha vida. Com uns poucos e dedicados amigos voluntários, a ajuda de generosos benfeitores e sob a inspiração do meu abade, Rabjam Rimpoche, conseguimos construir e manter mais de trinta clínicas e escolas no Tibete, Nepal e Índia.

Veio então o retorno à ciência. Ele aconteceu em dois momentos: primeiro a física e a natureza da realidade exterior, depois as ciências cognitivas e a natureza da mente.

Quando Trinh Xuan Thuan, um renomado astrofísico da Universidade da Virgínia, sugeriu que realizássemos um diálogo entre o budismo e a ciência, não pude resistir, pois eu já havia elaborado muitas perguntas para fazer a um físico sobre a natureza do mundo dos fenômenos. Thuan e eu nos encontramos na Summer University, em Andorra, em 1997. Em nossos longos passeios pelo majestoso cenário dos Pirineus, tivemos uma série de conversas fascinantes. Os átomos são "coisas" ou meros "fenômenos observáveis"? A noção de uma "causa primeira" do universo sobrevive à análise? Há uma realidade sólida por trás do véu das aparências? O universo é feito de "eventos interdependentes" ou de "entidades autônomas"? Descobrimos similaridades filosóficas surpreendentes entre a interpretação da Escola de Física Quântica de Copenhague e a análise budista da realidade. Seguiram-se mais encontros e nasceu o livro *The quantum and the lotus*.

Esse diálogo tratava principalmente dos aspectos filosóficos, éticos e humanos da ciência. O passo seguinte, no qual ainda hoje estou completamente envolvido, foi colaborar nos estudos científicos sobre o ponto principal da prática budista: transformar a mente.

Meu falecido amigo espiritual, Francisco Varela, um dos pioneiros no estudo da neurociência, sempre me dizia que um importante caminho a percorrer era a colaboração entre as ciências cognitivas e os contemplativos budistas, devido ao grande potencial do budismo não apenas de contribuir para a compreensão da mente humana, como também para conduzir experimentos científicos propriamente ditos. Francisco, juntamente com o empresário americano Adam Engle, foi fundador do Mind and Life Institute, que surgiu para facilitar e organizar encontros entre cientistas importantes e o Dalai Lama, que estava extremamente interessado na ciência.

Estive pela primeira vez em um encontro do Mind and Life em 2000, em Dharamsala, que é o domicílio do Dalai Lama na Índia. O tema era "Emoções destrutivas". Foi um encontro interessantíssimo, com alguns dos melhores cientistas da área, inclusive Francisco Varela, Richard Davidson, Paul Ekman e outros, sob a coordenação de Daniel Goleman. Os cinco dias de diálogo foram permeados de um brilho e uma abertura únicos, além de um profundo desejo de contribuir com algo original e benéfico para a humanidade. Solicitaram-me que apresentasse a perspectiva budista sobre os vários modos de lidar com as emoções. Como um garotinho passando por um exame, senti-me estranho ao falar na presença do Dalai Lama, que conhecia o assunto cem vezes melhor do que eu. Eu trabalhava havia mais de uma década como seu intérprete para o francês e resolvi assumir, em minha mente, meu papel habitual, concentrando-me nos cientistas e nos mais de cinquenta observadores que me ouviam para comunicar a essência do que tinha aprendido com os meus mestres.

No transcorrer do encontro ficou claro que seria possível organizar um programa de pesquisas. Poderíamos convidar os especialistas em meditação para visitar os laboratórios e estudar os efeitos de anos de treinamento da mente. Como as habilidades desenvolvidas por eles mudariam a forma de lidarem com as emoções – e mesmo o próprio cérebro? Esse tipo de estudo sempre foi o sonho de Francisco. Combinou-se uma agenda com Richard Davidson e Paul Ekman. A história dessa contínua colaboração, de que participei, é relatada no capítulo 16 do livro de Daniel Goleman intitulado *Como lidar com emoções destrutivas*.

Foi muito estimulante voltar ao campo científico depois de trinta anos de ausência e, sobretudo, fazê-lo na companhia de cientistas tão bons. Eu estava intrigado e queria ver o que os mais recentes métodos de investigação científica revelariam sobre os diferentes estados meditativos. Será que a atenção focada seria captada como algo diferente da compaixão por um escâner da atividade cerebral? Também queria muito saber se meditadores experientes apresentariam resultados de testes similares entre si e como se diferenciariam de pessoas normais, não treinadas. Desde então, tenho me encantado com o ambiente entusiasmado e caloroso no qual nossa colaboração está se desenvolvendo. Com a publicação dos primeiros artigos científicos, creio que estamos no limiar de uma pesquisa inovadora, que abre um campo completamente novo de conhecimento.

Também me envolvi cada vez mais com a fotografia e, ao longo dos últimos anos, publiquei cinco livros com meus trabalhos como fotógrafo. Sinto-me feliz em poder compartilhar, por meio de imagens, a beleza interior daqueles com quem vivo, bem como a beleza exterior do mundo deles, oferecendo assim um pouco de esperança para a natureza humana.

E, então, por que publicar agora um livro sobre a felicidade? Ele começou como um típico exemplo da "exceção francesa". Alguns intelectuais franceses desprezam a felicidade, apesar de discutirem muito sobre ela. Participei de um debate com um deles para um artigo a ser publicado numa revista francesa. Depois dessa experiência, pensei que se eu escrevesse um novo livro incluiria um capítulo a respeito.

Nesse meio-tempo, Paul Ekman, Richard Davidson, Alan Wallace e eu passamos dois dias em um local bem próximo à natureza, na costa norte da Califórnia, escrevendo um artigo intitulado "Perspectivas do budismo e da psicologia sobre as emoções e o bem-estar".[3] Percebi que o tema era tão central para a vida humana que merecia uma investigação mais profunda.

Ao longo de um ano, li tudo o que caiu em minhas mãos sobre a felicidade e o bem-estar, presente nas obras dos filósofos do Ocidente, dos psicólogos sociais, dos cientistas cognitivos e até na imprensa, que sempre traz a visão das pessoas sobre a felicidade, como a daquela atriz francesa que disse: "Para mim, felicidade é comer um saboroso prato de espaguete", ou "andar na neve sob as estrelas", e assim por diante.

As muitas definições de felicidade que encontrei são contraditórias entre si e às vezes parecem vagas ou superficiais. Assim, à luz da analítica e contemplativa ciência da mente que encontrei graças à bondade de meus mestres, embarquei na tentativa de compreender o sentido e o mecanismo da felicidade genuína e, é claro, do sofrimento.

Quando este livro foi publicado na França provocou um debate que envolveu toda a nação. Os intelectuais confirmaram que não estavam interessados na felicidade e descartaram a ideia de que ela pudesse ser cultivada como uma habilidade. Um autor escreveu um artigo em que me pedia para parar de perturbar as pessoas com o "trabalho sujo da felicidade". Outra revista publicou, em destaque, uma reportagem sobre os "bruxos da felicidade". Depois de viver um mês cruel em Paris, envolvido nesses debates e recebendo a atenção da mídia, eu me senti como um monte de peças desencontradas de um quebra-cabeças. Fiquei feliz ao voltar para as montanhas do Nepal e juntá-las novamente.

Apesar de a minha vida ter se tornado mais agitada, ainda vivo no monastério de Shechen, no Nepal, e passo dois meses por ano no meu eremitério voltado para as montanhas do Himalaia.

Sem dúvida tenho muitos exercícios pela frente antes de atingir a genuína liberdade interior, mas estou me deleitando com a jornada. Simplificar a vida para chegar à sua quintessência é a busca mais recompensadora que já empreendi. Isso não significa abrir mão daquilo que é benéfico, mas descobrir o que realmente importa e o que traz realização duradoura, alegria, serenidade e, acima de tudo, descobrir a dádiva insubstituível do amor altruísta. O que significa transformar a si para melhor transformar o mundo.

Quando eu tinha vinte anos, como escrevi na conclusão deste livro, palavras como *felicidade* e *benevolência* não significavam muito para mim. Eu era um típico jovem estudante parisiense, que assistia aos filmes de Eisenstein e dos Irmãos Marx, estudava música, esteve nas barricadas de maio de 68 perto da Sorbonne, amava esportes e a natureza. Mas eu não sabia muito como viver a minha vida, exceto como um improviso total, dia após dia. De algum modo, senti que havia em mim e nos outros um potencial a desabrochar, mas não tinha ideia de como realizar isso. Trinta e cinco anos mais tarde, certamente ainda tenho muito a percorrer, mas pelo menos a direção está clara para mim, e amo e aproveito cada passo dessa jornada.

Eis por que este livro, apesar de budista em espírito, não é um "livro budista" contrário a um livro "cristão" ou "agnóstico". Ele foi escrito na perspectiva da "espiritualidade secular", um tema de que o Dalai Lama gosta muito. Como tal, não se destina às estantes de livros budistas, mas ao coração e à mente daqueles que aspiram a ter um pouco mais de *joie de vivre* e a deixar a sabedoria e a compaixão reinarem na sua vida.

Monastério de Shechen, maio de 2005

CAPÍTULO 1

SOBRE A FELICIDADE

> Todo homem quer ser feliz, mas para consegui-lo
> precisa antes compreender o que é a felicidade.
>
> JEAN-JACQUES ROUSSEAU

Uma amiga americana, editora de fotografia bem-sucedida, contou-me sobre uma conversa que teve com um grupo de amigos da universidade, logo depois dos exames finais. Falavam sobre o que iriam fazer da vida, e ela disse: "O que eu quero é ser feliz". Houve um silêncio constrangedor, até que um dos seus companheiros perguntou: "O quê? Como é que alguém brilhante como você pode não ter outra ambição senão 'ser feliz?'". Ela retorquiu: "Eu não disse a vocês *como* gostaria de ser feliz. Há tantas maneiras de alcançar a felicidade: criar uma família, ter filhos, construir uma carreira, viver aventuras, ajudar os outros, encontrar a serenidade... seja qual for a atividade que eu escolha, espero encontrar a verdadeira felicidade em minha existência".

A palavra *felicidade*, escreve Henri Bergson, "é comumente usada para designar algo intrincado e ambíguo, uma daquelas ideias que a humanidade intencionalmente deixou imprecisa e vaga para que cada indivíduo possa interpretá-la a seu modo".[1] Do ponto de vista prático, deixar em aberto a definição de felicidade não teria muita importância se estivéssemos falando sobre um sentimento inconsequente. Mas a verdade é totalmente outra, já que estamos lidando com a maneira de ser que define a qualidade de cada momento da nossa vida. Assim, o que exatamente é a felicidade?

Os sociólogos a definem como "o grau em que uma pessoa avalia positivamente a qualidade geral da sua vida presente, considerada em seu todo. Em outras palavras, é o quanto essa pessoa gosta da vida que leva".[2] Essa definição, entretanto, não faz distinção entre uma satisfação profunda e a mera apreciação das condições exteriores da vida. Para alguns, felicidade é apenas "uma impressão momentânea e fugaz, cuja intensidade e duração variam conforme a disponibilidade dos recursos que a tornam possível".[3] Uma felicidade como essa deve ser, por natureza, ilusória e dependente de circunstâncias que, com muita frequência, estão além do nosso controle.

Para o filósofo Robert Misrahi, por outro lado, felicidade é "a radiação da alegria sobre a nossa existência inteira ou sobre a parte mais vibrante do nosso passado ativo, nosso verdadeiro presente e o nosso futuro concebível".[4] Logo, pode a *felicidade* ser duradoura? Conforme André Comte-Sponville, "por felicidade entendemos qualquer período de tempo em que a alegria pareça possível de maneira imediata".[5] Se assim for, seria possível aumentar a duração deste estado?

É a felicidade uma *habilidade* que, uma vez adquirida, perdura, apesar dos altos e baixos da vida? Há mil formas de pensar sobre a felicidade, e incontáveis filósofos ofereceram-nos as suas. Para santo Agostinho, felicidade é "a alegria que nasce da verdade". Para Immanuel Kant, a felicidade deve ser racional e desprovida de qualquer inclinação pessoal, enquanto Marx a vê como o crescimento pelo trabalho. "O que constitui a felicidade é uma questão a ser debatida", escreveu Aristóteles, "e o que o povo pensa sobre ela não é o mesmo que os filósofos".

Terá sido tão excessivo o uso da palavra *felicidade* que as pessoas desistiram dela, ignorando-a por causa das ilusões e chavões que ela evoca? Para alguns, falar sobre a procura da felicidade é quase mau gosto. Protegidos por uma armadura de complacência intelectual, escarnecem dela como o fariam em relação a uma novela sentimental.

Por que ocorreu uma desvalorização como essa? Seria um reflexo da felicidade artificial oferecida pela mídia? O resultado dos insucessos de nossos esforços para encontrar a felicidade genuína? Será que teremos que nos haver com a infelicidade, em vez de fazer uma tentativa verdadeira e inteligente de desenredar a felicidade do sofrimento?

E quanto à felicidade que temos ao ver o sorriso de uma criança ou ao tomar uma boa xícara de chá depois de uma caminhada no campo? Por mais reconfortantes e ricos que possam ser esses genuínos vislumbres, eles são circunstanciais demais para poderem irradiar luz sobre a nossa vida como um todo. Portanto, a felicidade não pode se limitar a algumas sensações agradáveis, a um intenso prazer, a uma erupção de alegria ou a um efêmero sentimento de serenidade, a um dia animado ou a um momento mágico que passa por nós no labirinto da nossa existência. Essas diversas facetas não são suficientes para construir uma imagem precisa da realização profunda e duradoura que caracteriza a verdadeira felicidade.

A *felicidade*, como será tratada neste livro, é a profunda sensação de florescer que surge em uma mente excepcionalmente sadia. Isso não é meramente um sentimento agradável, uma emoção passageira ou uma disposição de ânimo: é um excelente estado de ser. A felicidade é também uma maneira de interpretar o mundo, pois, se às vezes pode ser difícil transformá-lo, sempre é possível mudar a maneira de vê-lo.

FELICIDADE: PRIMEIRAS IMPRESSÕES

Apesar de Bertha Young ter trinta anos, ela ainda vivia momentos como este, em que queria correr em vez de andar, ensaiar passos de dança subindo e descendo da calçada, brincar de rolar por aí um aro qualquer com um bastão, jogar algo no ar e pegar novamente, ou ficar parada e rir de nada – de nada mesmo, rir simplesmente... O que fazer, se você tem trinta anos, e ao dobrar a esquina da rua em que mora, de repente sente-se dominada por um sentimento de felicidade – felicidade absoluta! –, como se tivesse engolido um pedaço brilhante daquele sol de fim de tarde e ele ardesse em seu peito, irradiando uma pequena chuva de centelhas em cada parte do seu corpo, por menor que seja, cada dedo da mão, cada dedinho do pé?

Katherine Mansfield, *Bliss*[6]

Peça para várias pessoas descreverem um instante de felicidade "perfeita". Algumas falarão sobre momentos que sentiram uma paz profunda, vivenciada em um ambiente natural e harmonioso: uma floresta salpicada de manchas da luz do sol, o cume de uma montanha descortinando um vasto horizonte, a beira de um lago tranquilo, uma caminhada noturna na neve sob o céu estrelado, e assim por diante. Outras lembrarão de um evento longamente esperado: um exame em que passaram com nota máxima, uma vitória no esporte, um encontro com alguém há muito tempo esperado, o nascimento de uma criança. Outras, ainda, falarão de um momento de intimidade e paz com a família ou com o ser amado, ou de terem feito outra pessoa feliz.

O fator comum a todas essas experiências, ao que parece, é o desaparecimento momentâneo de conflitos interiores. A pessoa fica em harmonia com o mundo e consigo mesma. Alguém que desfruta uma experiência como essa, como andar por uma região onde sentimos a serenidade da natureza preservada, não tem outra expectativa além do simples ato de andar. Ela simplesmente é, aqui e agora, livre e aberta.

Por alguns momentos, os pensamentos sobre o passado são suprimidos, a mente não está oprimida por planos para o futuro, e o momento presente está liberado dos construtos mentais. Esse momento de pausa, do qual foi retirado todo senso de urgência emocional, é vivido como um instante de paz profunda. Para alguém que atingiu uma meta, completou uma tarefa ou obteve uma vitória, a tensão, acumulada há muito tempo, relaxa. O sentimento de alívio e libertação resultante é vivido com calma profunda, livre de todas as expectativas e do medo.

Mas essa experiência é apenas um vislumbre passageiro trazido por um conjunto particular de circunstâncias. Damos-lhe o nome de momento mágico, ou estado de graça. E, no entanto, a diferença entre esses *flashes* de felicidade capturada de surpresa e a paz imutável do sábio, por exemplo, é tão grande quanto aquela entre a pequena porção do céu que podemos ver através do buraco de uma agulha e a extensão ilimitada do espaço exterior. Essas duas condições diferem em dimensão, duração e profundidade.

Mesmo assim, podemos aprender algo com esses momentos fugazes. Essas calmarias em nossas lutas sem fim podem nos dar uma boa ideia do que pode ser a verdadeira plenitude e ajudar-nos a reconhecer as condições que a favorecem.

UMA MANEIRA DE SER

Lembro-me de uma tarde em que estava sentado nos degraus do nosso monastério no Nepal. As tempestades da época das monções haviam transformado o pátio em uma vasta extensão de água barrenta e tínhamos construído um caminho de tijolos para atravessá-lo. Uma amiga chegou à beira da água, observou a cena com uma expressão de desgosto e começou a travessia, reclamando a cada passo que dava. Quando chegou onde eu estava, olhou para trás e disse: "Argh... e se eu tivesse caído naquela imundície? Tudo é tão sujo neste país..." Como eu a conhecia bem, concordei, esperando oferecer-lhe algum conforto com minha simpatia silenciosa. Poucos minutos depois, Raphaèle, outra amiga, chegou à trilha que atravessava o charco. "Hop, hop, hop", cantou, pulando de um tijolo para o outro, e, ao alcançar a terra seca, gritou: "Como isso é divertido!". Com os olhos brilhando de alegria, acrescentou: "A melhor coisa nas monções é que ficamos livres da poeira". Duas pessoas, dois modos de olhar para a mesma situação. Seis bilhões de seres humanos, seis bilhões de mundos.

Raphaèle contou-me de um homem que conhecera na primeira vez que visitara o Tibete, em 1986, que tinha passado por momentos aterradores durante a invasão chinesa. "Ele me convidou para sentar num banco e serviu-me chá, que guardava numa grande garrafa térmica. Era a primeira vez que falava com uma ocidental. Rimos muito, ele era adorável. As crianças se aproximavam e ficavam olhando para nós, admiradas, enquanto ele me enchia de perguntas. Contou-me, então, que fora prisioneiro dos invasores chineses durante doze anos, condenado a talhar pedras que seriam usadas em uma represa que estava sendo construída no vale Drak Yerpa. Essa construção era completamente inútil, já que o rio estava quase sempre seco! Todos os seus amigos haviam morrido de fome e exaustão a seu lado, um por um. Apesar do horror da sua história, não se percebia o menor traço de ódio em suas palavras ou de ressentimento em seus olhos, que brilhavam de bondade. Naquela noite, antes de adormecer, fiquei pensando em como alguém que tinha sofrido tanto podia parecer tão feliz."

Aquele que tem paz interior não é mais esmagado pela derrota ou inflado pelo sucesso. Torna-se capaz de viver intensamente as suas experiências no contexto de uma serenidade vasta e profunda, já que compreende que elas são efêmeras e que é inútil apegar-se a elas. Não tem mais o sentimento de "perder as ilusões" quando as coisas vão mal e confronta-se com a adversidade. Não mergulha na depressão, já que sua felicidade repousa em uma fundação sólida. Um ano antes de sua morte em Auschwitz, a notável Etty Hillesum, uma jovem holandesa, afirmou: "Quando temos uma vida interior, não importa de que lado da cerca da prisão estamos... Já morri mil vezes em mil campos de concentração. Já conheço tudo. Não há nenhuma informação nova para me perturbar. De um jeito ou de outro, já conheço tudo. E, ainda assim, acho esta vida bela e rica de significado. A cada instante".[7]

Uma vez, num debate em Hong Kong, um jovem que estava na plateia levantou-se e perguntou: "Pode dar-me uma razão para que eu continue vivendo?". Este livro é uma humilde resposta a essa questão, pois a felicidade é, acima de tudo, amor pela vida, gostar de viver. Ter perdido toda razão de viver é jogar-se num abismo de sofrimento. Por mais influentes que sejam as condições externas, o sofrimento, assim como o bem-estar, é em essência um estado interior. Compreender isso é o prerrequisito, a chave para uma vida que vale a pena ser vivida. Que condições mentais destroem a nossa *joie de vivre*, e que condições a alimentam?

Mudar o modo de ver o mundo não é ter um otimismo ingênuo ou uma euforia artificial com intenção de contrabalançar a adversidade. Enquanto formos escravos da insatisfação e da frustração que surgem da desordem que domina a nossa mente, será tão inútil dizer a si mesmo: "Sou feliz! Sou feliz!", muitas e muitas vezes, quanto seria repintar um muro em ruínas. Buscar a felicidade não é olhar para a vida através de óculos cor-de-rosa ou cegar-se para a dor e as imperfeições do mundo. Nem é a felicidade tampouco um estado de exaltação que deva ser perpetuado a qualquer custo, mas, sim, um processo de purgar as toxinas mentais, como o ódio e a obsessão, que envenenam a mente. É também aprender como colocar as coisas em perspectiva e reduzir a distância entre as aparências e a realidade. Para esse fim, devemos adquirir um conhecimento melhor sobre como a mente funciona e ter uma percepção mais precisa sobre a natureza das coisas, pois, no sentido mais profundo, o sofrimento está intimamente ligado a um mal-entendido sobre a natureza da realidade.

REALIDADE E CONHECIMENTO

O que devemos entender por realidade? No budismo, essa palavra conota a verdadeira natureza das coisas, não modificada pelos construtos mentais que sobrepomos a ela. Essa abordagem escava um fosso entre a nossa percepção e a realidade, criando um conflito sem fim com o mundo. "Deciframos erradamente o mundo e dizemos que ele nos engana", escreveu Rabindranath Tagore.[8] Tomamos como permanente o efêmero e consideramos felicidade o que não passa de fonte de sofrimento: o desejo de riqueza, de poder, de fama, de prazeres obsessivos. Segundo Chamfort, "o prazer pode se apoiar na ilusão, mas a felicidade repousa sobre a verdade".[9]

Por *conhecimento* queremos dizer não o domínio de quantidade maciça de informação e aprendizagem, mas a compreensão da verdadeira natureza das coisas. Por causa dos nossos hábitos, percebemos o mundo exterior como uma série de entidades diferentes e autônomas, a que atribuímos características que cremos ser inerentes a elas. A nossa experiência diária nos diz que as coisas são "boas" ou "más". O "eu" que as percebe nos parece ser igualmente concreto e real. Este erro, que o budismo chama de *ignorância*, gera poderosos reflexos de apego e aversão que geralmente levam ao sofrimento. Como diz Etty Hillesum, tão concisamente: "O grande obstáculo é sempre a representação e não a realidade".[10] O mundo da ignorância e do sofrimento – chamado em sânscrito de *samsara* – não é uma condição fundamental da existência, mas um universo mental, baseado na nossa concepção errônea da realidade.

O mundo das aparências resulta da conjunção de um número infinito de causas e condições, sempre mutáveis. Como um arco-íris, que se forma quando o sol brilha através de uma cortina de chuva e depois desaparece quando qualquer dos fatores contribuintes à sua formação não está mais presente. Os fenômenos existem de modo essencialmente interdependente e não têm nem existência durável nem autonomia. Tudo é *relação*, nada existe em si e por si mesmo, imune às forças de causa e efeito. Uma vez que esse conceito essencial é compreendido e internalizado, a percepção errônea que tínhamos do mundo dá lugar a um entendimento correto da natureza das coisas e dos seres. Isso é o verdadeiro *conhecimento*. Não se trata de um mero construto filosófico, mas procede de uma abordagem básica que nos permite ir eliminando a nossa cegueira mental e as emoções perturbadoras que ela produz, acabando assim com as principais causas do nosso sofrimento.

Cada ser tem em si mesmo o potencial para a perfeição, da mesma maneira que cada semente de gergelim tem o seu próprio óleo. *Ignorância*, neste contexto, significa não estar consciente desse potencial, como um mendigo que não sabe da existência de um tesouro enterrado sob seu barraco. Conhecer a nossa verdadeira natureza, e tomar posse desse tesouro esquecido, nos permite viver uma vida repleta de significado. Esse é o caminho mais seguro para encontrar a serenidade e deixar florescer o altruísmo genuíno.

Existe uma maneira de ser que subjaz a todos os estados emocionais e está presente na substância de que somos feitos, abrangendo todas as alegrias e sofrimentos que vêm a nós. Uma felicidade tão profunda que, como escreveu Georges Bernanos, "nada pode mudá-la, como a vasta reserva de águas calmas abaixo de uma tempestade".[11] A palavra em sânscrito para esse estado de ser é *sukha*.

Sukha é o estado de plenitude e bem-estar duradouro que se manifesta quando nos libertamos da cegueira mental e das emoções aflitivas. É também a sabedoria que nos permite ver o mundo como ele é, sem véus ou distorções. É, por fim, a alegria de dirigir-se para a liberdade interior e a bondade amorosa que irradia em direção aos outros.

CAPÍTULO 2

A FELICIDADE É O PROPÓSITO DA VIDA?

> Deve-se praticar aquilo que produz a felicidade já que, se ela está presente, temos tudo, e se ausente, fazemos qualquer coisa para obtê-la.
> EPICURO

Quem quer sofrer? Quem acorda de manhã pensando: "Hoje eu gostaria de sofrer o dia inteiro"? Todos lutamos, consciente ou inconscientemente, com competência ou não, com paixão ou calma, de forma aventureira ou na rotina, para ser mais felizes e sofrer menos. No entanto, quase sempre acabamos confundindo a felicidade genuína com a mera busca de emoções agradáveis.

A cada dia da nossa vida realizamos inúmeras atividades para viver intensamente: construímos vínculos de amizade e amor, enriquecemos, protegemos aqueles que amamos e mantemos a alguma distância aqueles que poderiam nos fazer algum mal. Devotamos o nosso tempo e as nossas energias a essas tarefas, esperando que elas possam trazer um sentimento de realização e bem-estar para nós mesmos e para os outros.

Seja qual for o modo usado para buscar a felicidade e qualquer que seja a palavra pela qual a denominemos – alegria ou dever, paixão ou contentamento – não é a felicidade a meta de todas as metas? Aristóteles chamou-a de a única meta "que sempre escolhemos por ela mesma e nunca como meio para alcançar outra coisa qualquer". Qualquer pessoa que declare buscar outra coisa não sabe o que quer, pois está procurando a felicidade sob outro nome.

Stephen Kosslyn, um amigo pesquisador de imagens mentais e professor da Universidade de Harvard, disse-me que, quando acorda pela manhã, não é o desejo de ser feliz que lhe vem ao espírito, mas o sentimento de dever, de responsabilidade por sua família, pela equipe que lidera e pelo seu trabalho. Ele insiste em afirmar que a felicidade não faz parte das suas considerações. No entanto, se refletirmos a respeito, veremos que, na satisfação em realizar as metas que nos parecem valer a pena – por meio de um esforço a longo prazo e enfrentando obstáculos por toda parte – estão presentes alguns aspectos da verdadeira felicidade, *sukha*. É isso que proporciona o sentimento de estar em harmonia consigo mesmo. Um homem como ele, que cumpre o seu "dever" e acredita que o sofrimento e as condições difíceis "moldam o caráter", ainda assim não procura cultivar a sua própria infelicidade ou a da humanidade.

O drama é que costumamos nos enganar e identificamos de forma errônea os caminhos que levam à obtenção desse bem-estar. Como explica o mestre tibetano Chögyam Trungpa: "Ao falarmos de ignorância, não nos referimos à estupidez. Num certo sentido, a ignorância é muito inteligente, mas essa inteligência trabalha numa única direção. Ou seja, ela reage apenas às suas próprias projeções, em vez de ver o que é, o que está lá".[1]

A *ignorância*, segundo a compreensão budista, é um estado em que somos incapazes de reconhecer a verdadeira natureza das coisas e a lei de causa e efeito que governa a felicidade e o sofrimento. Os partidários da limpeza étnica, por exemplo, pretendem construir o melhor dos mundos, e alguns deles parecem estar de fato convencidos da adequação dessa prática abominável. Por mais paradoxal e doentio que possa parecer, aqueles que satisfazem seus impulsos egoístas semeando a morte e a destruição esperam que essas ações lhes tragam alguma gratificação. A maldade, a ilusão, o desprezo e a arrogância não são meios de chegar à verdadeira felicidade, mas mesmo aqueles que são cruéis, atormentados, obcecados, hipócritas ou vaidosos estão, à sua maneira, buscando a felicidade. Ainda que permaneçam inconscientes da verdadeira natureza da felicidade, daquilo que ela realmente é. De modo semelhante, alguém que comete suicídio para pôr fim a uma angústia insuportável também está buscando a felicidade.

Como podemos dissipar essa ignorância básica? A única maneira é por meio da honestidade e de uma introspecção lúcida e sincera. Podemos consegui-las utilizando dois métodos: o analítico e o contemplativo. A análise consiste em fazer uma avaliação sincera e sistemática de cada aspecto do nosso próprio sofrimento e do sofrimento que infligimos aos outros. Ela implica compreender quais pensamentos, palavras e ações sempre conduzem à dor e quais contribuem para o bem-estar. Naturalmente, uma abordagem assim requer primeiro que cheguemos a perceber que algo não vai muito bem na nossa maneira de ser e agir. Em seguida, é necessário sentir um desejo ardente de mudar.

A atitude contemplativa é mais subjetiva. Ela consiste em elevar-nos por alguns instantes acima do redemoinho de pensamentos e olhar com calma para dentro, para o fundo de nós mesmos, como se olhássemos para uma paisagem interior, no intuito de descobrir aquilo que encarna nossas aspirações mais profundas. Para alguns, essa aspiração pode significar viver cada momento com intensidade, experimentando as muitas sutilezas do prazer. Para outros, pode ser a realização de certos objetivos: ter uma família, sucesso social, lazer, ou apenas uma vida sem sofrimento excessivo. Mas todas essas formulações são parciais e incompletas. Se formos ainda mais fundo, o provável é descobrir que nossa aspiração primária, na base de todas as outras, é ter uma satisfação forte o suficiente para alimentar nosso amor pela vida. Este é o desejo: "Possa cada instante da minha vida, e da vida dos outros, ser um instante de sabedoria, florescimento e paz interior!".

AMAR O SOFRIMENTO?

Falando sobre os efeitos das drogas, um adolescente parisiense certa vez me disse: "Se, entre as doses, você não tiver alguns momentos terríveis, se não ficar um pouco deprimido, não sentirá tanto a diferença. Eu aceito os momentos difíceis porque depois vêm os de euforia. Como não consigo me livrar da dor, prefiro mergulhar nela. Não tenho vontade de cultivar a felicidade interior, é muito difícil e demora muito. Leva anos e não é nada agradável. Prefiro ter uma felicidade imediata, mesmo que ela não seja real e vá ficando mais fraca cada vez que eu procure por ela". Desse raciocínio derivam a busca de sensações e prazeres momentâneos e a consideração da serenidade duradoura e profunda como utopia. Ainda assim, mesmo que os intervalos infelizes tragam um pouco de variedade à vida, ninguém vai buscá-los, aceitando-os apenas pelo contraste, pelo contraponto que fazem às mudanças esperadas.

Essa atitude ambígua quanto ao sofrimento reflete a influência persistente do sentimento de culpa, associado ao pecado original na civilização judaico-cristã. Se um Deus que nos ama nos submete a provas por meio do sofrimento, é preciso então amar esse sofrimento. Podemos ir ainda mais longe: para o escritor Dominique Noguez, a miséria é mais interessante do que a felicidade porque tem uma "intensidade vívida, sedutora, luciferina. E há uma atração adicional [...] não ser a miséria um fim em si mesmo, mas deixar sempre uma expectativa [ou seja, a felicidade]".[2]

Que turbilhão tolo: vamos lá, só um pouquinho mais de dor antes da felicidade! Essa disposição para o sofrimento só pode nos lembrar a de um louco que bate com o martelo na própria cabeça, só para poder sentir-se melhor quando parar. Em resumo, seria a felicidade duradoura um tédio porque é sempre igual e o sofrimento mais excitante porque é sempre diferente? Podemos apreciar tais contrastes devido à variedade e às cores que dão à vida, mas quem quer trocar os momentos de alegria pelos de sofrimento?

Por outro lado, pareceria mais engenhoso, e talvez mais sábio, usar o sofrimento como um veículo de transformação que nos permita abrir-nos compassivamente para aqueles que sofrem como nós ou mais do que nós. É apenas nesse sentido que devemos entender as palavras do filósofo romano Sêneca: "O sofrimento faz mal, mas não é um mal". Ele não é um mal quando, incapazes de evitá-lo, usamo-lo em nosso proveito para aprender e mudar, ao mesmo tempo que reconhecemos que o sofrimento jamais será bom em si mesmo e por si.

Já santo Agostinho escreveu o oposto em *Solilóquios e a vida feliz*: "O desejo de ser feliz é essencial ao homem, é a motivação de todos os nossos atos. A coisa mais venerável, menos compreendida, mais iluminada, constante e confiável no mundo é que queremos ser felizes. Não queremos outra coisa senão isso. Nossa natureza requer isso de nós". Esse desejo inspira cada um de nossos atos, emana do nosso próprio mundo e conduz nosso pensamento de modo tão natural que nem percebemos isso. É como o oxigênio que respiramos durante toda a vida sem jamais pensar nele.

TUDO DO QUE VOCÊ PRECISA PARA SER FELIZ

Imaginar a felicidade como a materialização de *todos* os nossos desejos e paixões e, sobretudo, concebê-la unicamente de modo egocêntrico, é confundir a aspiração legítima de realizar-se interiormente com uma utopia que inevitavelmente leva à frustração. Ao afirmar que "a felicidade é a satisfação de todos os nossos desejos" em sua "multiplicidade", "grau" e "duração",[3] Kant a relega, desde o início, para o domínio do irrealizável. Quando ele afirma que a felicidade é a condição de alguém para quem "tudo vai de acordo com seu desejo e sua vontade",[4] temos que nos perguntar sobre o mistério pelo qual qualquer coisa poderia "ir" de acordo com os nossos desejos e vontade. Isso me lembra um diálogo que ouvi certa vez em um filme sobre a máfia:
– Quero aquilo que me é devido.
– O que lhe é devido?
– O mundo, garoto, e tudo o que há nele.

Mesmo se a satisfação de todos os nossos desejos fosse possível, isso não levaria à felicidade, mas à criação de novos desejos ou à indiferença e à repulsa ou até mesmo à depressão. Por que à depressão? Se tivéssemos nos convencido de que a satisfação de todos os desejos nos tornaria felizes, o colapso dessa ilusão nos faria duvidar da própria existência da felicidade. Se eu tenho muito mais do que necessito e ainda assim não me sinto feliz, a felicidade deve ser inatingível.

Isso mostra bem a que ponto podemos chegar, iludindo-nos sobre as causas da felicidade. O fato é que sem paz interior e sabedoria *não temos nada do que é realmente necessário para sermos felizes*. Vivendo num movimento de pêndulo entre a esperança e a dúvida, a excitação e o tédio, o desejo e o cansaço, é fácil desperdiçar cada pedacinho da nossa vida sem nem mesmo notar, correndo para todo lado sem chegar a lugar algum. A felicidade é um estado de realização interior, não a gratificação dos inesgotáveis desejos exteriores.

Ao gerarmos uma felicidade autêntica – *sukha* – não fazemos mais do que revelar, ou despertar, um potencial que sempre tivemos dentro de nós.

É isso que o budismo chama de *natureza búdica*, que está presente em cada ser. O que surge como uma construção ou um desenvolvimento não é senão a eliminação gradual de tudo aquilo que oculta esse potencial e de algum modo obstrui a irradiação da consciência e da alegria de viver. A luz do sol não é jamais obscurecida pelas nuvens, que, aos nossos olhos, a dissimulam. Essa eliminação, como veremos mais adiante, consiste em desembaraçar a mente de todos os venenos mentais, como o ódio, a avidez e a confusão.

A NOSSA FELICIDADE DEPENDE DA FELICIDADE DOS OUTROS?

Dentre todos os caminhos tortos, cegos e extremados que percorremos para construir a nossa felicidade, um dos mais estéreis é o do egocentrismo. "Quando a felicidade egoísta é o único objetivo da vida, a vida logo fica sem objetivo", escreveu Romain Rolland.[5] Mesmo se aparentemente demonstrarmos sinais exteriores de felicidade, não poderemos ser realmente felizes se não nos interessarmos pela felicidade dos outros. E isso de modo algum requer que negligenciemos a própria felicidade. O nosso desejo de ser feliz é tão legítimo quanto o de qualquer outra pessoa. E, para amar os outros, devemos aprender a amar a nós mesmos. Não se trata de ficar embevecido, extasiado, diante da cor dos próprios olhos, da beleza do corpo ou ao perceber algum traço positivo da própria personalidade, mas sim de atribuir o devido reconhecimento ao desejo de viver cada momento da existência como um momento pleno de significado e realização. Amar a si mesmo é amar a vida. É essencial compreender que construímos a nossa própria felicidade fazendo os outros felizes.

Em resumo, o objetivo da vida é obter um estado profundo de bem-estar, sabedoria e plenitude em todos os momentos, acompanhado do amor por cada ser. Não esse amor individualista que a sociedade atual nos incute, mas o amor verdadeiro, que surge da bondade essencial, fazendo com que, de todo coração, desejemos que todos encontrem sentido em suas vidas. Trata-se de um amor que está sempre disponível, sem ostentação ou interesse próprio. A simplicidade imutável do bom coração.

EXERCÍCIO Examinar as causas da felicidade

Em um momento de calma, sozinho, tente descobrir aquilo que realmente faz você feliz. A sua felicidade decorre principalmente de circunstâncias exteriores? Até que ponto ela acontece devido ao seu estado mental e à maneira pela qual vivencia o mundo? Se a felicidade vem de circunstâncias exteriores, verifique o quanto elas são estáveis, o quanto são frágeis. Se ela vem de um estado mental, reflita sobre as maneiras de cultivá-lo mais intensamente.

CAPÍTULO 3

UM ESPELHO DE DUAS FACES:
OLHAR PARA DENTRO, OLHAR PARA FORA

> Buscar a felicidade fora de nós mesmos
> é como esperar pela luz do sol
> em uma caverna que dá para o norte.
> DITADO TIBETANO

Se é verdade que todos os homens, de uma forma ou de outra, tentam ser felizes, há uma grande diferença entre aspiração e realização. Esse é o drama dos seres humanos. Tememos a miséria, mas corremos diretamente em direção a ela. Queremos a felicidade, mas nos afastamos dela. Os próprios meios que usamos para diminuir o sofrimento acabam por alimentá-lo. Como é possível que ocorra tal erro de julgamento? Ele ocorre porque somos confusos sobre a maneira de proceder quanto a tudo isso. Buscamos a felicidade fora de nós mesmos quando ela é basicamente um estado de ser. Se fosse uma condição exterior, não estaria nunca ao nosso alcance. Os nossos desejos são ilimitados e o controle que temos sobre o mundo é limitado, temporário e, geralmente, ilusório.

Construímos laços de amizade, constituímos família, vivemos em sociedade, trabalhamos para melhorar as condições exteriores da nossa existência, mas seria isso suficiente para definir a felicidade? Não. Podemos ter "tudo para ser felizes" e ainda assim sermos muito infelizes. Por outro lado, podemos permanecer serenos na adversidade. É ingênuo imaginar que só as condições externas podem assegurar a felicidade. Esse caminho certamente nos levará a um despertar doloroso. Como disse o Dalai Lama: "Se um homem que acaba de mudar para um luxuoso apartamento no centésimo andar de um prédio novinho em folha sente-se muito infeliz, a única coisa que ele vai procurar é uma janela de onde possa se atirar".[1] Quantas vezes já ouvimos que o dinheiro não traz felicidade, que o poder corrompe os honestos e que a fama arruína a vida particular? O fracasso, a ruína, a separação, a enfermidade e a morte estão sempre prontos para reduzir a cinzas o nosso cantinho de paraíso.

De bom grado, passamos uma dúzia de anos na escola fundamental e vários outros na universidade ou investindo numa carreira profissional, "malhamos" na academia para permanecer saudáveis, dedicamos um bocado de tempo para obter mais conforto, saúde ou status social. Consagramos nossos esforços a tudo isso e no entanto fazemos muito pouco para melhorar as condições interiores que determinam a própria qualidade da vida que temos. Que hesitação estranha, medo ou inércia nos impedem de olhar para dentro de nós mesmos, de tentar compreender a verdadeira essência da alegria e da tristeza, do desejo e do ódio? O medo do desconhecido prevalece e a coragem para explorar esse mundo interior cessa quando chegamos à fronteira de nosso espírito. Um astrônomo japonês certa vez me confidenciou: "É preciso muita ousadia para olhar para dentro de si mesmo". Essa observação – feita por um cientista no auge das suas capacidades, um homem com a mente aberta e equilibrada – deixou-me intrigado. Por que ele vacilaria diante daquilo que promete ser um projeto de pesquisa absolutamente fascinante? Como disse Marco Aurélio: "Olhe para dentro de si: aí está a fonte de todo o bem".[2]

Como fazer isso é algo que devemos aprender. Quando somos atribulados pelos nossos problemas interiores, não sabemos como acalmá-los e instintivamente nos voltamos para fora. Passamos a vida emendando soluções improvisadas, na tentativa de encontrar as condições que nos farão felizes. Por força do hábito, essa maneira de viver se torna a norma, e a máxima "A vida é assim" torna-se nosso lema. No entanto, mesmo que a busca pelo bem-estar temporário seja ocasionalmente bem-sucedida, jamais poderemos controlar a quantidade, a qualidade ou a duração das circunstâncias exteriores. Isso ocorrerá em todos os aspectos da vida: amor, família, saúde, riqueza, poder, conforto, prazer.

Meu amigo, o filósofo e praticante budista americano Alan Wallace, escreveu: "Se você aposta que conseguirá a genuína felicidade e realização por meio do encontro da companheira perfeita, da posse de um ótimo carro e de uma casa enorme, do melhor seguro, de uma excelente reputação e do melhor emprego – se essas são as suas prioridades, será necessário também desejar, com todas as suas forças, ter sorte na loteria da vida".[3] Ao gastar o seu tempo tentando encher um barril furado, você negligencia os métodos e acima de tudo as maneiras de ser que lhe permitirão encontrar a felicidade dentro de si mesmo.

A culpa nesse caso é da nossa maneira confusa de abordar a dinâmica da felicidade e do sofrimento. Ninguém pode negar que é muito desejável viver uma vida longa e saudável, ser livre, morar em um país pacífico onde a justiça é respeitada, amar e ser amado, ter acesso à educação e recursos para viver com abundância, poder viajar pelo mundo, contribuir o máximo possível para o bem-estar dos outros e proteger o ambiente. Estudos sociológicos realizados com populações inteiras mostram claramente que os seres humanos gostam muito mais de viver nessas condições. Quem desejaria algo mais? No entanto, ao colocarmos todas as nossas esperanças no mundo externo, é inevitável ficarmos desapontados.

Por exemplo: por acreditarmos que o dinheiro nos fará mais felizes, trabalhamos para obtê-lo e, quando conseguimos, ficamos obcecados em fazê-lo aumentar, sofrendo quando enfrentamos perdas. Um amigo de Hong Kong disse-me certa vez que tinha prometido a si mesmo que, ao conseguir um milhão de dólares, deixaria o trabalho para aproveitar a vida, acreditando que, então, seria feliz. Dez anos depois, ele não tinha somente um milhão de dólares, mas três. E quanto à felicidade? A sua resposta foi breve: "Desperdicei dez anos da minha vida".

Buscamos riqueza, prazeres, condição social e poder para sermos felizes. Mas, ao lutarmos por isso, esquecemos a meta principal e perdemos tempo tentando alcançar os meios como se fossem fins. Ao fazer isso, erramos o alvo e ficamos profundamente insatisfeitos. Essa substituição dos meios pelos fins é uma das principais armadilhas que encontramos na busca de uma vida com significado. Como diz o economista Richard Layard: "Algumas pessoas dizem que você não deve pensar na própria felicidade porque ela é um subproduto de outra coisa. Isso é uma péssima filosofia. Uma fórmula para manter-se ocupado a todo custo".[4]

Se, por outro lado, a felicidade é um estado que depende de condições internas, cabe a cada um de nós aprender a reconhecer essas condições com atenção, e depois, alcançá-las. A felicidade não nos é dada, nem a miséria, imposta. Estamos, a cada momento, em uma encruzilhada, e devemos escolher a direção que devemos tomar.

PODEMOS CULTIVAR A FELICIDADE?

> "Cultivar a felicidade!", eu disse rapidamente ao doutor. "Você cultiva a felicidade? E como faz isso? [...] A felicidade não é uma batata que se planta na terra e cultiva com estrume."
>
> Charlotte Brontë, *Villette*[5]

As palavras de Charlotte Brontë têm sagacidade e humor, mas é bom não subestimar o poder da mente de provocar transformações. Se ao longo dos anos tentarmos com resolução e perseverança dominar os nossos pensamentos no momento em que ocorrem, aplicando antídotos apropriados às emoções negativas e nutrindo as positivas, sem dúvida o nosso esforço trará resultados que no começo da prática teriam parecido impossíveis de serem alcançados.

Maravilhamo-nos com a ideia de um atleta ser capaz de saltar mais de dois metros e quarenta de altura e se não víssemos isso ser transmitido pela televisão não acreditaríamos que fosse possível, já que sabemos que a maior parte de nós não consegue saltar nem um metro e vinte... Quando se trata de performance física, logo aparecem os limites, mas a mente é muito mais flexível. Por que, por exemplo, deve haver um limite para o nosso amor e a nossa compaixão? A disposição para cultivar essas qualidades é diferente para cada ser humano, mas todos temos o potencial de progredir ao longo da vida se persistirmos em nossos esforços.

É estranho, mas muitos pensadores modernos são, nas palavras de um autor francês, radicalmente contra "a construção do eu como uma tarefa sem fim".[6] Se adotássemos como princípio renunciar a todos os projetos de longo prazo, as próprias noções de aprendizagem, educação, cultura ou autoaperfeiçoamento não teriam significado algum. Mesmo sem falar no caminho espiritual, por que, então, continuar a ler livros, a fazer pesquisas científicas, a aprender sobre o mundo? A aquisição de conhecimentos também é uma tarefa que não tem fim. Por que aceitá-la mas negligenciar a construção de si mesmo, a própria transformação que determina a qualidade da nossa experiência vivida? Será melhor nos deixarmos levar pela corrente? Mas assim podemos acabar colidindo com as pedras.

DEVEMOS NOS CONTENTAR EM SER NÓS MESMOS?

Há quem pense que para ser realmente feliz é só aprender a amar a si mesmo da maneira como se é. Isso depende do que entendemos por "sermos nós mesmos". Trata-se de ficar numa perpétua gangorra entre satisfação e desprazer, calma e excitação, entusiasmo e apatia? Ceder a esse modo de pensar enquanto deixamos os impulsos e as tendências correrem soltos, seria um modo muito fácil, uma solução intermediária, um tipo de rendição até.

Muitas receitas para a felicidade insistem que, por natureza, somos uma mistura de luz e sombra, portanto devemos aprender a aceitar os nossos erros e as nossas qualidades positivas. Elas afirmam que podemos resolver a maior parte dos nossos conflitos interiores e viver cada dia com confiança e bem-estar se desistirmos de lutar contra as nossas próprias limitações. O nosso melhor caminho seria liberar a própria natureza, já que tentar contê-la só agravaria os problemas. É óbvio que, se tivermos que escolher, será melhor viver com espontaneidade do que passar os dias rilhando os dentes, mortos de tédio ou odiando a nós mesmos. Mas todas essas receitas não seriam apenas uma maneira de embalar os nossos hábitos num pacote bonito?

Pode até ser que "expressar-se naturalmente", dar liberdade aos próprios impulsos "naturais", traga alívio momentâneo para as tensões interiores, mas continuaremos presos à armadilha do círculo sem fim dos nossos hábitos. Uma atitude como essa não resolve nenhum problema sério, já que ao sermos ordinariamente nós mesmos permanecemos ordinários. Como escreveu o filósofo francês Alain: "Não é preciso ser feiticeiro para rogar uma praga sobre si mesmo, basta dizer: 'Sou assim e não posso fazer nada'".[7]

Somos muito parecidos com aqueles pássaros que passaram tanto tempo na gaiola que mesmo quando têm a possibilidade de voar para a liberdade voltam a ela. Estamos tão acostumados com nossos erros que mal podemos imaginar como seria a vida sem eles. A perspectiva de mudança nos dá vertigens.

E isso não é falta de energia. Como dissemos, fazemos esforços consideráveis em um sem-número de direções, empreendendo incontáveis projetos. Como diz um provérbio tibetano: "Eles têm o céu estrelado como chapéu e o gelo como botas", porque ficam acordados até tarde da noite e acordam antes do amanhecer. Mas se nos ocorre pensar: "Eu deveria tentar desenvolver o altruísmo, a paciência, a humildade", hesitamos, e dizemos a nós mesmos que essas qualidades virão naturalmente a longo prazo, ou que não são grande coisa, e que até agora passamos perfeitamente bem sem elas. Quem, sem esforços metódicos e determinados, pode interpretar Mozart? Certamente isso não é possível se ficamos martelando o teclado com dois dedos. A felicidade é um modo de ser, é uma habilidade, mas para desenvolvê-la é necessário aprendizado. Como diz o provérbio persa: "A paciência transforma a folha de amora em seda".

EXERCÍCIO Desenvolvimento da atenção

Sente-se na sua postura de meditação e concentre toda a sua atenção num objeto de sua escolha. Pode ser um objeto da sua sala. Se preferir, concentre-se na sua respiração ou na sua própria mente. Ao fazer isso, a sua mente começará a divagar. Cada vez que isso ocorrer, traga-a com delicadeza de volta para o objeto que você escolheu, como uma borboleta que retorna para a flor da qual retira seu alimento. Ao fazer isso muitas vezes, com perseverança, a sua concentração se tornará mais clara e estável. Caso sinta sonolência, assuma uma postura mais ereta e levante um pouco o olhar para despertar a sua atenção. Se a mente ficar agitada, relaxe a sua postura e dirija o olhar ligeiramente para baixo, permitindo que qualquer tensão interior se dissolva.

Cultivar a atenção e a presença mental dessa maneira nos dá uma ferramenta preciosa para todos os outros tipos de meditação.

CAPÍTULO 4

FALSOS AMIGOS

> Aqueles que buscam a felicidade nos prazeres, na riqueza, na glória, no poder e no heroísmo são tão ingênuos quanto uma criança que tenta pegar o arco-íris para vesti-lo como um casaco.
>
> DILGO KHYENTSE RIMPOCHE

Para identificar quais são os fatores externos e as atitudes mentais que favorecem a felicidade genuína, e os que são prejudiciais a ela, convém primeiro estabelecer uma distinção entre a felicidade e certos estados que, apesar de terem com ela muitas similaridades aparentes, na realidade são muito diferentes.

FELICIDADE E PRAZER: A GRANDE CONFUSÃO

O erro mais comum é confundir o prazer com a felicidade. O prazer, diz um provérbio hindu, "é somente a sombra da felicidade". É o resultado direto dos estímulos prazerosos no âmbito sensual, estético ou intelectual. A fugaz experiência do prazer depende de circunstâncias, de um lugar específico ou de um momento no tempo. É instável por natureza e a sensação evocada logo se torna neutra ou até desagradável. Da mesma maneira, se for repetida, pode tornar-se insípida ou até levar à repulsa. Saborear uma refeição deliciosa é uma fonte de prazer genuíno, mas ficaremos indiferentes a ela assim que estivermos satisfeitos e poderemos até nos sentir mal se continuarmos a comer. A mesma coisa acontece com uma boa fogueira: quando estamos encolhidos de frio, é um grande prazer nos aquecermos com seu calor, mas logo temos de nos afastar para não nos queimarmos.

O prazer se exaure com a rotina, como uma vela que consome a si mesma. Ele quase sempre está ligado a uma ação, uma atividade e leva ao tédio pelo simples fato de repetir-se. Ouvir em êxtase um prelúdio de Bach requer uma atenção que, por menor que seja, não pode ser mantida indefinidamente. Depois de um tempo, o cansaço entra em cena e a música perde seu encanto. Se fôssemos forçados a ouvi-la por dias e dias, iria tornar-se intolerável.

Além disso, o prazer é uma experiência individual, centrada no eu, que pode com facilidade deteriorar-se em egoísmo e entrar em conflito com o bem-estar dos outros. Na intimidade sexual é claro que pode haver prazer mútuo no dar e receber sensações prazerosas, mas esse prazer só pode transcender o eu e contribuir para a felicidade genuína se a natureza da mutualidade e do altruísmo generoso estiver no seu âmago. É possível sentir prazer à custa de outra pessoa, mas isso não traz felicidade. O prazer pode estar associado à crueldade, à violência, ao orgulho, à ganância e a outras condições mentais que são incompatíveis com a verdadeira felicidade. "O prazer é a felicidade dos loucos, enquanto a felicidade é o prazer dos sábios", escreveu o romancista e crítico francês Jules Barbey d'Aurevilly.

Algumas pessoas sentem prazer até em vingar-se e em torturar outros seres humanos. Desse ponto de vista, um homem de negócios pode regozijar-se com a ruína de um competidor, um ladrão contemplando o fruto do roubo, um espectador de uma tourada com a morte do touro. Mas esses são estados de exaltação passageiros, às vezes mórbidos, que, como os momentos de euforia positiva, não têm nada a ver com *sukha*, a felicidade genuína.

A procura exacerbada e quase mecânica dos prazeres sensuais é outro exemplo da gratificação intimamente ligada à obsessão, à avidez, à inquietude e, de certa forma, ao desencanto. Na maioria das vezes, o prazer não cumpre as promessas que faz, como descreve o poeta escocês Robert Burns em "Tom O'Shanter":

> Mas os prazeres são como a papoula,
> Nem bem colhida, já desfeita;
> Ou como a neve caindo sobre o rio,
> Clarões brancos para sempre desaparecidos.

Diferentemente do prazer, o florescer genuíno de *sukha* pode ser influenciado pelas circunstâncias, mas não depende delas. Ele perdura e aumenta com a experiência. Gera um sentimento de plenitude que, no tempo devido, se torna uma segunda natureza.

A felicidade autêntica não está ligada a uma ação, a uma atividade, mas é um estado de ser, um profundo equilíbrio emocional decorrente de uma sutil compreensão do funcionamento da mente. Enquanto os prazeres ordinários se produzem no contato com objetos agradáveis e terminam quando esse contato se interrompe, *sukha* – o bem-estar duradouro – é sentido ao longo de todo o tempo em que permanecemos em harmonia com nossa natureza interior. Um aspecto intrínseco desse bem-estar é o seu altruísmo, que irradia do interior do ser, em vez de focalizar-se no eu. Quem está em paz consigo mesmo contribui espontaneamente para estabelecer a paz em sua família, em sua vizinhança e, se as circunstâncias permitirem, na sociedade como um todo.

Em resumo, não há relação direta entre o prazer e a felicidade. Essa distinção não significa que não se devam buscar sensações agradáveis. Não há razão para nos privarmos do deleite diante de uma paisagem magnífica, da sensação de nadar no mar, do perfume de uma rosa, da doçura de uma carícia ou da beleza de uma melodia. Os prazeres tornam-se obstáculos somente quando perturbam o equilíbrio da mente e nos levam à obsessão por gratificações ou a uma aversão a tudo o que possa impedi-los.

Apesar de ser intrinsecamente diferente da felicidade, o prazer não é inimigo dela. Tudo depende da maneira como é vivido. Se o prazer está contaminado com um forte desejo e impede a liberdade interior, dando origem à avidez e à dependência, é um obstáculo à felicidade. Por outro lado, se é vivido no momento presente, num estado de paz interior e liberdade, o prazer adorna a felicidade sem obscurecê-la. Uma experiência sensorial agradável, seja ela visual, auditiva, tátil, olfativa, seja gustativa, não estará em oposição a *sukha* a menos que esteja maculada pelo apego e gere avidez ou dependência. O prazer torna-se suspeito quando provoca uma necessidade insaciável de repetição.

Por outro lado, quando é vivido perfeitamente no instante presente, como um pássaro que cruza o céu sem deixar nenhum rastro, o prazer não aciona nenhum dos mecanismos de obsessão, sujeição, fadiga ou desilusão que costumam surgir quando experimentamos essas sensações. O desapego, como sabemos, não é uma rejeição, mas uma liberdade que prevalece quando deixamos de nos atar às causas do sofrimento. Em um estado de paz interior, com conhecimento lúcido de como funciona a nossa mente, um prazer que não obscurece *sukha* não é indispensável nem temível.

FELICIDADE E ALEGRIA

A diferença entre felicidade e alegria é mais sutil. A felicidade genuína irradia-se espontaneamente para o exterior em forma de alegria. Mas nem sempre essa emoção interior manifesta-se de modo exuberante, podendo mostrar-se como uma apreciação leve e luminosa do momento presente que se estende ao momento seguinte, criando um contínuo que poderíamos chamar de *joie de vivre*. *Sukha* também pode ser enriquecida por surpresas, alegrias intensas e inesperadas, que são para ela como as flores da primavera. E, no entanto, nem todas as formas de alegria provêm de *sukha* – longe disso. Como enfatiza Christophe André em seu trabalho sobre a psicologia da felicidade: "Há alegrias nada saudáveis e muito distantes do sentimento sereno de felicidade, como a alegria da vingança. [...] Existem também as felicidades calmas, muitas vezes bem distantes da excitação inerente à alegria. [...] Pulamos de alegria, não de felicidade".[1]

Vimos como é difícil chegar a um acordo quanto à definição de felicidade e precisar o significado da verdadeira felicidade. A palavra alegria é igualmente vaga, já que, como mostrou o psicólogo Paul Ekman, está associada a emoções tão variadas quanto os prazeres proporcionados pelos cinco sentidos: a diversão (do sorriso leve à gargalhada); o contentamento (um tipo mais calmo de satisfação); a excitação (em resposta a uma novidade ou um desafio); o alívio (que sucede a uma emoção, como o medo, a ansiedade e, às vezes, até o prazer); o maravilhamento (diante de algo surpreendente, admirável ou que ultrapasse o entendimento); o êxtase ou bem-aventurança (que nos transporta para além de nós mesmos); a exultação (por ter conseguido realizar uma tarefa difícil ou uma exploração ousada);

o orgulho radiante (quando os nossos filhos são merecedores de alguma honraria especial); a elevação (por ter testemunhado um ato de grande bondade, generosidade ou compaixão); a gratidão (a apreciação de um ato desapegado do qual somos beneficiários); e o júbilo doentio, *Shadenfreude* em alemão (apreciar o sofrimento do outro, como no caso da vingança).[2] Podemos ainda acrescentar o regozijo (com a felicidade de outrem); o deleite ou encantamento (um tipo radiante de contentamento); e a radiância, o brilho, o resplendor espiritual (uma alegria serena que nasce de um estado profundo de bem-estar e benevolência), que na realidade é mais um estado de ser duradouro do que uma emoção passageira.

Todas essas emoções possuem um elemento de alegria, geralmente trazem um sorriso à face, e manifestam-se por uma expressão e tom de voz específicos. Mas para que tragam alegria ou contribuam para ela, devem estar livres de qualquer emoção negativa. Se acompanhada de raiva ou inveja, a alegria extingue-se abruptamente. Com a chegada furtiva do apego, do egoísmo ou do orgulho, ela é lentamente sufocada.

Para que a alegria dure e amadureça com serenidade – para que seja, nas palavras de Corneille, um "florescimento do coração" – ela deve estar associada a outros aspectos da verdadeira felicidade: lucidez, clareza mental, bondade amorosa, enfraquecimento gradual das emoções negativas, desaparecimento do egoísmo e eliminação dos caprichos do ego.

VIVER INTENSAMENTE!

"Viver intensamente" tornou-se o *leitmotiv* do homem moderno. Trata-se de uma hiperatividade compulsiva sem qualquer pausa, sem brecha de tempo não agendado, por medo de se encontrar consigo mesmo. Pouco importa o significado da experiência, desde que ela seja intensa. Vêm daí o gosto e a fascinação pela violência, a exploração, a excitação máxima dos sentidos, os esportes radicais. É preciso descer as cataratas do Niágara dentro de um barril, só abrir o paraquedas a alguns metros do solo, mergulhar a cem metros de profundidade em apneia. É preciso arriscar a vida por aquilo que não vale a pena ser vivido, superar-se para ir a lugar nenhum. Então, liguemos a todo volume cinco rádios e dez televisores ao mesmo tempo, batamos a cabeça no muro e rolemos na graxa e no óleo diesel. Isso sim é viver plenamente!

Sentimos que a vida sem atividade constante seria fatalmente insípida. Amigos meus que foram guias em excursões culturais na Ásia contaram-me que seus clientes não conseguiam suportar a menor brecha no itinerário. "Não há mesmo nada agendado entre as cinco e as sete?", perguntavam eles, ansiosos. Temos, ao que parece, muito medo de olhar para nós mesmos. Estamos completamente focados no mundo exterior, da maneira como é experienciado pelos cinco sentidos. Parece ingênuo acreditar que uma busca tão febril de experiências intensas possa levar a uma qualidade de vida rica e duradoura.

Se dedicamos algum tempo para explorar nosso mundo interior, só o fazemos sonhando acordados, fixados na imaginação e no passado, ou fantasiando infinitamente sobre o futuro. Um sentimento genuíno de realização, associado à liberdade interior, também pode oferecer intensidade a cada momento da vida, mas de um tipo muito diferente. Trata-se de uma experiência cintilante de bem-estar interior, em que brilha a beleza de cada coisa. Para que isso ocorra é preciso saber desfrutar o momento presente, com vontade de alimentar o altruísmo e a serenidade, trazendo para o amadurecimento a melhor parte de nós – modificar a si mesmo para melhor transformar o mundo.

UMA INTENSIDADE ARTIFICIAL

Podemos imaginar que a súbita obtenção de fama ou de riqueza satisfaria todos os nossos desejos, mas na realidade é quase certo que a satisfação obtida com essas realizações teria vida curta e não contribuiria em nada para aumentar o nosso bem-estar. Encontrei um famoso cantor de Taiwan que, tendo descrito seu desconforto e desencanto com a fama e a fortuna, rompeu em lágrimas, gritando: "Ah, se eu pudesse não ter ficado famoso!". Estudos mostraram que uma situação inesperada – ganhar na loteria, por exemplo – pode levar a pessoa a sentir mais prazer por algum tempo, mas a longo prazo não altera sua disposição para a felicidade ou infelicidade. A grande maioria das pessoas estudadas que ganharam na loteria passou por um período de exaltação logo depois do golpe de sorte, mas um ano depois o nível de satisfação tinha voltado ao habitual.[3] E, às vezes, um evento como esse, presumivelmente invejável, desestabiliza a vida do "feliz vencedor".

O falecido psicólogo Michael Argyle cita o caso de uma mulher inglesa de vinte e quatro anos que ganhou na loteria um prêmio de mais de um milhão de libras esterlinas. Ela largou o emprego e entregou-se ao ócio. Comprou uma casa nova num bairro elegante e descobriu-se abandonada pelos amigos; comprou um carro extravagante, mesmo sem saber dirigir; comprou montanhas de roupas, a maior parte das quais nunca saiu de dentro do armário; frequentava restaurantes finos, mas preferia comer peixe com batatas fritas. Um ano depois, sofria de depressão, pois sua vida estava vazia e desprovida de qualquer satisfação.[4]

Todos sabemos como a nossa sociedade de consumo é esperta e incansável em inventar um sem-número de prazeres fictícios, e em, laboriosamente, desenvolver estimulantes com o propósito de nos manter em estado constante de tensão emocional, que na verdade nos leva a um tipo de anestesia mental. Um amigo tibetano que contemplava os painéis luminosos de propaganda em Nova Iorque comentou: "Eles estão tentando roubar as nossas mentes". Há uma clara diferença entre a verdadeira alegria, que é a manifestação natural do bem-estar, e a euforia ou exaltação causadas por excitações passageiras. Qualquer excitação superficial que não esteja ancorada em um contentamento duradouro quase invariavelmente é seguida pelo desapontamento.

O SOFRIMENTO E A INFELICIDADE

Assim como fizemos uma diferenciação entre a felicidade e o prazer, podemos também fazer uma distinção entre o sofrimento e a infelicidade. Passamos pelo sofrimento, mas criamos a infelicidade. A palavra sânscrita *dukha*, o oposto de *sukha*, não define apenas uma sensação desagradável, mas reflete uma vulnerabilidade fundamental ao sofrimento e à dor, que podem, em última instância, levar à sensação de exaustão com relação ao mundo e ao sentimento de que não vale a pena viver, porque não é possível encontrar um sentido para a vida. Sartre coloca estas palavras na boca do protagonista do livro *A náusea*:

> Se alguém tivesse me perguntado o que significa estar vivo, eu de boa-fé teria respondido que não significa nada, é meramente um

recipiente vazio [...]. Nós somos apenas um monte de vidas impraticáveis, todos perturbados consigo mesmos. Não tínhamos a menor razão para estar aqui, nenhum de nós. Cada ser vivo, confuso, obscuramente ansioso, sentindo-se supérfluo.... Eu era supérfluo também. [...] Tinha confusas ideias sobre acabar comigo mesmo, para livrar o mundo de pelo menos uma dessas vidas supérfluas.[5]

A crença de que o mundo seria melhor sem a nossa presença é uma causa frequente de suicídio.

O sofrimento pode ser provocado por numerosas causas, sobre as quais às vezes temos algum poder e às vezes nenhum. Nascer com uma deficiência, cair doente, perder alguém que amamos, presenciar uma guerra ou um desastre natural. Essas situações estão além do nosso controle. A infelicidade é completamente diferente, já que é o *modo pelo qual vivenciamos o nosso sofrimento*. A infelicidade pode de fato estar associada à dor física e moral infligida por circunstâncias exteriores, mas não está *essencialmente* ligada a ela.

Um estudo realizado com tetraplégicos mostrou que, apesar de a maior parte deles admitir ter inicialmente pensado no suicídio, um ano depois da paralisia somente 10% considerava ter uma vida miserável, enquanto a maior parte julgava a sua vida boa.[6]

Já que é a mente que traduz o sofrimento em infelicidade, é da responsabilidade da mente dominar a percepção que tem do sofrimento. A mente é maleável. Uma mudança, mesmo que pequena, no modo como lidamos com os nossos pensamentos, como percebemos e interpretamos o mundo, pode transformar significativamente a nossa existência. Mudar o modo como experienciamos as emoções transitórias leva a uma alteração da nossa disposição, do nosso ânimo, provocando uma transformação duradoura na nossa maneira de ser. Essa "terapia" tem como alvo os sofrimentos que afligem a maior parte de nós e busca promover o nosso florescimento, dando-nos uma orientação para a vida.

EXERCÍCIO Distinguir entre felicidade e prazer

Traga à sua mente uma experiência passada em que você sentiu prazer físico, com toda a intensidade. Lembre-se de como você desfrutou essa experiência no início e como ela foi se transformando em um sentimento neutro, talvez até despertando cansaço ou falta de interesse. Ela trouxe a você uma realização interior duradoura? Lembre-se, então, de uma ocasião em que tenha sentido alegria interior e felicidade. Recorde-se do que sentiu, por exemplo, quando fez outra pessoa realmente feliz, ou um momento calmo em que desfrutou a companhia de alguém que ama, ou ainda quando contemplou uma bela paisagem. Perceba o efeito duradouro que essa experiência teve em sua mente e como ela alimenta, ainda hoje, um sentimento de realização. Compare a qualidade desse estado de ser como o anterior, produzido por uma sensação passageira de prazer.

Aprenda a valorizar esses momentos de profundo bem-estar e aspire a encontrar maneiras para desenvolvê-los cada vez mais.

CAPÍTULO 5

A FELICIDADE É POSSÍVEL?

> A liberdade exterior que conseguiremos depende exatamente do grau de liberdade interior que possamos ter desenvolvido num dado momento. E, se essa é uma visão correta da liberdade, nossa principal energia deve ser concentrada em obter a reforma interior.
>
> MAHATMA GANDHI

Certamente já encontramos em algum momento da vida pessoas que vivem felizes e exalam felicidade. Esse estado parece permear todos os seus gestos e palavras com uma qualidade e força que são impossíveis de ignorar. Alguns afirmam, sem conflito ou ostentação, ter conseguido atingir uma felicidade que reside dentro deles e independe do que a vida lhes proporciona. Para pessoas assim, de acordo com Robert Misrahi, "a felicidade é a forma e o significado total de uma vida que se considera plena e cheia de sentido, e que se experiencia como tal".[1]

Mesmo sendo raro encontrar estados de constante realização como esse, pesquisas mostraram que, se as condições de vida não forem especialmente opressivas, a maior parte das pessoas se diz satisfeita com a qualidade de vida que tem (nos países desenvolvidos, esse índice é de 75%).

Seria contraproducente rejeitar essas pesquisas que refletem a opinião de centenas de milhares de pessoas entrevistadas ao longo de dezenas de anos.

No entanto, faz todo o sentido questionar a natureza dessa felicidade a que se referem os participantes desses estudos. O fato é que a satisfação média que eles afirmam ter se mantém estável porque nos países desenvolvidos as condições materiais de vida são, em geral, excelentes. Por outro lado, essa felicidade é muito frágil. Se apenas uma dessas condições deixar de estar presente, por exemplo, devido à perda de uma pessoa querida ou do emprego, o sentimento de felicidade poderá desaparecer. Além disso, declarar-se satisfeito porque não há razão para reclamar das condições de vida (entre todos os países pesquisados, a Suíça tem o povo mais "feliz") de modo algum impede que, bem lá no fundo, tenhamos um sentimento de desconforto. Aos trinta e cinco anos, 15% dos norte-americanos já passaram por pelo menos uma depressão profunda. Desde 1960, o índice de divórcio nos Estados Unidos dobrou, enquanto o número de estupros relatados às autoridades multiplicou por quatro, e o da violência juvenil, por cinco.[2]

Essa distinção entre bem-estar exterior e interior explica a aparente contradição entre algumas dessas descobertas e a afirmação budista de que o sofrimento é onipresente no universo. Quando falamos de onipresença, isso não quer dizer que as pessoas estejam *continuamente* em estado de sofrimento, mas que são vulneráveis a um sofrimento latente que pode aparecer a qualquer momento. E elas continuarão sendo vulneráveis enquanto não forem capazes de dissolver os venenos mentais que causam a infelicidade.

A FELICIDADE É APENAS UMA FORMA DE ADIAR O SOFRIMENTO?

Inúmeras pessoas pensam que a felicidade é meramente uma calmaria passageira, vivida positivamente como o contrário do sofrimento. Para Schopenhauer "toda felicidade é negativa. [...] Em última análise, a satisfação e o contentamento não são mais do que a cessação de uma dor ou de uma privação".[3] Quanto a Freud, ele escreve que "aquilo que chamamos de felicidade, no sentido mundano mais estrito, resulta da satisfação mais ou menos inesperada das necessidades reprimidas. Por sua própria natureza, ela não pode ser mais do que um fenômeno episódico".[4] Quando o sofrimento diminui ou cessa por algum tempo, o período seguinte é experienciado, por contraste, como "feliz". Desse modo, a felicidade é vista apenas como um momento de calmaria ilusória em meio a uma tormenta.

Um amigo, que passou muitos anos preso em um campo de concentração chinês no Tibete, contou-me que, durante o seu interrogatório, forçaram-no a ficar em pé imóvel sobre um banquinho por dias inteiros a fio. Quando ele desmaiava, os breves momentos em que ficava deitado no cimento gelado de sua cela antes de ser levantado à força proporcionavam-lhe um alívio delicioso. Ainda que este seja um exemplo extremo de como a felicidade pode surgir da atenuação do sofrimento, meu amigo esforçou-se para convencer-me de que havia sobrevivido a tantos anos de encarceramento e tortura devido à sua condição estável de bem-estar interior.

Em uma situação muito menos sombria, lembro-me de uma viagem de trem que fiz pela Índia em condições muito difíceis. Eu tinha reservado meu assento – como se deve fazer em se tratando de uma viagem de trinta e seis horas – mas o vagão em que eu viajaria foi substituído. Acabei, então, por ficar em outro vagão, superlotado, sem divisões ou compartimentos e com as janelas desprovidas de vidros. Sentado na beira de um banco de madeira, juntamente com meia dúzia de viajantes congelados (era inverno!), observei que centenas de pessoas se amontoavam em seus assentos e no chão do corredor. Como se isso não bastasse, eu estava com febre alta e reumatismo lombar. Atravessávamos a região de Bihar, repleta de bandidos, por isso os passageiros haviam amarrado a bagagem onde podiam. Eu estava acostumado a viajar pela Índia e guardei a minha pasta, com um *laptop* contendo todo o trabalho de um mês, num canto aparentemente seguro do leito superior. Mesmo assim, um criativo ladrão do leito vizinho deu-lhe o sumiço, talvez por meio de um gancho. Ao cair da noite, percebi o que acontecera. As luzes do trem, então, deixaram de funcionar por várias horas.

Ali estava eu, no escuro, embrulhado em meu saco de dormir, ouvindo o praguejar dos passageiros que tentavam manter algum controle sobre a sua bagagem. De repente, percebi que, longe de estar contrariado, eu me sentia leve, num estado de felicidade e liberdade totais. Você pode estar imaginando que a febre talvez tenha me feito delirar, mas eu estava totalmente lúcido, e o contraste entre a situação e os meus sentimentos era tão cômico que comecei a rir ali mesmo, no escuro.

Esse não era um caso de felicidade por atenuação, mas uma vivência da serenidade inata colocada em foco por circunstâncias exteriores particularmente desagradáveis. Era um momento de desprendimento, um estado de profunda satisfação encontrado somente dentro de nós mesmos e que, portanto, independe das circunstâncias externas. Não podemos negar a existência de *sensações* agradáveis ou desagradáveis, mas elas têm pouca importância aos olhos da felicidade genuína. Essas experiências ajudaram-me a compreender que é possível viver num estado de felicidade duradoura.

Chegando a essa conclusão, a nossa meta agora se transforma: trata-se de determinar de forma sensata e criteriosa as causas da infelicidade e corrigi-las. Como a verdadeira felicidade não é limitada ao alívio momentâneo dos altos e baixos da vida, ela requer que eliminemos as principais causas da infelicidade, que, como vimos, são a ignorância e os venenos mentais. Se a felicidade é um modo de ser, um estado de consciência e de liberdade interior, não há nada que possa nos impedir de atingi-la.

Muitas vezes negamos a possibilidade de sermos felizes por acreditarmos que o mundo e a humanidade são fundamentalmente maus. Essa crença deriva em grande medida da noção do pecado original, que Freud, conforme o psicólogo Martin Seligman, "trouxe [...] para a psicologia do século XX, ao definir a totalidade da civilização [incluindo aqui os seus elementos fundamentais, como a moralidade, a ciência, a religião e o progresso tecnológico moderno] como apenas uma defesa elaborada para enfrentar os conflitos básicos do indivíduo, tensões que têm origem na sexualidade infantil e na agressividade. Nós reprimimos esses conflitos porque eles provocam uma ansiedade insuportável, e essa ansiedade é transmutada em uma energia que gera a civilização". Esse tipo de interpretação levou muitos intelectuais contemporâneos a concluir, de modo absurdo, que qualquer ato de bondade ou de generosidade pode ser atribuído a um impulso negativo. Seligman cita Doris Kearns Goodwin, a biógrafa de Franklin e Eleanor Roosevelt, que afirma que a primeira dama devotou grande parte da sua vida a ajudar pessoas negras, pobres e doentes como um mecanismo de compensação diante do narcisismo de sua mãe e do alcoolismo de seu pai. Goodwin, diz Seligman, nunca chegou a considerar a possibilidade de que Eleanor Roosevelt tivesse agido com bondade! Para Seligman e seus colegas do campo da psicologia positiva, "não há a menor evidência de que a força e a virtude derivem de motivações negativas".[5]

Sabemos também que o constante bombardeamento que sofremos com as más notícias transmitidas pela mídia, em que a violência é apresentada como a solução máxima para qualquer conflito, estimula aquilo que os sociólogos chamam de "síndrome do mundo cruel" (*wicked world syndrome*).

Para dar um exemplo simples, posso mencionar um fato ocorrido na exposição Visa Pour L'Image de 1999, um festival internacional de fotojornalismo realizado em Perpignan, na França, do qual participei como expositor. Das trinta e seis mostras de fotografia desse festival, somente duas dedicavam-se a temas que davam uma ideia construtiva da natureza humana. As trinta e quatro restantes eram sobre a guerra (os organizadores receberam propostas de mais de cem fotógrafos tratando de Kosovo), os crimes da máfia em Palermo, os locais onde vivem os drogados em Nova Iorque e outros aspectos negativos do mundo.

A "síndrome do mundo cruel" nos faz questionar a própria possibilidade de pôr em prática a felicidade, fazendo a batalha parecer perdida antes de começarmos. A crença de que a natureza humana é essencialmente corrupta envenena com o pessimismo a nossa visão da existência, nos fazendo duvidar do próprio fundamento da busca da felicidade, ou seja, do potencial que cada ser humano tem para a perfeição. Recordemos que, segundo o budismo, o desabrochar desse potencial é a própria realização espiritual. Não se trata, portanto, de tentar purificar algo que é fundamentalmente mau – isso seria tão sem sentido quanto a tentativa de embranquecer um pedaço de carvão – mas sim de polir uma pepita de ouro até que o seu brilho se revele.

QUANDO O MENSAGEIRO SE TORNA A MENSAGEM

Tudo isso é muito bonito em teoria, mas... e na prática, o que acontece? O psiquiatra americano Howard Cutler assinala, em *A arte da felicidade*: "Fiquei convencido de que o Dalai Lama aprendeu a viver com um sentimento de realização e um grau de serenidade como eu nunca vi em outras pessoas".[6] Podemos pensar que um exemplo como esse esteja fora do nosso alcance, mas a verdade é que, apesar de isso parecer inacessível, o Dalai Lama com toda a certeza não é um caso isolado. Eu mesmo passei trinta e cinco anos vivendo não só entre sábios e mestres espirituais, mas também na companhia de várias pessoas comuns cujas serenidade interior e alegria eram-lhes de grande ajuda para enfrentar a maior parte dos altos e baixos da vida. Essas pessoas não tinham mais nada a ganhar para si mesmas, e ficavam, portanto, totalmente disponíveis para os outros.

Meu amigo Alan Wallace relata o caso de um eremita tibetano que ele conheceu bem e que lhe disse, sem qualquer pretensão (esse eremita vivia tranquilo em seu retiro, sem pedir nada a ninguém), que tinha vivido por vinte anos em "um estado de bem-aventurança contínua".[7]

Não se trata aqui de nos maravilharmos com casos excepcionais ou proclamar a superioridade da abordagem budista sobre as outras escolas de pensamento. A principal lição que tiro disso é a seguinte: *se os sábios podem ser felizes, então a felicidade deve ser possível*. Esse é um ponto crucial, já que, com efeito, tantos acreditam que a felicidade verdadeira é impossível.

O sábio e a sabedoria que ele encarna não são um ideal inacessível, mas um exemplo vivo. E representam os pontos de referência de que precisamos, na nossa vida cotidiana, para compreender melhor aquilo em que podemos nos tornar. O ponto aqui não é que devemos rejeitar sem critério a vida que levamos, a nossa vida, mas que podemos nos beneficiar muito da sabedoria daqueles que elucidaram a dinâmica da felicidade e do sofrimento.

Felizmente, a ideia do homem sábio e feliz não é estranha nem ao mundo ocidental nem ao moderno, ainda que tenha se tornado uma mercadoria rara. Segundo o filósofo André Comte-Sponville: "O sábio não tem mais nada a esperar ou exigir. Como ele é inteiramente feliz, não precisa de nada. Como não precisa de nada, é inteiramente feliz".[8] Qualidades assim como essas não caem do céu, e se a imagem do sábio anda um pouco fora de moda – pelo menos no Ocidente –, de quem é o erro? Somos responsáveis pela escassez que nos aflige. Não nascemos sábios, nós nos *tornamos*.

DO MONASTÉRIO AO ESCRITÓRIO

Você pode dizer: tudo isso é muito inspirador, mas o que apresenta de bom para minha vida diária com a família ou no meu emprego, já que passo a maior parte do meu tempo em circunstâncias muito diferentes daquelas que desfrutam os sábios e os eremitas? E, no entanto, o homem sábio representa uma nota de esperança. Ele nos mostra aquilo que podemos nos tornar, pois trilhou um caminho aberto para todos, e cada passo dado nesse percurso é uma fonte de enriquecimento. São poucos os que podem tornar-se atletas olímpicos de dardo, mas qualquer um pode aprender a arremessá-lo e desenvolver alguma habilidade ao fazê-lo. Você não tem que ser um Andre Agassi para gostar muito de jogar tênis, ou um Louis Armstrong para deliciar-se tocando um instrumento musical. Em cada esfera da atividade humana há fontes de inspiração cuja perfeição, longe de nos desencorajar, nos aguçam o ânimo, oferecendo-nos uma admirável visão daquilo a que podemos aspirar. Não é exatamente por esse motivo que amamos e respeitamos os grandes artistas, os homens e as mulheres de convicção, os heróis?

A prática espiritual pode ser muito benéfica. O fato é que é possível conseguir um treinamento espiritual sério se reservarmos, todos os dias, algum tempo para a meditação. Muito mais gente do que você imagina faz isso, sem deixar de conviver com sua família ou realizar seu trabalho de forma eficiente. As vantagens de abrir espaço para a meditação superam em muito os eventuais problemas para quem tem uma agenda muito apertada. É possível empreender uma transformação interior baseada na realidade do dia a dia.

Quando eu trabalhava no Instituto Pasteur e estava mergulhado na vida parisiense, os poucos momentos que reservava todos os dias para a contemplação traziam-me benefícios enormes. Eles se prolongavam como um perfume nas atividades do dia e lhes davam um valor inteiramente novo. Por contemplação, aqui, quero dizer não um mero momento de relaxamento, mas voltar o olhar para dentro. É muito fecundo observar como os pensamentos surgem, e contemplar o estado de serenidade e simplicidade que está sempre presente por trás da trama que tecem, sejam eles sombrios, sejam otimistas. Isso não é tão complicado quanto parece à primeira vista. Basta que você dedique um pouco do seu tempo a esse exercício para sentir seu impacto e apreciar sua fertilidade. Adquirindo gradualmente, por meio da experiência introspectiva, uma compreensão melhor de como nascem os pensamentos, aprendemos a nos proteger dos venenos mentais. Uma vez que encontremos um pouco mais de paz interior, é muito mais fácil assistir ao desabrochar da vida emocional e profissional. De forma semelhante, à medida que nos libertamos de inseguranças e medos interiores (que em geral estão ligados a um autocentramento excessivo e a uma compreensão muito limitada do funcionamento da mente), tendo menos a recear, tornamo-nos mais abertos aos outros e mais bem instrumentalizados para enfrentar os altos e baixos da vida.

Nenhum Estado, nenhuma Igreja, nenhum déspota pode decretar que temos obrigação de desenvolver as qualidades humanas. Depende de nós fazer essa escolha. Como dizem eloquentemente o geneticista e demógrafo Luca Cavalli-Sforza e seu filho Francesco:

> A nossa liberdade interior não tem outros limites senão aqueles que nós lhe impomos ou os que aceitamos que nos sejam impostos. E essa liberdade nos traz também um grande poder. Ela pode transformar o indivíduo, permitir que ele alimente as suas capacidades e viva cada momento em completa plenitude. Quando os indivíduos se transformam, fazendo com que a sua consciência chegue à maturidade, o mundo também se transforma, porque esse mundo é feito de indivíduos.[9]

EXERCÍCIO Como começar a meditar

Não importa quais sejam as circunstâncias externas que se apresentem na sua vida – sempre há, lá no fundo, bem dentro de você, um potencial pronto para desabrochar. É um potencial de bondade amorosa, compaixão e paz interior. Tente entrar em contato com ele e vivenciá-lo – um potencial que está sempre presente, como uma pepita de ouro, no seu coração e na sua mente.

Esses recursos potenciais precisam ser desenvolvidos e amadurecidos para que você obtenha um sentimento mais estável de bem-estar. No entanto, esse processo não acontecerá por si. Você precisa desenvolvê-lo como uma habilidade. Para tanto, comece por conhecer melhor a sua própria mente. Este é o início da meditação.

Sente-se calmamente, numa postura confortável mas equilibrada. Qualquer que seja o modo de sentar-se – com as pernas cruzadas, numa almofada, ou mais convencionalmente, numa cadeira – tente manter as costas eretas, mas sem ficar tenso. Apoie as mãos nos joelhos, nas coxas ou colo. Mantenha o seu olhar leve e dirigido para o espaço à sua frente, e respire naturalmente. Observe a sua mente, o ir e vir dos seus pensamentos. No começo, pode parecer que, ao serem observados, os pensamentos, em vez de diminuírem, tomem conta da sua mente, como se viessem aos borbotões de uma cachoeira. Apenas observe-os, à medida que surgem. Deixe-os virem e irem embora, sem tentar impedi-los, mas também sem alimentá-los.

No final da prática, reserve alguns momentos para saborear o calor e a alegria que resultam de uma mente mais calma.

Passado algum tempo, os seus pensamentos se tornarão como um rio calmo e pacífico. Se você praticar esse exercício com regularidade, sua mente se tornará naturalmente serena, como um oceano calmo e tranquilo. Sempre que surgirem novos pensamentos, como ondas trazidas pelos ventos, não se deixe perturbar por eles; logo se dissolverão, de volta ao oceano.

CAPÍTULO 6

A ALQUIMIA DO SOFRIMENTO

> Se há um caminho para nos libertarmos do sofrimento,
> devemos usar cada momento da vida para encontrá-lo.
> Só um tolo quer seguir sofrendo.
> Não é triste ingerir conscientemente veneno?
>
> VII DALAI LAMA

Muito tempo atrás, o filho de um rei da Pérsia foi criado na companhia do filho de um grande vizir. A amizade entre eles era tão grande que se tornou lendária. Quando o príncipe ascendeu ao trono, disse ao amigo: "Enquanto eu cuido dos assuntos do reino, escreva-me, por favor, um tratado sobre a história dos homens e do mundo, para que eu possa tirar dela as necessárias lições e assim saber a maneira adequada de agir".

O amigo do rei consultou os mais famosos historiadores, os mais instruídos eruditos e os mais respeitados sábios. Cinco anos depois, orgulhosamente, ele se apresentou ao palácio.

"Senhor", disse, "aqui estão trinta e seis volumes com a história completa do mundo, da criação à sua ascensão".

"Trinta e seis volumes!", gritou o rei. "Como terei tempo de lê-los? Tenho muito trabalho para administrar o meu reino, além de me ocupar das minhas duzentas rainhas... Por favor, amigo, condense a sua história."

Dois anos depois, o amigo voltou ao palácio, desta vez com dez volumes. Mas o rei estava em guerra contra o monarca vizinho e só pôde ser encontrado no deserto, no topo de uma montanha, de onde conduzia a batalha.

"A sorte do nosso reino está em jogo enquanto conversamos. Onde encontrarei tempo para ler dez volumes? Por favor, resuma a sua história ainda mais."

O filho do vizir partiu e trabalhou três anos para produzir um único volume, que oferecia uma visão acurada daquilo que era essencial. O rei, agora, estava legislando.

"Como você tem sorte de ter tempo para escrever calmamente... Eu, enquanto isso, tenho que discutir o valor dos impostos e a maneira de recolhê-los... Traga-me dez vezes menos páginas e dedicarei uma noite para estudá-las."

O amigo obedeceu e, dois anos depois, terminou o trabalho. Mas quando voltou trazendo as suas sessenta páginas, encontrou o rei acamado, agonizando, com dores terríveis. O amigo também já não era mais jovem, estando seu rosto cheio de rugas emoldurado por uma juba de cabelos brancos.

"Bem", sussurrou o rei com respiração moribunda, "e a história dos homens?".

Seu amigo olhou para o rei que estava para morrer e disse-lhe com serenidade e firmeza:

"Eles sofrem, Majestade."

Sim, eles sofrem, a cada instante e no mundo inteiro. Alguns morrem nem bem acabaram de nascer; outras, ao darem à luz. A cada segundo que passa, pessoas são assassinadas, torturadas, espancadas, mutiladas, apartadas dos entes queridos. Outras são abandonadas, traídas, excluídas, rejeitadas. Algumas são mortas pelo ódio, pela ganância, ignorância, ambição ou inveja. Mães perdem seus filhos, e filhos perdem seus pais. Os hospitais estão cheios de doentes, alguns dos quais sofrendo sem esperança de receber tratamento, outros tratados sem esperança de cura. Os que estão morrendo suportam a dor, e os sobreviventes, o luto. Alguns morrem de fome, de frio, de exaustão; outros queimam-se no fogo, são esmagados pelas rochas ou levados pelas águas.

E isso é verdadeiro não só para os seres humanos. Os animais devoram uns aos outros nas florestas, nas savanas, nos oceanos e nos céus. A cada momento, dezenas de milhares deles estão morrendo pelas mãos dos seres humanos, cortados em pedaços e enlatados. Outros sofrem tormentos infindáveis nas mãos dos seus donos, transportando pesadas cargas, acorrentados a vida toda; outros, ainda, são caçados, pescados, presos em armadilhas de aço, estrangulados em ciladas, asfixiados sob redes, torturados por causa da sua carne, do seu almíscar, do seu marfim, dos seus ossos, da sua pele, jogados na água fervente ou esfolados vivos.

Estas não são apenas palavras, pois retratam a própria realidade que integra a nossa vida diária: a morte, a natureza transitória de todas as coisas e o sofrimento. Ainda que nos sintamos impotentes diante de tanta dor, virar a cabeça para o outro lado com indiferença é covardia. Temos que nos preocupar e fazer tudo o que pudermos para aliviar esses sofrimentos.

AS MODALIDADES DO SOFRIMENTO

O budismo fala do sofrimento que permeia tudo, do sofrimento da mudança e da multiplicidade do sofrimento. O sofrimento que permeia tudo é comparável a uma fruta verde prestes a amadurecer; o sofrimento da mudança, a uma refeição deliciosa, mas que está envenenada; e a multiplicidade do sofrimento compara-se à transformação de um abscesso em um tumor. O sofrimento que permeia tudo ainda não é reconhecido como tal. O sofrimento da mudança começa com um sentimento de prazer que se transforma em sofrimento. A multiplicidade do sofrimento está associada ao aumento da dor.

Distinguem-se também três tipos de sofrer: sofrimento visível, oculto e invisível. O sofrimento visível é evidente por toda parte. O oculto dissimula-se sob a aparência de prazer, de estar livre de preocupações, na diversão. É o sofrimento da mudança. Um *gourmet* degusta uma fina refeição e momentos depois sente a dor dos espasmos causados pelo veneno. Uma família se reúne alegremente para um piquenique no campo e de repente uma criança é picada por uma cobra. Pessoas se divertem dançando numa festa quando a tenda, de um momento para outro, pega fogo. Sofrimentos como esses podem surgir eventualmente em qualquer momento da vida, mas permanecem ocultos para aqueles que estão tomados pela ilusão das aparências e se agarram à crença de que as pessoas e coisas duram, como se pudessem ser intocadas pela mudança que afeta a tudo e a todos.

Há também o sofrimento que permeia as atividades mais comuns. Ele não é tão fácil de identificar como uma dor de cabeça porque não nos envia nenhum sinal e não impede que funcionemos no mundo, já que faz parte da nossa rotina diária. Na aparência, o que poderia ser mais inócuo do que um ovo quente? Façamos uma concessão: talvez as galinhas criadas em fazendas não vivam tão mal, mas vamos entrar um pouquinho no mundo das granjas industriais. Os galos são separados das galinhas assim que nascem e enviados diretamente para o abate. Para que as galinhas cresçam mais rápido e ponham mais ovos, são alimentadas dia e noite sob iluminação artificial. A superpopulação faz com que se tornem agressivas, bicando e arrancando as penas umas das outras. Vivem tão apertadas nas suas gaiolas que se uma delas for colocada sozinha em pé, no chão, cairá por terra, porque não sabe mais andar. Nada desta história transparece no ovo quente que você come em seu café da manhã.

Há, por fim, o sofrimento invisível, que é o mais difícil de ser percebido. Isso porque ele se origina da própria cegueira da nossa mente e aí permanece enquanto formos dominados pela ignorância e pelo egoísmo. A nossa confusão, ligada à falta de discernimento e de sabedoria, nos deixa cegos para aquilo que é oportuno realizar ou evitar, a fim de que nossos pensamentos, palavras e ações gerem felicidade e não sofrimento. Essa confusão, e as tendências a ela associadas, levam-nos a reencenar sempre o comportamento que está na base do nosso sofrimento, perpetuando-o. Para neutralizar esse julgamento falho e prejudicial, é preciso despertar do sonho da ignorância e aprender a identificar as maneiras sutis pelas quais a felicidade e o sofrimento são gerados.

Somos capazes de identificar o apego ao ego como a causa desse sofrimento? Em geral, não. É por isso que chamamos esse tipo de sofrimento de invisível. O egoísmo ou, mais precisamente, o sentimento doentio de que somos o centro do mundo – que chamaremos de "sentimento de importância do eu" – está na origem da maior parte dos pensamentos perturbadores. Do desejo obsessivo ao ódio, passando pelo ciúme, ele atrai a dor do mesmo modo que um ímã atrai a limalha de ferro.

Parece, então, que não há a menor escapatória para os sofrimentos que surgem de toda parte. Os séculos veem passar profetas e sábios, santos e potentados, mas ainda assim os rios do sofrimento continuam correndo. Madre Teresa trabalhou por cinquenta anos pelos moribundos de Calcutá, mas, se os abrigos que fundou desaparecessem, esses pacientes estariam de volta às ruas como se essas casas nunca tivessem existido. Nos bairros vizinhos, eles ainda morrem na calçada. Medimos a nossa impotência pela onipresença, pela magnitude, pela multiplicidade e pela perpetuidade do sofrimento. Os textos budistas dizem que no *samsara*, o ciclo de mortes e renascimentos, é impossível encontrar um lugar que não seja atingido pelo sofrimento, mesmo que ele tenha o tamanho da ponta de uma agulha.

Devemos nos deixar encurralar por uma visão como essa, deixando-nos dominar pelo desespero, pela loucura, pelo desânimo ou, ainda pior, pela indiferença? Incapazes de suportar a intensidade dessa visão pessimista, devemos ser destruídos por ela?

AS CAUSAS DO SOFRIMENTO

Há algum modo de pôr fim ao sofrimento? De acordo com o budismo, o sofrimento sempre estará presente como *fenômeno global*; no entanto, cada *indivíduo* tem a possibilidade de liberar-se dele.

Em se tratando do conjunto dos seres, com efeito, não se pode esperar que o sofrimento simplesmente desapareça do universo porque, na visão budista, o mundo não tem nem começo nem fim. Não pode haver nenhum começo verdadeiro porque nada pode repentinamente tornar-se *alguma coisa*. O nada é uma palavra que nos permite representar para nós mesmos a ausência ou até inexistência dos fenômenos do mundo. Mas uma simples ideia não pode originar absolutamente nada.

Quanto a um final de verdade, em que *alguma coisa se torna nada*, ele igualmente se revela impossível. Em qualquer lugar do universo em que exista a vida está presente o sofrimento: doenças, velhice, morte, separação dos entes queridos, coexistência forçada com aqueles que nos oprimem, privação de coisas de que necessitamos, confrontações com aquilo que tememos, e assim por diante.

Apesar de tudo isso, essa visão não equipara o budismo ao ponto de vista sustentado por alguns filósofos ocidentais, segundo o qual o sofrimento é *inevitável* e a felicidade está fora do nosso alcance. A razão para isso é simples: a infelicidade tem causas que podem ser identificadas e podemos agir sobre elas. Só quando identificamos erroneamente a natureza dessas causas é que podemos duvidar da possibilidade de cura.

O primeiro erro consiste em acreditar que a infelicidade é inevitável porque resulta da vontade divina ou de qualquer outro princípio imutável, e que, desse modo, sempre estará fora do nosso controle. O segundo equívoco é acreditar na ideia de que a infelicidade não tem causa identificável, que ela se abate sobre nós ao acaso e não depende da nossa vontade, não tem relação pessoal conosco. O terceiro engano origina-se de um fatalismo confuso, que retorna à ideia de que seja qual for a causa, o efeito será sempre o mesmo.

Se a infelicidade tivesse causas imutáveis, nós nunca poderíamos escapar dela. Seria então preferível, como diz o Dalai Lama, "não se atormentar com os problemas suplementares, ruminando sobre o próprio sofrimento. Seria melhor pensar em outra coisa, ir à praia e tomar uma boa cerveja!". Porque, se não houvesse nenhum remédio para o sofrimento, seria inútil torná-lo pior prestando mais atenção nele. Seria melhor aceitá-lo e distrair-se para senti-lo de modo menos cortante.

Mas tudo o que acontece *realmente tem* uma causa. Que incêndio não começa com uma centelha? Qual guerra tem início sem sentimentos de ódio, medo ou ganância? Que sofrimento interior não nasceu do solo fértil da inveja, da animosidade, da vaidade ou, de modo ainda mais básico, da ignorância? Qualquer causa ativa deve em si ser mutável; nada pode existir de maneira autônoma e imutável. Surgindo de causas impermanentes, a infelicidade é em si sujeita à mudança e pode ser transformada. Não há sofrimento eterno ou primordial.

Todos temos capacidade de estudar as causas do sofrimento e gradualmente nos libertar delas. Todos temos o potencial para dissipar os véus da ignorância, de libertarmo-nos do egoísmo e dos desejos mal colocados que provocam a infelicidade, de trabalhar pelo bem dos outros e extrair a essência da nossa condição humana. O que importa não é a magnitude da tarefa, mas a magnitude da nossa coragem.

AS QUATRO VERDADES DO SOFRIMENTO

O primeiro obstáculo à realização da felicidade consiste em não reconhecer o sofrimento como aquilo que ele é. Com muita frequência, tomamos por felicidade coisas que não passam de sofrimento disfarçado. Essa ignorância nos impede de procurar as causas, e portanto, os remédios para nos curar do sofrimento. Somos como certos doentes que, inconscientes do mal que lhes aflige, não reconhecem os sintomas da enfermidade e negligenciam os cuidados médicos a que deveriam se submeter. Ou pior, como aqueles que se sabem sofredores, mas preferem praticar a política do avestruz em vez de seguir um tratamento.

Há mais de 2.500 anos, sete semanas depois de obter a Iluminação sob a árvore Bodhi, o Buda deu seu primeiro ensinamento no Parque das Gazelas, perto de Benares. Lá, ele ensinou as Quatro Nobres Verdades. A primeira verdade é a existência do sofrimento. Não só os sofrimentos óbvios que saltam aos olhos, mas também aqueles que, como vimos, existem de forma mais sutil. A segunda verdade diz respeito às causas do sofrimento: a ignorância que gera o desejo ardente, a maldade, o orgulho e muitos outros pensamentos que envenenam nossa vida e a dos outros. Como esses venenos mentais podem ser eliminados, a cessação do sofrimento – a terceira verdade – é, portanto, possível. A quarta verdade é percorrer o caminho que transforma essa possibilidade em realidade. Esse caminho é o processo pelo qual podemos usar todos os meios possíveis para eliminar as causas fundamentais do sofrimento. Em resumo, devemos:

> Reconhecer o sofrimento,
> Eliminar sua origem,
> Realizar a sua cessação,
> E para este fim praticar o caminho.

QUANDO A AFLIÇÃO TRANSFORMA-SE EM SOFRIMENTO

Do mesmo modo como fizemos uma distinção entre a felicidade e o prazer, também é importante clarificar a diferença entre a infelicidade, ou mais exatamente o "mal-estar", e as dores efêmeras. Estas dependem de circunstâncias exteriores, enquanto a infelicidade, ou *dukha*, é um estado de profunda insatisfação que dura até mesmo quando há circunstâncias exteriores favoráveis. Por outro lado, podemos sofrer física ou mentalmente – sentindo tristeza, por exemplo – sem perder a sensação de plenitude, *sukha*, que se encontra na paz interior e no altruísmo. Aqui há dois níveis de experiência, que podem ser comparados respectivamente às ondas e às profundezas do oceano. Na superfície pode estar ocorrendo uma furiosa tempestade, mas as profundezas permanecem calmas. O sábio permanece sempre ligado a elas. Já aquele que só conhece a superfície e não percebe as profundezas fica perdido quando é golpeado pelas ondas do sofrimento.

Mas você pode perguntar: como posso deixar de me sentir abalado quando o meu filho está muito doente e sei que ele está para morrer? Como posso não me sentir despedaçado quando vejo milhares de civis sendo deportados, feridos, mutilados, vítimas da guerra? Como se espera que eu faça cessar esse sentimento? Por que eu deveria aceitar algo assim? O mais sereno dos sábios ficaria abalado com isso. Quantas vezes não vi o Dalai Lama verter lágrimas pensando no sofrimento das pessoas que acabara de encontrar. A diferença entre o sábio e a pessoa comum é que ele pode manifestar um amor incondicional por aquele que está sofrendo e fazer tudo o que estiver ao seu alcance para atenuar essa dor, sem que com isso a lucidez da sua própria visão da existência se abale. O essencial é estar disponível para os outros, sem ceder ao desespero quando os episódios naturais da vida e da morte seguem o seu curso.

Há muitos anos fiz amizade com um sique, um homem dos seus sessenta e tantos anos, com uma bela barba branca, que trabalha no aeroporto de Delhi. Sempre que estou em trânsito, tomamos uma xícara de chá e discutimos sobre filosofia e espiritualidade, retomando a conversa exatamente do ponto em que a havíamos deixado vários meses antes. Um dia ele me disse: "Meu pai morreu há algumas semanas. Estou desolado, sua morte me parece tão injusta! Não consigo compreendê-la nem aceitá-la". E, no entanto, o mundo em si não pode ser chamado de injusto – tudo o que faz é refletir as leis de causa e efeito –, sendo a impermanência, a precariedade de todas as coisas, um fenômeno natural.

Com a maior doçura possível, contei-lhe a história daquela mulher que, dominada pela dor causada pela morte do seu filho, veio encontrar-se com o Buda para pedir-lhe que o fizesse voltar à vida. O Buda lhe disse que, para fazer isso, necessitava de um punhado de terra proveniente de uma casa onde nunca houvesse ocorrido nenhuma morte. Tendo visitado todas as casas na vila e vendo que todas tinham conhecido a perda e o luto, a mulher voltou ao Buda, que a confortou com palavras de amor e sabedoria.

Também contei a ele a história de Dza Mura Tulku, um mestre espiritual que viveu no Tibete oriental no começo do século XX. Ele havia constituído família e ao longo de toda a sua vida sentiu profunda afeição por sua mulher, uma afeição que era recíproca. Ele não fazia nada sem ela e sempre dizia que, se a perdesse, não conseguiria viver por muito tempo. Ela faleceu repentinamente. Os amigos e discípulos do mestre correram para ficar ao seu lado. Lembrando das palavras que eles tinham-no ouvido falar com tanta frequência, ninguém ousava dar-lhe a notícia. Por fim, com muito tato, um discípulo disse ao mestre que a sua esposa estava morta.

A trágica reação que eles temiam não aconteceu. O mestre olhou para eles e disse: "Por que vocês estão assim tão consternados? Quantas vezes eu lhes ensinei que os fenômenos e seres são impermanentes? Até o próprio Buda teve que deixar o mundo". Mesmo sentindo uma ternura profunda por sua esposa, e apesar da grande tristeza que provavelmente o invadiu, deixar-se consumir pela dor não teria acrescentado nada ao seu amor por ela, ao contrário. Era mais importante para ele orar com calma pela falecida e ofertar a ela essa serenidade.

Ficar obcecado por uma situação ou pelas lembranças deixadas por uma pessoa amada que partiu, a ponto de ser paralisado pela dor por meses ou anos a fio, não é prova de afeição, mas de um apego que não é fonte de nada que seja bom nem para os outros nem para si mesmo. Se pudermos aprender a reconhecer que a morte faz parte da vida, a angústia gradativamente cederá lugar à compreensão e à paz. "Não creia que você me presta uma grandiosa homenagem se deixar que a minha morte se torne o grande evento da sua vida. O melhor tributo que você pode dedicar à sua mãe é continuar a ter uma vida rica e feliz." Essas palavras foram ditas por uma mãe ao seu filho alguns instantes antes de morrer.

Assim, a forma como vivemos essas ondas de sofrimento depende da nossa atitude. Portanto, é sempre melhor preparar-se para os sofrimentos que estamos sujeitos a encontrar – alguns dos quais são inevitáveis, como a doença, a velhice e a morte – em vez de sermos pegos desprevenidos e afundarmos na angústia. Uma dor física ou moral pode ser intensa sem com isso destruir a nossa perspectiva positiva da existência. Uma vez que tenhamos obtido uma certa paz interior, é mais fácil manter a nossa firmeza e coragem ou recobrá-las logo, mesmo quando somos confrontados por circunstâncias externas difíceis.

Esta paz interior vem por que a desejamos? É pouco provável. Não ganhamos a vida só por desejar ganhá-la. Da mesma maneira, a paz é um tesouro da mente que exige algum esforço para ser conquistado. Se nos deixarmos afundar em nossos problemas pessoais, por mais trágicos que sejam, só aumentaremos as nossas dificuldades e nos tornaremos um peso para aqueles que estão ao nosso redor. Se a nossa mente se acostuma a dar importância à dor que os eventos ou as pessoas nos infligem, um dia o incidente mais trivial nos causará uma dor infinita. Como a intensidade desse sentimento aumenta com o hábito, tudo o que nos acontecer acabará por nos afligir, e a paz não encontrará mais lugar dentro de nós. Todas as aparências assumirão um caráter hostil e nos rebelaremos amargamente contra o nosso destino, chegando a ponto de duvidar do próprio sentido da vida. É essencial adquirir uma certa paz interior de modo que, sem ferir a nossa sensibilidade, o nosso amor e o nosso altruísmo, possamos saber nos conectar com as profundezas do nosso ser.

Os aspectos mais atrozes do sofrimento – a miséria, a fome, os massacres – costumam ser menos visíveis nos países democráticos, onde o progresso material permitiu remediar alguns males que continuam a afligir os países pobres e politicamente instáveis. Mas os habitantes deste "melhor dos mundos" parecem ter perdido a capacidade de aceitar os sofrimentos inevitáveis que são as doenças e a morte. É comum, no Ocidente, considerar o sofrimento como uma anomalia, uma injustiça ou uma derrota. No Oriente, ele é menos dramatizado e visto com muita coragem e tolerância. Na sociedade tibetana, não é raro ver pessoas fazendo brincadeiras junto à cabeceira de um morto, o que pareceria chocante no Ocidente. Isso não é sinal de falta de afeição, mas da compreensão da inelutabilidade de provações como essas, e também da certeza de que existe um remédio interior para o tormento e a angústia de se encontrar sozinho.

Aos olhos de um ocidental, muito mais individualista, tudo o que perturba, ameaça e finalmente destrói o indivíduo constitui um mundo por si só. No Oriente, onde prevalece uma visão mais holística do mundo e onde se dá uma importância muito maior às relações entre todos os seres, bem como à crença em um *continuum* de consciência que renasce, a morte não é um aniquilamento, mas uma passagem.

SERES FERIDOS

Algumas pessoas, quando crianças, conheceram tão pouca afeição e tanto sofrimento que se tornam adultos profundamente feridos. É difícil para elas encontrar um lugar de paz e amor dentro de si mesmas e, assim, confiar nos outros. Às vezes, no entanto, desenvolvem a curativa e fortalecedora faculdade da resiliência, que as torna menos vulneráveis às situações difíceis. Essa faculdade ajuda a transformar as condições adversas em força pessoal e a encontrar um caminho na vida. Mas também pode acontecer de elas, por muito tempo, carregarem tais feridas para seus relacionamentos.

É fato bastante conhecido que os recém-nascidos e as crianças necessitam de muito amor e afeição para terem um crescimento saudável. Estudos realizados em orfanatos chineses e búlgaros, onde as crianças raramente são tocadas pelas pessoas que cuidam delas, e não estamos nem falando de afeto e amor, oferecem evidências conhecidas e trágicas de que o cérebro dessas crianças abandonadas não se desenvolve normalmente. Testemunhei mudanças extraordinárias em crianças de orfanatos nepaleses que, no início, pareciam inertes, pequenos seres "ausentes", mas que em poucos meses, ao serem adotadas por pais que as amavam, que as acarinhavam e conversavam com elas, desabrocharam e se transformaram em crianças maravilhosamente espertas.

Assim, o fato de termos recebido afeto e amor na tenra infância influencia muito a nossa capacidade de dar e receber amor mais tarde na vida, bem como o grau de paz interior que teremos. Se considerarmos as categorias que foram descritas pela primeira vez por Mary Ainsworth e aplicadas por Phil Shaver e seus colegas em adolescentes e adultos,[1] constataremos que uma pessoa "segura", além de desfrutar um alto nível de bem-estar, é também naturalmente aberta e capaz de confiar nos outros. Esse indivíduos são abertos às emoções e recordações, têm "coerência mental" bem elevada, não são hostis quando há discordância com os outros e são capazes de fazer concessões. Geralmente, lidam bem com o estresse.

A uma pessoa "ansiosa e insegura" falta confiança em si mesma; ela duvida da possibilidade de encontrar bondade e afeição genuínas, ainda que anseie fortemente por isso. Essas pessoas são menos confiantes, mais possessivas e ciumentas, e deixam-se levar por suspeitas inoportunas, muitas vezes pertencentes ao domínio da imaginação. Ficam ruminando sem parar e são vulneráveis à depressão; tendem a ficar emotivas demais quando sob pressão. Uma pessoa "insegura e esquiva" preferirá manter os outros à distância do que correr o risco de passar por mais sofrimento; evitará tornar-se muito íntima dos outros, seja por medo ou por silenciar toda emoção em sua mente, retirando-se para o casulo da autoabsorção. Essas pessoas têm uma autoestima elevada, mas essa autoestima é defensiva e frágil; não são muito abertas a emoções e recordações. Costumam ficar entediadas e distraídas e, por serem "autoconfiantes compulsivas", não se mostram muito afetivas ou generosas.

De acordo com Shaver e seus colegas, o padrão emocional dos pais, em especial o da mãe, influencia muito o da criança. Se a mãe é ansiosa e esquiva há 70% de chances de a criança "aprender" esse estilo no convívio com ela. O mesmo é verdadeiro para os padrões seguro e ansioso. Assim, a melhor coisa que podemos dar a uma criança é manifestar nosso amor e as qualidades pacíficas que existem dentro de nós, deixando a alquimia emocional trabalhar ao seu modo.

Esses padrões emocionais adquiridos nos primeiros anos de vida ficam marcados para sempre, como traços imutáveis? Felizmente não. Phil Shaver e seus colegas mostraram também que as pessoas "ansiosas e inseguras" e "inseguras e esquivas" podem adotar um estilo emocional mais seguro quando se abrem para a afeição e outras emoções positivas.[2]

Como podemos ajudar as pessoas muito feridas? Oferecendo a elas amor suficiente para que alguma paz e confiança possam desabrochar em seus corações. Como elas podem ajudar a si mesmas? Engajando-se num diálogo significativo com um psicólogo humano e de bom coração, que use métodos comprovados, como a terapia cognitiva, e cultivando a bondade amorosa, a compaixão e a presença mental.

FAZER O MELHOR POSSÍVEL NO SOFRIMENTO

Se o sofrimento nunca é desejável, isso não significa que, quando ele é inevitável, não possamos usá-lo para progredir no campo humano e espiritual. Como explica o Dalai Lama: "Um sofrimento profundo pode nos abrir o espírito e o coração, e nos abrir para os outros".[3] O sofrimento pode ser, para nós, um ensinamento extraordinário, a ponto de fazer-nos tomar consciência do caráter superficial da maior parte das nossas preocupações habituais, da passagem irreversível do tempo, da nossa própria fragilidade e, acima de tudo, daquilo que conta, real e profundamente, dentro de nós.

Tendo vivido vários meses à beira da morte e passando por dores terríveis, Guy Corneau, um psicanalista canadense, finalmente assumiu a atitude de "deixar as coisas acontecerem". Parou de lutar contra uma dor que não podia ser aliviada e abriu-se para o potencial de serenidade que está sempre presente no fundo de nós.

> Esta abertura do coração ficou cada vez mais marcante nos dias e nas semanas subsequentes. Mergulhei em uma beatitude inominável. Um vasto incêndio de amor tomou-me por dentro. Eu só tinha que fechar os olhos para partilhar dele, em doses longas e que me satisfaziam totalmente. [...] Foi, então, que entendi que o amor era o próprio tecido deste universo, a identidade comum a cada ser e cada coisa. Só havia o amor e nada mais. [...] A longo prazo, o sofrimento favorece a descoberta de um mundo em que não há separação real entre o exterior e o interior, entre o corpo e a mente, entre o eu e o outro.[4]

Seria absurdo negar que o sofrimento tem qualidades pedagógicas, quando usado sabiamente. Por outro lado, resignar-nos a sofrer, pensando "é a vida", equivale a renunciar à possibilidade de mudança interior que todos podem empreender e que permite evitar que o sofrimento seja convertido em miséria. Não se deixar abater por causa de obstáculos como a doença, a inimizade, a traição, a crítica ou a má sorte não significa que os eventos não irão nos afetar ou que teremos superado esses obstáculos para sempre. Significa apenas que eles não irão bloquear o nosso progresso na direção da liberdade interior. Quando paramos de nos confundir com o sofrimento e tiramos o melhor dele, passando a usá-lo como um catalisador, precisamos também impedir que a ansiedade e o desalento conquistem a nossa mente. O mestre Shantideva escreveu no século VIII: "Se há cura, de que serve o descontentamento? Se não há, de que serve o descontentamento?".

LIDAR COM O SOFRIMENTO

Se é possível aliviar a aflição mental transformando a nossa mente, como aplicar este processo ao sofrimento físico? Como lidar com uma dor incapacitante, que chega aos limites do intolerável? Aqui convém distinguir dois tipos de sofrimento: a dor fisiológica e o sofrimento mental e emocional que ela engendra. Há várias maneiras de vivenciar uma mesma dor, com maior ou menor intensidade.

Do ponto de vista neurológico, sabemos que as reações emocionais à dor variam significativamente de pessoa para pessoa e que uma parte considerável da sensação de dor está ligada ao desejo ansioso de suprimi-la. Se permitirmos que a ansiedade domine a nossa mente, a mais benigna das dores logo se tornará insuportável. Portanto, a avaliação que fazemos da dor também depende da nossa mente: é esta que reage à dor com medo, revolta, desolação, incompreensão ou com o sentimento de impotência. Assim, ao vivenciarmos uma agonia, podemos acumular várias.

Tendo compreendido essa ideia, como podemos controlar a dor em vez de sermos vítimas dela? Como não podemos escapar da dor, é melhor que a aceitemos em vez de tentar rejeitá-la. A dor persistirá tanto se ficarmos deprimidos, quanto se nos agarrarmos à nossa resiliência e desejo de viver, mas neste caso manteremos a nossa dignidade e autoconfiança, o que faz grande diferença.

Há vários métodos para atingir esse fim. Um deles é o uso de imagens mentais; outro permite que transformemos a dor, despertando para o amor e a compaixão; um terceiro nos ensina a lidar com o desenvolvimento da força interior.

O PODER DAS IMAGENS

Para modificar a percepção da dor, a tradição budista utiliza o que a psicologia moderna denominou de imagens mentais. Podemos visualizar, por exemplo, um néctar benéfico, luminoso e que nos acalma, que penetra no centro da dor mais penosa e gradualmente a dissolve nos dando uma sensação de bem-estar. O néctar, então, permeia o nosso corpo todo e a dor diminui.

Uma síntese dos resultados publicados em mais de cinquenta artigos científicos demonstrou que, em 85% dos casos, o uso de métodos que envolvem a mente aumenta a capacidade de suportar a dor.[5] Entre essas diversas técnicas, a das imagens mentais provou ser a mais eficaz, ainda que essa eficácia varie em função dos suportes visuais. Podemos, assim, visualizar uma situação neutra (imaginar que escutamos atentamente uma conferência) ou agradável (ver-nos num ambiente prazeroso, diante de uma paisagem maravilhosa). Há outros métodos usados para ajudar o paciente a esquecer a dor, como concentrar-se em um objeto exterior (assistir a uma exibição de *slides*, por exemplo); praticar um exercício repetitivo (contar de cem a zero, de três em três); ou conscientemente aceitar a dor. Esses três últimos, no entanto, não produziram resultados tão bons.

Para explicar essa diferença nos resultados, propôs-se a seguinte interpretação: as imagens mentais mobilizam mais a atenção do que os métodos baseados nas imagens exteriores, exercícios intelectuais ou atitudes, e portanto esse método é mais eficaz para aliviar a dor. Um grupo de pesquisadores descobriu que, após um mês de prática orientada com imagens mentais, 21% dos pacientes com enxaqueca crônica declarou sentir uma melhora notável, contra 7% do grupo de controle que não foi submetido ao treinamento.[6]

EXERCÍCIO Uso das imagens mentais

Quando um forte sentimento de desejo, inveja, orgulho, agressão ou ganância tomar conta da sua mente, tente imaginar situações que são fontes de paz. Transporte-se mentalmente para as margens de um plácido lago ou para o cume de uma montanha de onde tenha uma vista muito ampla. Imagine-se tranquilamente sentado, com sua mente vasta e clara como um céu sem nuvens, serena como um oceano sem ventos. Vivencie essa calma. Observe as suas tempestades interiores diminuírem e permita que esse sentimento de paz cresça e se desenvolva em sua mente. Compreenda que, mesmo que as suas feridas sejam profundas, elas não tocam a natureza essencial de sua mente, a luminosidade fundamental da pura consciência.

A FORÇA DA COMPAIXÃO

O segundo método que nos permite lidar com o sofrimento, tanto emocional quanto físico, está ligado à prática da compaixão.

A compaixão é um estado mental baseado na aspiração de que todos os seres sejam liberados dos seus sofrimentos e das causas desses sofrimentos. Dela resulta um sentimento de amor, de responsabilidade e de respeito por nós mesmos. Graças a esse sentimento de compaixão, assumimos o controle do nosso próprio sofrimento, unido ao dos outros, pensando que "os outros ao meu lado estão aflitos por privações e misérias semelhantes às minhas, e às vezes muito piores. Como eu gostaria que eles também pudessem ser liberados da sua dor!". Depois disso, nossa dor não parecerá tão opressiva, e pararemos de fazer a amarga pergunta: "Por que comigo?".

Mas por que deveríamos pensar no sofrimento das outras pessoas quando fazemos tudo o que é possível para evitar o nosso? Ao fazermos isso não estamos aumentando a nossa própria carga? O budismo nos ensina que não. Quando ficamos absorvidos em nós mesmos, tornamo-nos vulneráveis, presas fáceis da confusão, impotência e ansiedade. Mas quando temos um sentimento poderoso de empatia diante do sofrimento dos outros, a nossa resignação impotente cede lugar à coragem, a depressão dá lugar ao amor, e a estreiteza da mente cede lugar à abertura para com todos os que estão ao nosso redor.

A compaixão e a bondade amorosa são as maiores entre todas as emoções positivas; desenvolvê-las aumenta a nossa capacidade de oferecer alívio ao sofrimento dos outros ao mesmo tempo que reduz a importância dos nossos problemas.

O DESENVOLVIMENTO DA FORÇA INTERIOR

O terceiro método é o da contemplação. Esse é, sem dúvida, o menos evidente, mas podemos nos inspirar nele para reduzir os nossos sofrimentos físicos ou mentais. Ele consiste em contemplar a natureza da mente que sofre. Os mestres budistas ensinam: quando sentimos uma violenta dor física ou emocional, devemos olhar para essa experiência. Mesmo quando essa dor é lancinante, devemos nos perguntar se ela tem alguma cor, forma, ou outra característica imutável. Percebemos que, quanto mais tentamos focá-la, mais difusa se torna a definição da dor e dos seus contornos. No final das contas, chegamos a reconhecer que por trás da dor há uma presença consciente, não corrompida, que não muda e que está além da dor e do prazer; é a mesma consciência que se encontra na fonte de toda sensação e de todo pensamento.

A natureza fundamental da mente é essa pura faculdade de conhecer. Podemos, então, relaxar a mente e tentar permitir que a nossa dor repouse nesse estado de atenção pura, nessa natureza clara e inalterável. Isso torna possível deixar de ser vítima passiva da dor e, pouco a pouco, resistir ou reverter a devastação que ela engendra na nossa mente.

Após a invasão chinesa do Tibete em 1959, Tenzin Choedrak, o médico pessoal do Dalai Lama, foi enviado a um campo de trabalhos forçados no nordeste do Tibete junto com uma centena de outros prisioneiros. Apenas ele e mais quatro sobreviveram. Ele foi transferido de um campo para outro por quase vinte anos, muitas vezes acreditando que iria morrer de fome ou vítima das sevícias que lhe infligiram.[7] Um psiquiatra especializado em estresse pós-traumático que tratou o doutor Choedrak ficou atônito com o fato de ele ter saído dessas provações sem manifestar o menor sinal da síndrome de estresse pós-traumático. Não sentia nem amargura nem ressentimento, manifestava uma bondade serena e não tinha nenhum dos problemas psicológicos habitualmente encontrados nesses casos, como ansiedade, pesadelos e assim por diante. Choedrak reconheceu que em vários momentos tinha sentido ódio daqueles que o torturavam, mas sempre retornava à prática de meditação sobre a paz interior e a compaixão. Foi isso que sustentou o seu desejo de continuar vivendo e, em última instância, o salvou.

Outro exemplo de alguém que passou por provações físicas inimagináveis é Ani Pachen. Após passar vinte e um anos detida, ela, que além de monja era uma princesa tibetana e fazia parte da resistência, foi mantida em total escuridão por nove meses.[8] O canto dos pássaros que alcançava sua cela era sua única forma de saber se era dia ou noite. Ela conta que, embora não estivesse "feliz" no sentido habitual da palavra, conseguia sustentar os principais aspectos de *sukha* olhando para dentro de si, conectando-se com sua prática de meditação e com seu mestre espiritual, contemplando o sentido da impermanência e as leis de causa e efeito, e tornando-se mais consciente do que nunca das devastadoras consequências do ódio, da ganância e da falta de compaixão.

Não estamos falando de uma tomada de posição intelectual, moral, cultural e filosoficamente diferente da nossa, e que poderia ser objeto de um debate sem fim. As experiências aqui descritas são prova de que é possível manter *sukha* mesmo quando somos submetidos regularmente à tortura, porque essas pessoas *viveram* adversidades e conseguiram mantê-la por anos a fio. A autenticidade daquilo que viveram é muito mais forte do que qualquer teoria.

Outro exemplo que me vem à mente é o de um homem que conheço há mais de vinte anos e que vive na província de Bumthang, no coração do reino do Butão, no Himalaia. Ele nasceu sem braços e pernas e mora na periferia de uma aldeia, numa choupana de bambu com apenas alguns metros quadrados. Ele nunca sai e raramente se desloca do seu colchão, estendido no chão. Ele chegou do Tibete há quarenta anos, trazido por companheiros refugiados, e desde então vive nessa choupana. Só o fato de ainda estar vivo já é extraordinário, mas o que impressiona ainda mais é a alegria que ele irradia. Toda vez que o vejo, está com a mesma disposição mental, serena, simples, doce e sem afetação. Quando levamos pequenos presentes – um pouco de comida, um cobertor, um pequeno rádio, ele diz que não era necessário trazer-lhe nada. "Do que posso precisar?", pergunta ele sorrindo.

Em geral há alguém da vila em sua cabana – uma criança, uma pessoa mais velha, um homem ou uma mulher, que foram levar água, uma refeição, conversar um pouco. Acima de tudo, dizem eles, vão porque lhes faz bem passar algum tempo na companhia dele. Pedem-lhe conselhos. Quando surge um problema na vila, é a ele que recorrem para se orientar.

Dilgo Khyentse Rimpoche, meu pai espiritual, às vezes parava por ali para visitá-lo, no caminho de Bumthang. Dava-lhe a sua bênção porque o nosso amigo pedia, mas Khyentse Rimpoche sabia que ela era menos necessária para ele do que para a maior parte dos outros. O homem havia encontrado a felicidade dentro de si, e ninguém podia tirá-la dele, nem a vida nem a morte.

EXERCÍCIO Treinamento: a troca entre felicidade e sofrimento

Comece por gerar um forte sentimento de cordialidade, calor humano, bondade e compaixão por todos os seres. Imagine então aqueles que estão passando por um sofrimento similar ao seu, ou pior. Ao expirar, visualize que, por meio da sua respiração, você envia a eles toda a sua felicidade, vitalidade, boa sorte, saúde e assim por diante, sob a forma de um néctar branco, fresco e luminoso.

Veja-os absorvendo totalmente esse néctar, que lhes alivia a dor e lhes ajuda a realizar as suas aspirações. Se a vida deles corre risco de terminar logo, imagine que ela se prolonga; se estão doentes, imagine-os curados; se estão pobres ou abandonados, imagine que obtêm tudo do que precisam; se estão infelizes, que estão cheios de alegria.

Quando você inspirar, visualize o seu próprio coração como uma esfera brilhante e luminosa. Imagine que você está tomando para si, sob a forma de uma nuvem cinza, a doença, a confusão e os venenos mentais dessas pessoas, e que tudo isso desaparece na luz branca do seu coração, sem restar nada. Isso transformará tanto o seu sofrimento quanto o deles. Não há motivo para pensar que esse processo venha trazer-lhe qualquer peso ou carga. Ao tomar para si e dissolver o sofrimento deles, sinta grande felicidade, sem apego algum.

Você também pode imaginar que o seu corpo se multiplica em incontáveis formas que viajam pelo universo, transformando-se em roupas para os que sentem frio, comida para os famintos, ou abrigo para os que não têm teto.

Essa visualização é um meio poderoso para desenvolver a benevolência e a compaixão. Pode ser feita a qualquer momento, durante as suas atividades diárias. Ela não requer que você negligencie o seu próprio bem-estar; ao contrário, permite que você adapte a sua reação ao sofrimento inevitável, conferindo-lhe um novo valor. Na verdade, identificar claramente a sua aspiração ao bem-estar é o primeiro passo na direção de sentir uma empatia genuína pelo sofrimento alheio. Além disso, essa atitude aumenta significativamente o seu entusiasmo e a sua prontidão para trabalhar pelo bem dos outros.

CAPÍTULO 7

OS VÉUS DO EGO

Primeiro, concebemos o "eu" e nos apegamos a ele.
Depois concebemos o "meu" e nos apegamos ao mundo material.
Como a água cativa na roda do moinho,
giramos em círculos, impotentes.
Presto homenagem à compaixão que envolve todos os seres.

CHANDRAKIRTI

A confusão mental é um véu que nos impede de ver claramente a realidade, obscurecendo a nossa compreensão da verdadeira natureza das coisas. Na prática, essa confusão nos incapacita de identificar o comportamento que nos permitiria encontrar a felicidade e evitar o sofrimento. Quando olhamos para fora, solidificamos o mundo, projetando nele atributos que de modo algum lhe são inerentes. Ao olhar para dentro, congelamos o fluxo de consciência quando concebemos um "eu" entronizado entre um passado que não existe mais e um futuro que ainda não existe. Acreditamos que vemos as coisas como elas são e quase nunca colocamos em dúvida essa opinião. Atribuímos qualidades às coisas e pessoas e acreditamos que são intrínsecas a elas, pensando "isto *é* bonito, isto *é* feio", sem nos darmos conta de que a nossa mente confere esses atributos àquilo que percebemos.

Dividimos o mundo inteiro em "desejável" e "indesejável"; atribuímos permanência ao que é efêmero e vemos entidades independentes naquilo que é uma rede de relações que se transformam. Tendemos a isolar aspectos particulares de eventos, situações e pessoas, focalizando apenas essas particularidades. É assim que rotulamos os outros como "inimigos", "bons", "maus" e assim por diante, e consideramos essas atribuições permanentes. No entanto, se avaliarmos bem a realidade, essa complexidade se torna óbvia.

Se uma coisa fosse *verdadeiramente* bela e agradável, se essas qualidades de fato *pertencessem* a ela, nós a veríamos como desejável em todos os momentos e lugares. Mas existe algo neste mundo que seja considerado belo por todos? Como diz o verso budista: "Para aquele que ama, a bela mulher é objeto de desejo; para o eremita, é uma tentação; para o lobo, uma boa refeição". Da mesma forma, se um objeto fosse intrinsecamente repulsivo, todos teriam uma boa razão para evitá-lo. Mas tudo muda se reconhecermos que estamos apenas *atribuindo* essas qualidades às coisas e pessoas. Não há, em um belo objeto, nenhuma qualidade intrínseca que o torne benéfico para a mente, assim como também não há nada em um objeto feio que, por causa dessa qualidade, cause dano a ela.

Do mesmo modo, uma pessoa que hoje percebemos como inimiga com toda a certeza é, para outro, objeto de afeição, e poderemos um dia criar laços de amizade com esse mesmíssimo indivíduo. Reagimos como se as características fossem inseparáveis da pessoa e do objeto sobre os quais as depositamos. Assim, distanciamo-nos da realidade e somos arrastados pelo mecanismo de atração e repulsão, mantido em constante movimento por nossas projeções mentais. Nossos conceitos *congelam* as coisas em entidades artificiais, fazendo-nos perder nossa liberdade interior, do mesmo modo que a água perde sua fluidez quando se torna gelo.

A CRISTALIZAÇÃO DO EGO

O budismo define a confusão mental como o véu que nos impede de ter uma percepção clara da realidade e obscurece a compreensão da verdadeira natureza das coisas. É também, no plano prático, a incapacidade de discernir os comportamentos que permitem encontrar a felicidade e evitar o sofrimento. Entre os muitos aspectos dessa confusão, o mais radicalmente perturbador é aquele que consiste em se apegar à noção de uma identidade pessoal: o ego. O budismo faz distinção entre um "eu" inato e instintivo – quando pensamos, por exemplo, "eu estou acordado" ou "eu sinto frio" – e um ego conceitual, moldado pela força do hábito. Atribuímos várias qualidades ao ego pressupondo que ele seja o núcleo do nosso ser, autônomo e duradouro.

A todo momento, do nascimento à morte, o corpo passa por transformações incessantes, e a mente se torna palco de incontáveis experiências emocionais e conceituais. E, no entanto, nós insistimos em atribuir ao nosso ego qualidades de permanência, unicidade e autonomia. Mais ainda, quando começamos a sentir que esse ego é vulnerável e precisa ser protegido e satisfeito, entram em cena o binômio aversão/atração – aversão por tudo o que o ameaça e atração por tudo que o agrada, conforta, aumenta a sua confiança ou faz com que ele se sinta bem. Esses dois sentimentos básicos, atração e repulsão, são as fontes de um mar de emoções conflitivas.

O ego, escreve o filósofo budista Han de Wit, "é também uma reação afetiva ao nosso campo de experiência, um movimento mental de recuo baseado no *medo*".[1] Por medo do mundo e dos outros, por receio de sofrer, por angústia sobre o viver e o morrer, imaginamos que ao nos escondermos dentro de uma bolha – o ego – estaremos protegidos. Criamos, assim, a ilusão de estarmos separados do mundo, acreditando que dessa forma evitaremos o sofrimento. Na realidade, o que acontece nesse caso é justamente o contrário, uma vez que o apego ao ego e à autoimportância são os melhores ímãs para atrair o sofrimento.

O genuíno destemor surge com a confiança de que seremos capazes de reunir os recursos interiores necessários para lidar com qualquer situação que surja à nossa frente. Isso é totalmente diferente de retirar-se na autoabsorção, uma reação de medo que perpetua profundos sentimentos de insegurança.

Cada um de nós é, de fato, uma pessoa única, e está certo reconhecermos e apreciarmos quem somos. Mas ao reforçarmos a identidade separada do ego, perdemos a sintonia com a realidade. A verdade é que somos *fundamentalmente interdependentes* das outras pessoas e do ambiente. Nossa experiência é o conteúdo do fluxo mental, do *continuum* da consciência, e não há justificativa para ver o ego como uma entidade distinta desse fluxo. Imagine uma onda que se propaga, influencia o ambiente e é influenciada por ele, sem que por isso se transforme no meio de veiculação ou transmissão de qualquer entidade particular. Porém estamos tão acostumados a fixar o rótulo de "eu" a esse fluxo mental, que chegamos a nos identificar com este último e temer o seu desaparecimento. Segue-se daí um poderoso apego ao ego e à noção de "meu" – *meu* corpo, *meu* nome, *minha* mente, *minhas* posses, *meus* amigos, e assim por diante – que leva ao desejo de possuir ou ao sentimento de repulsa pelo "outro".

É assim que os conceitos de "eu" e o "outro" se cristalizam na nossa mente. Ficamos com a impressão errada de que existe uma dualidade irredutível e inevitável, criando assim a base para todas as nossas aflições mentais, como o desejo alienante, o ódio, o ciúme, o orgulho e o egoísmo. Nesse ponto percebemos o mundo através do espelho deformante das nossas ilusões e permanecemos em desarmonia com a verdadeira natureza das coisas, o que leva à frustração e ao sofrimento.

Podemos observar essa cristalização do "eu" e do "meu" em muitas situações da vida cotidiana. Você cochila pacificamente em um barco no meio de um lago. Outra embarcação bate na proa e você acorda de repente. Pensando que a colisão foi obra de algum barqueiro trapalhão ou mal-intencionado, você fica furioso ao abrir os olhos, pronto para xingá-lo, e então percebe que o barco em questão está vazio. Você ri do seu próprio erro e volta para o seu cochilo. A *única* diferença entre as duas reações é que, no primeiro caso, você pensou estar sendo alvo da malícia de alguém, e no segundo percebeu que o seu "eu" não era alvo de nada.

Da mesma maneira, se alguém lhe dá um soco, talvez você fique contrariado por um bom tempo. Mas observe a dor física: ela logo diminui e se torna imperceptível. A única coisa que continua a lhe fazer mal é a ferida aberta no ego.

Certa vez, uma amiga veio de Hong Kong para receber alguns ensinamentos no Nepal. Milhares de pessoas estavam reunidas ali, amontoadas no chão do vasto pátio do nosso monastério. Essa amiga circulava por todos os lados, buscando um lugar para sentar com um pouco mais de conforto com as pernas cruzadas em sua almofada, quando alguém a atingiu com um soco nas costas. Ela me disse depois: "Fiquei irritada uma hora inteira. Como pôde alguém que veio ouvir ensinamentos budistas comportar-se comigo de maneira tão rude e sem compaixão, logo comigo que vim de tão longe para receber aqueles ensinamentos! Mas, algum tempo depois, percebi que apesar de a minha irritação ter perdurado, a dor física real não tinha durado quase nada e logo se tornara imperceptível. A única coisa que continuava doendo era o meu ego ferido! Eu passara por um minuto de dor física e por cinquenta e nove de dor de ego!". Se concebermos o ego como um mero conceito, e não como uma entidade autônoma que precisamos proteger e satisfazer a todo custo, iremos reagir de maneira completamente diferente a situações como essas.

Eis outro exemplo para ilustrar o apego que temos à ideia de "meu". Imagine-se olhando para um belo vaso de porcelana em uma vitrine. De repente, um vendedor desastrado derruba-o no chão. "Que pena! Um vaso tão bonito!", suspira você, e continua sem maiores problemas em seu caminho. Mas se você tivesse acabado de comprar o mesmo vaso para colocá-lo em sua mesa, vê-lo cair logo em seguida e estilhaçar-se em mil pedacinhos faria com que exclamasse "*meu* vaso se quebrou!", e o acidente iria mexer profundamente com você. A única diferença seria a etiqueta de "meu" que você colocou no vaso.

É claro que essa percepção errônea de um ego real e independente baseia-se no egocentrismo, que nos convence de que a nossa sorte tem mais valor do que a dos outros. Imagine a seguinte situação: o seu chefe chama a atenção de um colega que você detesta, repreende com dureza outro por quem você não tem sentimentos e faz um áspero comentário a você. No primeiro caso, você sentirá satisfação; no segundo, indiferença, e no terceiro, mágoa. Mas, na realidade, por que o bem-estar de alguma dessas três pessoas prevaleceria sobre o das outras? O egocentrismo que coloca o eu no centro do mundo tem um ponto de vista inteiramente *relativo*. O erro que cometemos é fixar o nosso ponto de vista e esperar, ou, pior ainda, insistir que o "nosso" mundo prevaleça sobre o dos outros.

Em uma visita do Dalai Lama ao México, mostraram-lhe um mapa do mundo, dizendo: "Veja, se você considerar a forma como os continentes estão dispostos, verá que o México está no centro do mundo". (Quando eu era criança um amigo meu da Bretanha disse-me que a pequena ilha de Dumet era o centro do mundo conhecido!) O Dalai Lama respondeu: "Se você seguir essa linha de raciocínio, descobrirá que a Cidade do México está no centro do México, a minha casa está no centro da cidade, minha família no centro da casa e eu no centro da família – eu sou o centro do mundo".

O QUE FAZER COM O EGO?

Diferentemente do budismo, na psicologia há poucos métodos para tratar do problema de como reduzir o sentimento de importância do eu – uma redução que, para o homem sábio, vai até a erradicação do ego. Essa é uma ideia certamente nova e, no Ocidente, talvez até subversiva, já que consideramos o ego o elemento fundamental da personalidade. Pensamos: se eu eliminar meu ego vou deixar de existir como pessoa. Como é possível conceber um indivíduo sem um eu, sem um ego? Esse conceito não é psiquicamente perigoso? Não há o risco de mergulharmos em algum tipo de esquizofrenia? Um ego fraco ou não existente não é um sinal clínico de uma patologia mais ou menos perigosa? Não é necessário dispor de uma personalidade totalmente desenvolvida antes de poder abrir mão do ego? Esses são os tipos de reação defensiva que a maior parte dos ocidentais tem diante de noções tão pouco familiares. A ideia de que precisamos de um ego forte vem do fato de dizermos que algumas pessoas que sofrem de problemas mentais têm um eu fragmentado, frágil ou deficiente.

A psicologia da primeira infância descreve a maneira como um bebê aprende sobre o mundo; como ele pouco a pouco se situa no relacionamento com a mãe, com o pai e os outros ao seu redor; como, quando atinge o primeiro ano de vida, começa a compreender que ele e a sua mãe são dois seres diferentes, que o mundo não é uma extensão de si mesmo e que ele pode provocar uma série de acontecimentos que, por sua vez, têm desdobramentos. A essa tomada cada vez maior de consciência dá-se o nome de "nascimento psicológico". Concebemos, portanto, o indivíduo como uma personalidade idealmente estável, segura de si, e ancorada na crença da existência do eu. A educação proveniente dos pais, como também aquela que mais tarde recebemos nas escolas, reforça essa noção, que prevalece em toda a nossa literatura e em nossa história. De certo modo, pode-se dizer que a crença em um eu estabelecido é uma das características predominantes da nossa civilização. Não falamos de construir personalidades fortes, resilientes, adaptáveis e assertivas?

Isso significa confundir ego com autoconfiança. O ego não pode obter senão uma confiança inventada, construída sobre atributos precários e insubstanciais como poder, sucesso, beleza, força física, brio intelectual, a opinião dos outros e, sobretudo, a partir daquilo que acreditamos constituir a nossa "identidade", nossa imagem, como a vemos e os outros a veem. Quando as coisas mudam e a distância do real aumenta, o ego fica irritado, congela e hesita. A autoconfiança desmorona, e só restam a frustração e o sofrimento.

Para o budismo, paradoxalmente, uma autoconfiança digna desse nome é algo totalmente diferente. É uma *qualidade* natural do estado de ausência de ego! Dissipar a ilusão do ego é libertar-se de uma vulnerabilidade fundamental. A verdade é que o sentimento de segurança que deriva dessa ilusão é muito frágil. A confiança autêntica nasce do reconhecimento da verdadeira natureza das coisas, e de uma tomada de consciência da qualidade fundamental da nossa mente, que é também o nosso potencial para transformação e florescimento – chamada, no budismo, de *natureza búdica*, presente em todos os seres. Esse reconhecimento confere uma força serena que não é ameaçada nem pelas circunstâncias exteriores nem pelos medos internos. Trata-se de uma liberdade que transcende a fascinação e a ansiedade.

Outra ideia muito difundida é a de que na ausência de um eu forte mal poderíamos ter emoções, e a vida se tornaria incrivelmente monótona. Sentiríamos falta de criatividade, de espírito de aventura – em uma palavra, de personalidade. Pense sobre aqueles em torno de você que são dotados de um ego bem desenvolvido, para não dizer hiperdesenvolvido. Há muitos à nossa escolha: não faltam imperadores do "eu sou o mais forte, o mais célebre, o mais influente, o mais rico e o mais poderoso". Por outro lado, quem são as pessoas que, apesar de diferentes quanto ao sexo, idade e raça, manifestaram uma genuína confiança interior que não se baseia num ego "inflado"? Sócrates, Diógenes, o Buda, Jesus, Gandhi, Martin Luther King, Madre Teresa, o Dalai Lama, Nelson Mandela, e incontáveis outros heróis não celebrados que trabalham no anonimato. Será necessário explicar a diferença?

A experiência mostra que aqueles entre nós que tiveram sucesso, mesmo parcial, em libertar-se da ditadura do ego pensam e agem com uma espontaneidade e liberdade que contrastam de maneira muito feliz com a constante paranoia engendrada pelos caprichos de um eu triunfante.

Paul Ekman, um dos especialistas mundiais na ciência das emoções, dedicou-se a estudar "as pessoas dotadas de qualidades humanas excepcionais". Entre os traços mais notáveis que essas pessoas têm, ele observa, estão "uma impressão de bondade e gentileza, uma qualidade de ser que os outros percebem e apreciam; diferentemente de numerosos charlatões carismáticos, há uma harmonia perfeita entre vida pública e privada". Mas, acima de tudo, observa Ekman, elas manifestam "uma ausência de ego: essas pessoas inspiram as outras pelo pouco caso que fazem do *status* e da fama que possuem – em resumo, de seu ego. Nunca se preocupam que o mundo lhes reconheça a posição ou importância". Essa ausência de egocentrismo, ele acrescenta, "causa total perplexidade do ponto de vista psicológico". Ekman sublinha também que "as outras pessoas instintivamente querem estar junto delas e, mesmo sem saber explicar por quê, consideram a sua presença enriquecedora. Em essência, elas irradiam bondade".[2] Tais qualidades oferecem um notável contraste com os campeões do ego, cuja presença é no mínimo entristecedora, quando não desagradável. Tendo de um lado a teatralidade grandiloquente, as ostentações e a ocasional ferocidade do ego rei, e de outro a calorosa simplicidade daqueles que não têm ego, não é muito difícil escolher.

Também os psicopatas, que são incapazes de sentir qualquer empatia pelos outros ou qualquer arrependimento pelo sofrimento que infligem a eles, são adeptos da supremacia do ego. Como observa Aaron Beck, o fundador da terapia cognitiva: "Os profissionais que trabalham com psicopatas ficam impressionados com o extremo egocentrismo encontrado neles. São totalmente voltados a servir a si mesmos e, acima de tudo, pensam que têm direitos inatos e prerrogativas que transcendem ou se adiantam às das outras pessoas".[3]

A ideia de que um ego poderoso é necessário para ser bem-sucedido na vida sem dúvida vem da confusão entre o apego ao ego, à nossa própria imagem, e a determinação indispensável à realização das nossas aspirações mais profundas. O fato é que, quanto menos influenciados formos pela ideia de que o nosso eu é importante, mais fácil será adquirir uma força interior duradoura. A razão para isso é simples: o sentimento de autoimportância é um alvo exposto a todo tipo de projéteis mentais – ciúme, medo, ganância, repulsão – que não cessam de desestabilizá-lo.

A IMPOSTURA DO EGO

Na nossa experiência diária, o eu nos parece real e sólido. Certamente ele não é tangível como um objeto; no entanto estamos tão vulneráveis a ele, que somos afetados a todo instante. Um simples sorriso causa prazer imediato; um olhar zangado, exatamente o contrário. A todo momento, o ego está presente, pronto para ser ferido ou gratificado. Em vez de vê-lo como múltiplo e ilusório, fazemos dele um baluarte unitário, central e permanente. Mas examinemos o que supomos contribuir para a nossa identidade. O nosso corpo? Um ajuntamento de ossos e carne. Nossa consciência? Uma sucessão de pensamentos fugazes. Nossa história? A memória daquilo que já não é mais. Nosso nome? Vinculamos a ele todo tipo de conceitos – nossa ascendência, reputação, nosso *status* social – mas, em última análise, não é nada mais do que um conjunto de letras. Quando vemos a palavra JOÃO, a nossa mente fica sobressaltada, pensando: "Sou eu!" Mas basta que separemos as letras, J-O-Ã-O, e perdemos todo interesse. A ideia de "nosso" nome é apenas uma criação mental, e o apego à nossa linhagem familiar e reputação não faz mais do que restringir a nossa liberdade interior.

O sentimento profundo de um eu que está no coração do nosso ser: eis o que é necessário examinar honestamente. Quando exploramos o corpo, a fala e a mente, descobrimos que esse eu não é nada mais que uma palavra, um rótulo, uma convenção, uma designação. O problema é que esse rótulo pensa ser aquilo que realmente importa. Para desmascarar a impostura do ego, temos que continuar a indagação até o fim. Quando você suspeita da presença de um ladrão em sua casa, tem que inspecionar cada cômodo, cada canto, cada esconderijo potencial, para ter certeza de que não há mesmo ninguém. Só então pode se tranquilizar. No caso da investigação introspectiva, visamos descobrir aquilo que se esconde por trás da quimera de um eu que, acreditamos, define o nosso ser.

Uma análise rigorosa nos forçará a concluir que o eu não reside em nenhuma parte do corpo. Ele não está nem no coração, nem no peito, nem na cabeça. Ele também não é algum tipo de entidade difusa, como uma substância que permeie o corpo. Acreditamos que o eu está associado à consciência, mas ela também é um fluxo que nos escapa: em termos de experiência viva, o momento passado da consciência está morto (só permanece o seu *impacto*), o futuro ainda não está lá, e o presente não dura. Como pode existir um eu separado, suspenso como uma flor no céu, entre algo que não existe mais e algo que ainda não existe? Ele não pode ser detectado nem no corpo nem na mente; não é nem uma entidade distinta na combinação dos dois, nem algo externo a eles. Nenhuma análise séria, nenhuma experiência contemplativa ou introspectiva direta pode justificar um sentimento tão forte de possuir um eu. O eu não pode ser encontrado naquilo a que o associamos. Qualquer um pode pensar que é alto, jovem e inteligente, mas nem a altura, nem a juventude e nem a inteligência são o eu. O budismo, portanto, conclui que o eu é apenas um nome pelo qual designamos um *continuum*, como ao darmos a um rio o nome de Ganges ou Mississipi. Esse *continuum* certamente existe, mas de modo puramente convencional e fictício. É inteiramente desprovido de existência autônoma.

A DESCONSTRUÇÃO DO EGO

Para perceber isso com maior clareza, retomemos a nossa análise. O conceito de identidade pessoal tem três aspectos: o eu, a pessoa e o ego. Esses três aspectos não são fundamentalmente diferentes um do outro, mas refletem as diferentes maneiras de nos apegarmos à percepção de que temos uma identidade pessoal.

O eu vive no presente; é ele que pensa "eu estou com fome", ou "eu existo". É o lócus da consciência, dos pensamentos, do julgamento e da vontade. Ele é a experiência do nosso estado atual.

A noção de pessoa, como sintetiza claramente o neuropsiquiatra David Galin, é mais ampla. É um *continuum* dinâmico, que se estende no tempo e incorpora vários aspectos da nossa existência no plano corporal, mental e social.[4] Suas fronteiras são mais fluidas: a noção de pessoa pode se referir ao corpo ("ele é bem apessoado"), a pensamentos íntimos ("um sentimento muito pessoal"), ao caráter ("uma boa pessoa"), às relações sociais ("separar a vida pessoal da vida profissional"), ou ao ser humano em geral ("o respeito pela pessoa"). Sua continuidade no tempo nos permite religar as representações de nós mesmos que pertencem ao passado e às projeções que concernem ao futuro. Ela denota como cada um de nós difere dos outros e reflete nossas qualidades individuais. A noção de pessoa é válida e saudável enquanto a consideramos como um simples conceito que designa o conjunto de relações entre a consciência, o corpo e o ambiente. Ela se torna inapropriada e doentia quando a consideramos uma entidade autônoma.

Resta o ego. Já examinamos como ele é considerado o próprio núcleo do nosso ser. Nós o concebemos como um todo indivisível e permanente que nos caracterizaria desde o nascimento até a morte. O si mesmo não é somente a soma dos "meus" membros, "meus" órgãos, "minha" pele, "meu" nome, "minha" consciência, mas o proprietário exclusivo de tudo isso. Falamos de "meu braço" e não de "uma extensão alongada do meu eu". Se nos decepam o braço, o ego perde um braço mas continua intacto. Uma pessoa sem membros sente a sua integridade física diminuída, mas tem certeza de que conserva o seu ego. Se formos cortando o corpo em fatias, em que momento o ego começará a desaparecer? Enquanto retivermos a faculdade de pensar, perceberemos a existência de um ego. Chegamos, então, à célebre frase de Descartes que fundamenta toda a noção de eu na civilização ocidental: "Penso, logo existo." Mas o fato de pensar não prova estritamente nada quanto à existência do eu. Porque esse "eu" não é nada mais do que o conteúdo atual do nosso fluxo mental, que muda a cada instante. Com efeito, não basta que percebamos alguma coisa, ou que façamos dela uma ideia, para que ela exista. Vemos claramente uma miragem ou uma ilusão, mas nenhuma das duas tem qualquer traço de realidade. Han de Wit conclui: "O ego é o resultado de uma atividade mental que cria e 'mantém viva' uma entidade imaginária na nossa mente".[5]

A ideia de que o ego possa ser apenas um conceito vai ao encontro da intuição da maior parte dos pensadores ocidentais. Descartes, de novo, é categórico a esse respeito: "Quando examino o meu espírito – quer dizer, eu mesmo, dado que sou meramente uma coisa que pensa – não posso identificar partes distintas; concebo-me como uma coisa única e inteira". O neurologista Charles Scott Sherrington acrescenta: "O si mesmo é uma unidade. [...] ele vê a si mesmo como tal e os outros o tratam assim. Dirigimo-nos a ele como a 'uma' entidade, chamando-o por um nome ao qual ele responde".[6] Indiscutivelmente, temos a percepção instintiva de um ego unitário, mas, quando tentamos defini-lo, torna-se bem difícil apontá-lo.

EM BUSCA DO EGO PERDIDO

Então, onde se encontra o ego? Não pode ser exclusivamente em meu corpo, pois, quando digo que me "sinto orgulhoso", é a minha consciência que está orgulhosa e não meu corpo. Encontra-se o ego, então, na minha consciência? Isso está longe de ser evidente. Quando digo "alguém me empurrou", é minha consciência que levou o empurrão? É claro que não. O ego não pode se encontrar nem fora do corpo, nem da consciência. Se ele fosse uma entidade autônoma separada tanto de um como de outra, não poderia ser a essência dos dois. É então a soma das partes, a estrutura e continuidade deles? A noção do ego está associada ao conjunto formado pelo corpo e pela consciência? Percebemos que começamos a nos distanciar da noção de um ego como um proprietário ou uma essência, para passar a uma noção mais abstrata, a um conceito. A única solução para este dilema é considerar o ego como uma *designação mental* ou *verbal* ligada a um processo dinâmico, a um conjunto de relações mutáveis que integram percepções do ambiente, sensações, imagens mentais, emoções e conceitos. O ego não passa de *uma ideia*.

Ela surge quando amalgamamos o "eu", a experiência do momento presente, com a "pessoa", a continuidade da nossa existência. Como explica David Galin, nós temos uma tendência inata a simplificar arranjos complexos, fazendo deles entidades e concluindo que são duradouros. É mais fácil funcionar no mundo tomando como certo que a maior parte do nosso ambiente não muda minuto a minuto, e tratando a maior parte das coisas como se fossem mais ou menos constantes. Eu perderia toda a noção do que é o "meu corpo" se passasse a percebê-lo como um turbilhão de átomos que nunca é o mesmo nem por um milionésimo de segundo. Mas esqueço que a percepção ordinária de meu corpo, e de todo fenômeno, é apenas uma aproximação e que na realidade *tudo muda a todo momento*.

É assim que reificamos o eu e o mundo. O eu não é inexistente – como a experiência nos lembra a cada momento – mas existe como ilusão. É nesse sentido que o budismo diz que o eu "é vazio de existência autônoma e permanente", e que ele, assim como todos os fenômenos que surgem para nós, é como uma miragem. Vista de longe, a miragem de um lago parece real, mas, quando nos aproximamos, é muito difícil encontrar água ali. As coisas não são nem tal como nos parecem existir nem totalmente inexistentes: como ilusões, aparecem sem ter qualquer realidade última. Eis como o Buda ensinou isto:

Como a estrela cadente, a miragem, a chama,
A ilusão mágica, a gota de orvalho, a bolha na água,
Como o sonho, o relâmpago, ou uma nuvem –
Considere assim todas as coisas.

AS FACES FRÁGEIS DA IDENTIDADE

A noção de pessoa inclui a imagem que temos de nós mesmos. A ideia da nossa identidade, do nosso *status* na vida, está profundamente enraizada em nossa mente, e influencia de modo constante as nossas relações com os outros. A menor palavra que ameace a imagem que temos de nós mesmos é intolerável, mesmo que não tenhamos o menor problema em ver qualificativo idêntico aplicado a outra pessoa, em circunstâncias diferentes. Se você grita insultos ou bajulações na direção de um rochedo, as palavras ecoam de volta a você, que em nada se afeta com isso. Mas se outra pessoa o insulta com as mesmas palavras, isso lhe traz uma perturbação profunda... Se temos uma imagem forte de nós mesmos, tentaremos nos assegurar de que ela seja reconhecida e aceita. Nada é mais doloroso do que vê-la posta em dúvida.

Mas que valor tem essa identidade? É interessante lembrar que a palavra "personalidade" vem de *persona*, que significa "máscara" em latim – a máscara através da qual (*per*) a voz do ator faz ressoar (*sonat*) sua fala. Mas enquanto o ator sabe que usa uma máscara, nós costumamos esquecer de separar entre o papel que desempenhamos na sociedade e a nossa verdadeira natureza.

Se nos acontece de ter a experiência de encontrar, em países longínquos, pessoas em condições mais ou menos difíceis como uma caminhada na montanha, uma travessia pelo mar, sentimos que nesses dias de aventura partilhada, tudo o que importa é que elas são nossas companheiras de viagem, tendo como bagagem somente as qualidades e os defeitos que manifestam ao longo das peripécias conjuntamente vividas. Pouco importa "quem" elas são, a profissão que exercem, a importância da fortuna que possuem ou a posição que ocupam na sociedade. No entanto, se depois da aventura esses companheiros se reencontram, a espontaneidade muitas vezes desaparece, porque todos recolocam a sua "máscara", endossam o seu papel e o seu *status* social de pai de família, pintor de paredes ou dono de indústria. O encanto se rompe, desaparece a espontaneidade. Essa profusão de etiquetas e rótulos distorce os relacionamentos humanos porque, em vez de vivermos os acontecimentos da forma mais sincera possível, comportamo-nos com afetação para preservar a nossa imagem.

Em geral temos medo de lidar com o mundo sem pontos de referência e somos acometidos por vertigens sempre que as máscaras e os epítetos desabam. Se não sou mais músico, escritor, funcionário, educado, bonito ou forte, quem sou eu? No entanto, não portar nenhum rótulo é a melhor garantia de liberdade e a maneira mais flexível, leve e alegre de passar por este mundo. Recusar-se a ser vítima da impostura do ego não nos impede em nada de nutrir uma potente determinação em atingir os objetivos que definimos para nós mesmos e de usufruir a cada instante da riqueza das nossas relações com o mundo e os seres. O efeito, na realidade, é justamente o oposto.

ATRAVÉS DO MURO INVISÍVEL

Como posso utilizar essa análise que vai na direção contrária à das concepções e dos pressupostos ocidentais? Até agora, bem ou mal, funcionei com essa ideia, ainda que vaga, de que existe um eu central. Em que medida essa compreensão da natureza ilusória do ego me coloca diante do risco de mudar as relações com a minha família e com o mundo ao meu redor? Uma virada de cento e oitenta graus como essa não seria desestabilizadora, perturbadora?

A essas perguntas pode-se responder: a experiência mostra que essa virada só fará bem a você. De fato, quando o ego predomina, a mente é como um pássaro que se fere ao chocar-se contra uma vidraça, a da crença nesse ego, confinando nosso universo a limites muito estreitos. Perplexa e atordoada pela barreira, a mente não sabe como atravessá-la. Essa barreira é *invisível* porque não tem existência verdadeira, não passa de um construto da mente. No entanto, funciona como um muro ao fragmentar o nosso mundo interior e interromper o fluxo do nosso altruísmo e da nossa alegria de viver. Se não tivéssemos fabricado o vidro do ego, esse muro não existiria e não teria nenhuma razão de ser. O apego ao ego está ligado aos sofrimentos que sentimos e aos que infligimos aos outros. Abandonar a fixação na nossa imagem pessoal e deixar de dar tanta importância ao ego significa ganhar uma enorme liberdade interior. Isso permite que abordemos todos os seres e todas as situações com naturalidade, benevolência, força de espírito e serenidade. Não esperando ganhar e sem o temor de perder, somos livres para dar e receber. Não há mais o menor motivo para pensar, falar ou agir de maneira afetada, egoísta ou inapropriada.

Agarrando-nos ao confinado universo do ego, temos a tendência a nos preocupar unicamente conosco. A menor contrariedade nos perturba e nos desencoraja. Somos obcecados pelos nossos sucessos, nossas derrotas, nossas esperanças e nossas inquietudes, sendo assim quase impossível alcançar a felicidade. O mundo estreito do ego é como um copo de água em que jogamos uma pitada de sal: a água se torna impossível de beber. Se, por outro lado, rompemos as barreiras do ego e a mente se torna como um grande lago, a mesma pitada de sal não altera o seu sabor em absolutamente nada.

Quando o ego deixa de ser considerado como a coisa mais importante do mundo, é muito mais fácil sentirmos interesse por outras pessoas. Perceber os sofrimentos dos outros redobra a nossa coragem e determinação para trabalharmos para o bem deles.

Se o ego constituísse realmente a nossa essência profunda, seria fácil compreender a nossa inquietação diante da ideia de nos livrarmos dele. Mas se ele não é outra coisa senão ilusão, libertar-se do ego não é extirpar o coração do nosso ser, mas simplesmente abrir os olhos.

Assim, vale a pena dedicar alguns momentos da nossa existência para deixar a mente repousar na calma interior; isso permitirá que compreendamos melhor, por meio da análise e da experiência direta, o lugar que o ego ocupa na nossa vida. Enquanto o sentimento de que o ego é importante deter as rédeas do nosso ser, jamais conheceremos uma paz duradoura. A própria fonte da dor permanecerá intacta no mais profundo de nós e nos privará da mais essencial das liberdades.

CAPÍTULO 8

QUANDO OS PENSAMENTOS SE TORNAM NOSSOS PIORES INIMIGOS

> Quando estamos infelizes,
> inevitavelmente pensamos que certas imagens
> têm garras e ferrões para nos torturar.
> ALAIN

Quando somos atingidos pela morte de alguém que amamos, perturbados por um colapso, dominados pelo fracasso, assistimos com o coração partido ao sofrimento dos outros ou somos consumidos por pensamentos negativos, às vezes, sentimos que a vida como um todo está entrando em parafuso. Não parece haver nenhuma saída segura. A tristeza prevalece na mente como uma mortalha. "Basta que apenas uma pessoa nos deixe, e é como se não houvesse ninguém no mundo", lamentou-se o poeta francês Lamartine. Incapazes de imaginar um fim para a nossa dor, retiramo-nos para dentro de nós mesmos e temos medo de cada momento. "Quando tentei pensar claramente sobre isto, senti que a minha mente estava aprisionada e não podia se expandir em nenhuma direção. O sol se levantava e se punha, eu sabia, mas muito pouco da sua luz me banhava", escreve Andrew Solomon.[1] Por mais angustiante que possa ser a situação – a morte de um grande amigo, por exemplo – há incontáveis maneiras de passar por uma provação. A felicidade é ensombrecida pela angústia, quando nos faltam os recursos interiores adequados para sustentar certos elementos básicos de *sukha*: a alegria de estar vivo, a convicção de que ainda temos a capacidade de desabrochar, a compreensão da natureza efêmera de todas as coisas.

Não são as grandes reviravoltas externas o que necessariamente nos deixa mais angustiados. Observou-se que as taxas de ocorrência da depressão e do suicídio declinam consideravelmente em tempos de guerra. Algumas vezes, os desastres naturais também fazem aflorar o melhor da humanidade, em termos de coragem, solidariedade e vontade de viver. O altruísmo e a ajuda mútua contribuem de maneira significativa para reduzir o estresse pós-traumático decorrente das situações trágicas. Na maioria das vezes não são os eventos externos, mas a nossa própria mente e as emoções negativas que nos tornam incapazes de manter a estabilidade interior, arrastando-nos para baixo.

As emoções conflitantes nos causam nós no peito difíceis de desatar. Em vão tentamos lutar contra elas ou reduzi-las ao silêncio. Assim que escapamos do jugo de uma delas, eis que surge outra com vigor renovado. Essa aflição emocional não dá qualquer alívio, e toda tentativa de dar cabo dela parece fracassar. Em conflitos como esses, o nosso mundo se despedaça em uma multidão de contradições que geram adversidade, opressão e angústia. O que deu errado?

Os pensamentos podem ser os nossos melhores aliados ou piores inimigos. Quando fazem com que sintamos que o mundo inteiro está contra nós, cada percepção, cada encontro, e a própria existência do mundo tornam-se fontes de tormento. São os nossos próprios pensamentos que se erguem como inimigos. Eles percorrem a nossa mente como o estouro de uma boiada; cada um cria seu pequeno drama, causando uma confusão que aumenta cada vez mais. Nada vai bem do lado de fora, porque nada vai bem no interior.

Quando olhamos com cuidado para o teor dos nossos pensamentos cotidianos, percebemos com que extensão eles dão colorido ao filme interior que projetamos no mundo. Quem é muito preocupado, teme o mais ínfimo dos eventos: se precisa fazer uma viagem de avião, pensa que ele irá cair; se tem que dirigir, imagina que sofrerá um acidente; se vai ao médico, está certo de que tem câncer. Para um homem ciumento, as viagens mais inócuas da pessoa amada são suspeitas, o sorriso dirigido a outra pessoa é fonte de sofrimento, e a menor ausência cria um sem-número de dúvidas descabidas, que passam enfurecidas pela sua mente. Para esses indivíduos, bem como para aquele que tem o pavio curto, para o avarento e miserável, para o obsessivo, os pensamentos transformam-se diariamente em tempestades que podem ensombrecer a vida, destruindo a alegria de viver da própria pessoa e daqueles que estão ao seu redor.

E, no entanto, este nó no peito não foi atado pelo nosso marido infiel, pelo nosso objeto de desejo, pelo nosso colega desonesto, pelo nosso acusador injusto, mas pela nossa própria mente. É o resultado de construtos mentais que, ao se acumularem e solidificarem, dão a ilusão de serem externos e reais. O que fornece a matéria-prima para formar esse nó em nosso peito é o sentimento exacerbado de autoimportância. Tudo o que não responde às demandas do ego se transforma em perturbação, ameaça ou insulto. O passado é doloroso, não conseguimos desfrutar o presente e trememos diante da projeção da nossa angústia futura. Conforme Andrew Solomon: "Na depressão, tudo o que acontece no presente é a antecipação da dor do futuro, e o presente enquanto tal não existe mais".[2] Isso prova que a incapacidade de lidar com os nossos pensamentos é a principal causa do sofrimento. Aprender a baixar o tom do incessante ruído dos pensamentos perturbadores é um estágio decisivo no caminho para a paz interior. Como explica Dilgo Khyentse Rimpoche:

> Essas séries de pensamentos e estados mentais estão sempre mudando, como a forma das nuvens ao vento, mas damos uma grande importância a elas. Um homem idoso observando as crianças brincarem sabe muito bem que o que elas fazem tem pouca consequência. Ele não se sente nem eufórico nem perturbado com o que acontece, ao passo que as crianças levam tudo muito a sério. Somos exatamente como elas.[3]

Temos que reconhecer que, enquanto não tivermos realizado *sukha*, o nosso bem-estar está à mercê das tempestades. Podemos responder às batidas do coração tentando esquecê-las, distraindo-nos, indo para outro lugar, viajando e assim por diante, mas tudo isso não passa de curativos feitos em uma perna de pau. Como diz Nicolas Boileau:

> Montado em um cavalo, ele foge em vão dos seus pensamentos –
> Que com ele compartilham a sela e acompanham-no em seu caminho.[4]

PRIMEIRO O MAIS IMPORTANTE

Como fazer as pazes com as nossas emoções? Primeiro temos que focalizar a nossa mente no poder bruto do sofrimento interior. Em vez de evitá-lo ou enterrá-lo em algum canto escuro da nossa mente, devemos fazer dele o objeto da nossa meditação, sem ficar ruminando os eventos que nos causaram dor ou recapitulando cada quadro do filme da nossa vida. Por que é necessário, nesse estágio, estender-se no exame das causas distantes do nosso sofrimento? Sobre isso, o Buda nos oferece a seguinte imagem: um homem acabou de receber uma flechada no peito; por acaso ele fica perguntando: "De que madeira é feita esta flecha? De que tipo de pássaro provêm as suas penas? Que artífice a produziu? Ele é um bom homem ou um salafrário?". Certamente não. A sua primeira preocupação é tirar a flecha do peito.

Quando uma emoção dolorosa nos atinge, a coisa mais urgente a fazer é olhar para ela de frente e identificar os pensamentos imediatos que a provocaram e a alimentam. Então, fixando o nosso olhar interior na emoção em si, podemos gradualmente dissolvê-la, como a neve sob o sol. E ainda mais: uma vez que a força dessa emoção tenha se enfraquecido, as causas que a provocaram parecerão menos trágicas e teremos ganhado a oportunidade de nos libertar do círculo vicioso dos pensamentos negativos.

CONTEMPLANDO A NATUREZA DA MENTE

Como podemos evitar o perpétuo ressurgir dos pensamentos perturbadores? Se nos conformarmos com o papel de eternas vítimas desses pensamentos, seremos como os cães que sempre correm atrás do mesmo pau que jogamos para eles. Ao nos identificarmos com cada pensamento, nós o seguimos e o reforçamos com infinitos enredamentos emocionais.

Assim, precisamos olhar mais de perto para a mente em si. As primeiras coisas que observamos são as correntes de pensamento que fluem continuamente, sem que nem mesmo estejamos cônscios delas. Queiramos ou não, incontáveis pensamentos estão sempre cruzando a nossa mente, nascidos das nossas sensações, das nossas recordações e da nossa imaginação. Mas há também uma qualidade dessa mente que está sempre presente, sejam quais forem os pensamentos que nos visitem. Essa qualidade é a consciência primeira que subjaz a todo pensamento. É ela que prevalece no raro momento em que a mente repousa, como se estivesse imóvel, conservando mesmo assim a capacidade de conhecer. Essa faculdade, essa presença aberta e simples, é o que, no budismo, chamamos de *consciência pura*, porque ela pode existir mesmo na ausência de construtos mentais.

Se continuarmos a deixar que a mente observe a si mesma, descobriremos, experienciando esta consciência pura, os pensamentos que dela emergem. Essa consciência de fato existe. Mas, fora isso, o que mais podemos dizer a respeito? Esses pensamentos têm características inerentes? Têm alguma localização particular? Não. Têm cor? Forma? Também não. Podemos *conhecê-los*, mas não há nenhuma característica real ou intrínseca neles. Na consciência pura experienciamos a mente como desprovida ou vazia de existência inerente. Essa noção de vacuidade do pensamento é sem dúvida muito estranha à psicologia ocidental. A que propósitos ela serve? Antes de tudo, quando surge uma emoção ou um pensamento forte – a raiva, por exemplo – o que geralmente acontece? Com toda a facilidade, esse pensamento nos domina, amplificando-se e se multiplicando a seguir em numerosos novos pensamentos que nos perturbam e nos cegam, deixando-nos em estado de prontidão para expressar palavras e cometer atos, às vezes violentos, que podem causar sofrimento aos outros, e dos quais logo nos arrependemos. Em vez de desencadear esse cataclismo, podemos examinar o pensamento raivoso em si e chegar a ver que, desde o início, ele nunca foi mais do que espelhos e reflexos.

Os pensamentos emergem da consciência pura e podem, então, ser reabsorvidos por ela, como as ondas que emergem do oceano e nele novamente se dissolvem. Compreendendo isso, teremos dado um grande passo na direção da paz interior. A partir daí, os nossos pensamentos perdem muito do poder que têm de nos perturbar. Para familiarizar-se com esse método, quando um pensamento surgir, tente ver de onde ele vem; quando desaparecer, pergunte-se para onde ele foi. Nesse breve instante em que a sua mente não está obstruída por pensamentos discursivos, contemple a sua natureza. Nesse momento em que os pensamentos passados silenciaram e os futuros ainda não surgiram, você pode perceber uma consciência pura e luminosa, que ainda não foi adulterada pelos seus construtos conceituais. Por meio de experiências diretas aos poucos você compreenderá o que o budismo quer dizer com *natureza da mente*.

Ainda que não seja fácil experienciar a consciência pura, é possível. Meu grande e saudoso amigo Francisco Varela confidenciou-me – em um contato a distância feito algumas semanas antes da sua morte causada por um câncer – que ele estava conseguindo ficar quase todo o tempo nessa presença mental pura. A dor física lhe parecia muito longínqua e não constituía obstáculo algum para sua paz interior. Além disso, bastavam-lhe os analgésicos mais fracos. Mais tarde, a sua esposa, Amy, disse-me que ele manteve a sua serenidade contemplativa até o último suspiro.

EXERCÍCIO Permanecer na presença mental

Observe o que está por trás da cortina dos pensamentos discursivos. Tente encontrar, ali, uma presença desperta, livre de construtos mentais, transparente, luminosa, não perturbada pelos pensamentos do passado, do presente ou do futuro. Tente repousar no momento presente, livre de conceitos. Observe a natureza do intervalo que existe entre os pensamentos, onde não há elaborações mentais. Aos poucos prolongue o intervalo que existe entre o desaparecimento de um pensamento e o emergir do próximo.
Permaneça nesse estado de simplicidade que é livre de construtos mentais, porém atento; sem fazer esforço e ao mesmo tempo alerta e presente.

COM MAIS DE UMA CORDA NO ARCO

À medida que as dores que nos afligem ficam mais fortes, o nosso universo mental se contrai. Eventos e pensamentos continuamente colidem com os muros da nossa prisão interior e retornam mais rápidos e mais fortes, produzindo mais feridas a cada ir e vir. Portanto, precisamos ampliar nossos horizontes interiores até que não haja mais muros em que as emoções negativas possam rebater. Quando desabam esses muros, construídos tijolo a tijolo pelo eu, os projéteis do sofrimento erram o alvo, desaparecendo na vasta extensão da liberdade interior. Percebemos, então, que o nosso sofrimento era um simples esquecer-se da nossa verdadeira natureza, que permanece intocada sob a névoa das emoções. É essencial desenvolver e sustentar esse alargamento dos horizontes internos. Pois os eventos exteriores e pensamentos passarão a surgir como estrelas que se refletem na superfície calma de um vasto oceano, sem perturbá-lo.

Uma das melhores maneiras de atingir esse estado é meditar sobre os sentimentos que transcendem e ultrapassam as nossas aflições mentais. Por exemplo: ao permitirmos que a nossa mente seja tomada por sentimentos de amor e compaixão por *todos* os seres, é provável que o calor desses pensamentos derreta o gelo das nossas frustrações e a suavidade deles emanada faça cessar o fogo dos nossos desejos. Teremos, assim, conseguido nos elevar acima da nossa dor pessoal até um lugar onde ela é quase imperceptível.

EXERCÍCIO **Quando você se sentir sobrepujado pelas suas emoções**
Imagine-se em um barco, navegando por um mar tempestuoso, com ondas volumosas do tamanho de casas. Cada onda é maior e mais assustadora do que a anterior. O seu barco está a ponto de ser engolido por elas, e a sua própria vida depende da sua capacidade de avançar ou recuar poucos metros nesses muros de água.

Imagine-se, então, observando a mesma cena de um avião, que voa a grande altitude. Desse ponto de vista, as ondas parecem formar um delicado mosaico azul e branco, mal se movendo na superfície da água. Dessa altura, no silêncio do espaço, os seus olhos veem esses padrões quase imóveis, e a sua mente mergulha em um céu claro e luminoso.

As ondas de raiva e obsessão parecem muito reais, mas lembre-se de que elas são meras construções da sua mente; surgem, mas logo desaparecem novamente. Por que ficar no barco da ansiedade? Torne a sua mente vasta como o céu, e descobrirá que as ondas das emoções aflitivas perderam toda a força que você atribuía a elas.

EVITAR JOGAR A CULPA NOS OUTROS

É tentador jogar a culpa sistematicamente no mundo e nas outras pessoas. Quando nos sentimos ansiosos, deprimidos, mal-humorados, invejosos ou emocionalmente exaustos, logo jogamos a responsabilidade no mundo externo: tensões com os colegas de trabalho, discussões com a esposa.

Tudo, até a cor do céu, se torna motivo de contrariedade. Esse reflexo é muito mais do que uma mera fuga psicológica. Ele vem da percepção errônea que nos faz atribuir qualidades inerentes a objetos externos, quando na verdade essas qualidades são *dependentes* da nossa própria mente. Culpar os outros pelos nossos tormentos e ver neles os únicos responsáveis por nosso sofrimento torna nossa vida miserável.

Não subestimemos as repercussões dos nossos atos, das nossas palavras e dos nossos pensamentos. Se semearmos tanto sementes de flores quanto de plantas venenosas, não poderemos nos admirar que a colheita também seja mista. Se alternarmos comportamentos altruístas e nocivos, não poderemos nos surpreender de obter alegrias e sofrimentos. Conforme dizem Luca e Francesco Cavalli-Sforza, respectivamente pai e filho, o primeiro geneticista e professor da Universidade de Stanford, o segundo um filósofo: "As consequências de uma ação, seja ela qual for, amadurecem com o tempo e cedo ou tarde recaem sobre aquele que a realizou: não se trata de uma intervenção da justiça divina, mas de simples realidade".[5]

Com efeito, considerar que o sofrimento resulta da vontade divina leva a uma incompreensão total das repetidas calamidades que atingem certas pessoas e certos povos. Por que um Todo-Poderoso teria criado condições que conduzem a tanto sofrimento? Segundo a perspectiva budista, nós somos o resultado de um grande número de atos livres pelos quais somos responsáveis. O VII Dalai Lama escreveu:

> Um coração congelado pelas águas das tormentas
> é o resultado de atos destrutivos,
> fruto da nossa própria loucura.
> Não é triste culpar os outros por isso?[6]

Essa abordagem está ligada à noção budista de carma, muito mal compreendida no Ocidente. Carma significa "ato", "ação", mas designa igualmente a ligação dinâmica que existe entre um ato e seu resultado. Cada ação – e também cada *intenção* que a dirige – é considerada positiva ou negativa conforme seus efeitos sobre a felicidade ou o sofrimento. É tão insensato querer viver feliz sem ter renunciado aos atos nocivos, quanto pôr a mão no fogo esperando não se queimar. Da mesma forma, não se pode comprar a felicidade, roubá-la ou consegui-

-la por sorte: é preciso cultivá-la. Para o budismo, portanto, o sofrimento não é uma anomalia ou uma injustiça, mas pertence à natureza do mundo condicionado que chamamos de *samsara*. É o produto lógico e inelutável da lei de causa e efeito. O budismo qualifica o mundo de "condicionado", na medida em que todos os elementos que o compõem resultam de uma série infinita de causas e circunstâncias, todas sujeitas à impermanência e à destruição.

Como os budistas encaram as tragédias em que inocentes são torturados, massacrados ou morrem de fome? À primeira vista, o sofrimento deles parece ser devido a causas bem trágicas e poderosas, e não a simples pensamentos negativos. No entanto, é precisamente a insensibilidade daqueles que os deixam morrer de fome ou o ódio daqueles que os torturam que estão na origem dos imensos sofrimentos de uma grande parte da humanidade. O único antídoto contra essas aberrações consiste em levar em conta o sofrimento dos outros, e depois compreender no mais profundo de si mesmo que nenhum ser vivente no mundo deseja sofrer. Segundo o Dalai Lama: "Procurar a felicidade e ficar indiferente ao sofrimento dos outros é um erro trágico".[7]

É mais fácil trabalhar com os efeitos perturbadores de uma emoção forte *quando a estamos vivenciando* do que quando ela está adormecida na sombra do nosso inconsciente. No momento preciso da experiência, temos uma oportunidade inestimável para investigar o processo do sofrimento mental.

Para citar um exemplo pessoal, posso dizer que não sou por natureza uma pessoa raivosa, mas, ao longo dos últimos vinte anos, os momentos em que perdi a calma me ensinaram mais sobre a natureza dessa emoção destrutiva do que vários anos de tranquilidade. Como diz o ditado, "um único cão latindo faz mais barulho do que cem cães calados". Na década de 1980, eu tinha acabado de comprar o meu primeiro *laptop*, que usava para traduzir textos tibetanos. Uma manhã, enquanto trabalhava sentado no chão de madeira de um monastério situado em um local remoto do Butão, um amigo, querendo fazer uma brincadeira, ao passar por mim derramou um punhado de *tsampa* (farinha de cevada) no meu teclado. Fiquei furioso e lancei-lhe um olhar terrível, dizendo: "Você acha que isso é engraçado?". Vendo que eu estava realmente bravo, ele parou e disse, conciso: "Um momento de raiva pode destruir anos de paciência". Apesar de seu gesto não ter sido nada inteligente, ele estava certo.

Em outra ocasião, no Nepal, uma pessoa que havia feito uma grande doação em dinheiro para o monastério veio dar-me uma lição de moral. Novamente, o meu sangue ferveu. A minha voz tremeu de raiva, e eu disse a ela para sumir dali. Mais que isso, "ajudei-a" a sair pela porta com um empurrão. Naquele momento, eu estava convencido de que a minha raiva era completamente justificada. Só horas depois percebi a extensão destrutiva que a raiva pode atingir, reduzindo a nossa clareza e paz interior e fazendo de nós verdadeiros fantoches.

Respostas mais construtivas para esses eventos teriam sido, no primeiro caso, explicar ao meu amigo como era útil o *laptop* para o meu trabalho e como era frágil o seu teclado; no segundo, lembrar àquela pessoa os fatos reais com firmeza, tentar entender o que ocorria na sua mente perturbada e, se possível, ajudá-la com gentileza a sair da sua confusão.

CULTIVANDO A SERENIDADE

No Tibete, por volta de 1820, um bandido muito temido por sua crueldade foi certa vez à caverna do eremita Jigme Gyalway Nyugu, para roubar as suas magras provisões. Entrando na caverna, viu-se na presença de um homem idoso, muito sereno, que meditava com os olhos fechados. Tinha o cabelo todo branco e a expressão do seu rosto irradiava paz, amor e compaixão. No exato momento em que o ladrão viu o sábio, a sua agressividade desapareceu, e ele ficou vários minutos ali, olhando-o, maravilhado. Em seguida, após pedir a bênção, retirou-se. A partir de então, sempre que o ladrão via a oportunidade de fazer mal a alguém, a face serena do velho de cabelos brancos surgia em sua mente, e ele abandonava seu plano maldoso. Visualizar cenas assim não é brincar de autossugestão, mas estar em ressonância com a bondade básica que subjaz em nossa própria essência.

O PODER DA EXPERIÊNCIA

Quando emergimos daqueles momentos de cegueira em que estivemos totalmente tomados por uma forte emoção e a nossa mente se liberta da corrosiva carga emocional, é difícil crer que possamos ter sido dominados a esse ponto por ela. Há aqui uma importante lição a ser aprendida: nunca subestimar o poder da mente, que é capaz de reificar vastos mundos de ódio, desejo, exaltação e tristeza. Os problemas que vivemos contêm um potencial precioso para a transformação. Um manancial de energia de onde podemos obter a força viva que nos fará capazes de construir algo positivo naquele lugar em que a indiferença e a apatia nos impedem. Dessa forma, cada dificuldade pode se transformar em vime, para tecermos o cesto interior que nos permita lidar com as provações da vida.

CAPÍTULO 9

O RIO DAS EMOÇÕES

> As chamas ardentes da raiva secaram o rio do meu ser.
> A densa obscuridade da ilusão cegou a minha inteligência.
> Minha consciência se afoga nas torrentes do desejo.
> A montanha do orgulho precipitou-me nos mundos inferiores.
> A nevasca enregelada da inveja arrastou-me para o *samsara*.
> O demônio da crença no ego me tem, firme, pela garganta.
>
> DILGO KHYENTSE RIMPOCHE

Se as paixões são os grandes dramas da mente, as emoções são os seus atores. Durante toda nossa vida, atravessando nosso espírito como um rio tumultuado, elas determinam incontáveis estados de felicidade e infelicidade. É desejável domar esse rio, acalmá-lo? É possível fazê-lo? Se sim, como? Certas emoções nos fazem desabrochar, enquanto outras sabotam o nosso bem-estar. Há, ainda, aquelas que nos fazem definhar.

Lembremo-nos do termo *eudaimonia*, uma das palavras gregas para "felicidade", que significa floração, desabrochar, realização, graça. O amor dirigido para o bem-estar dos outros, a compaixão voltada para os seus sofrimentos, em atos e pensamentos, são exemplos de emoções que nos alimentam e que favorecem a irradiação da felicidade. Um desejo obsessivo, a avidez aferrada ao objeto de seu apego, bem como o ódio, são exemplos de emoções aflitivas que nos esgotam. Como desenvolver emoções construtivas e libertar-nos das destrutivas?

Apesar da rica terminologia de que dispõem para descrever uma ampla gama de eventos mentais, as linguagens tradicionais do budismo não têm uma palavra para designar a emoção em si mesma. A causa disso, talvez, seja que, segundo o budismo, todos os tipos de atividade mental, inclusive o pensamento racional, estão ligados a uma sensação relevante de prazer, de dor ou de indiferença. Igualmente, a maior parte dos estados afetivos, como o amor e o ódio, surge acompanhada de pensamentos. Em vez de distinguir entre emoções e pensamentos, o budismo está mais voltado à compreensão de quais tipos de atividade mental levam ao bem-estar, o nosso próprio e o dos outros, e quais são nocivos, especialmente a longo prazo. Isto é, na verdade, muito coerente com aquilo que as ciências cognitivas nos mostram sobre o cérebro e a emoção. Não se pode propriamente falar de "centros emocionais" no cérebro. Cada região associada a algum tipo de emoção também está associada a um aspecto cognitivo.[1] Os circuitos neuronais que veiculam as emoções estão intimamente ligados aos que veiculam a cognição. Esse arranjo anatômico é coerente com a visão budista, segundo a qual esses processos não podem ser separados: as emoções aparecem em um contexto de ações e pensamentos, quase nunca estão isoladas dos outros aspectos da experiência. Deve-se notar que isso contradiz a teoria freudiana, segundo a qual poderosas emoções, como a cólera e o ciúme, por exemplo, podem surgir sem a presença de qualquer conteúdo cognitivo e conceitual particular.

O IMPACTO DAS EMOÇÕES

Derivada do verbo latino *emovere*, que significa "mover", a palavra emoção é atribuída a todo sentimento que faz a mente entrar em movimento, seja na direção de um pensamento nocivo, seja na de um neutro ou positivo. Para o budismo, a emoção é aquilo que condiciona a mente e faz com que ela adote uma determinada perspectiva, uma certa visão das coisas. Não se trata sempre de um acesso ou uma explosão emocional que, de maneira repentina, surge na mente – definição que estaria mais próxima daquilo que os cientistas estudam como emoção.

A forma mais simples de estabelecer distinções entre as nossas emoções consiste em examinar a sua motivação (a atitude mental e o objetivo escolhido) e os seus resultados. Se uma emoção *fortalece a nossa paz interior e nos ajuda a buscar o bem dos outros*, ela é *positiva* ou construtiva; se ela destrói a nossa serenidade, *perturba profundamente a nossa mente e quer ferir os outros*, é *negativa* ou perturbadora. Quanto ao resultado, ou às consequências, o único critério é o bem ou o sofrimento que engendramos por meio dos nossos atos, palavras e pensamentos, a nós mesmos e aos outros. É isso que diferencia, por exemplo, a "cólera santa" – a indignação causada por uma injustiça que testemunhamos – da fúria engendrada pelo desejo de ferir alguém. A primeira libertou povos da escravidão, da dominação e nos leva às passeatas para transformar o mundo; destina-se a fazer cessar a injustiça o mais rapidamente possível, ou conscientizar alguém dos erros que está cometendo. A segunda só gera sofrimentos.

Se a motivação, o objetivo visado e as consequências são positivas, pode-se utilizar meios apropriados, seja qual for a aparência que tenham. A mentira e o roubo geralmente são atos nocivos e, portanto, à primeira vista, repreensíveis; mas podemos também mentir para salvar a vida de uma pessoa perseguida por um assassino, ou furtar as reservas alimentares de um potentado egoísta para alimentar habitantes de uma vila que estejam morrendo de fome. Por outro lado, se a motivação é negativa e o objetivo nocivo ou egoísta, mesmo recorrendo a meios aparentemente respeitáveis os atos são negativos. Como disse o poeta tibetano Shabkar: "O homem compassivo é gentil mesmo quando está irado; o homem que não tem compaixão mata com um sorriso".

O QUE DIZ A CIÊNCIA

Citando os cientistas cognitivos Paul Ekman e Richard Davidson:

> A psicologia ocidental geralmente não avalia as emoções conforme o seu caráter benéfico ou nocivo. Em vez disso, há duas tradições para descrever a emoção: distinguir entre as diferentes emoções (ou seja, raiva, medo, aversão, prazer etc.)[2] e distinguir dimensões que pensamos ser subjacentes a elas (por exemplo, agradável/desagradável, aproximação/rejeição etc.). Curiosidade e amor são exemplos típicos de emoções de aproximação; medo e repugnância, de rejeição.[3]

Os mesmos autores dizem também:

> Mesmo os poucos teóricos que categorizam as emoções como positivas ou negativas não afirmam que todas as emoções negativas são nocivas a nós mesmos e aos outros. Se por um lado a maior parte desses teóricos reconhece que as emoções podem, em algumas ocasiões, ser nocivas, não consideram que isso seja intrínseco a nenhuma emoção específica. O objetivo não é livrar-se de uma emoção ou transcendê-la, nem mesmo o ódio, mas regular a experiência e a ação quando a emoção é vivenciada.[4]

Psicólogos que estudam as emoções do ponto de vista da evolução das espécies[5] consideram que elas se adaptaram conforme seu grau de utilidade para a nossa sobrevivência, em função da capacidade de nos ajudar nos eventos principais da vida: a reprodução, o cuidado com a prole, as relações com os competidores e com os predadores. O ciúme, por exemplo, pode ser considerado como a expressão de um instinto muito antigo que contribui para garantir a coesão de um casal, na medida em que a pessoa ciumenta buscará manter os rivais a distância, aumentando assim as chances de sobrevivência da prole. A cólera pode nos ajudar a superar rapidamente um obstáculo que entrava a realização dos nossos desejos ou nos agride. Ao mesmo tempo, nenhum desses teóricos afirmou que a raiva, ou qualquer outra emoção humana surgida ao longo da evolução, atingiu o fim do seu ciclo de transformação e não pode mais se adaptar ao nosso modo de viver atual. Mas todos eles concordam em considerar patológica a violência crônica e impulsiva e reconhecem que a hostilidade e a cólera são nocivas à saúde.[6]

Em um estudo, 255 alunos de escolas de medicina passaram por um teste de personalidade para medir o seu nível de hostilidade. Vinte e cinco anos mais tarde, descobriu-se que os mais agressivos deles tinham sofrido *cinco vezes* mais acidentes cardíacos do que aqueles que eram menos coléricos.[7]

Os autores que abordam a questão de *quando* um episódio emocional pode ser considerado nocivo apoiam-se em dois elementos preponderantes.[8] No primeiro caso, um episódio é considerado disfuncional ou perturbador quando o sujeito expressa uma emoção adequada, mas com uma intensidade desproporcional. Se uma criança faz alguma asneira, a raiva dos seus pais pode ter um valor pedagógico; já a fúria ou o ódio são completamente desproporcionais. Similarmente, como escreve Andrew Solomon, "o luto é a depressão proporcional às circunstâncias, enquanto que a depressão, quando doentia, é um sofrimento desproporcional em relação à conjuntura ambiental".[9]

No segundo caso, o episódio emocional é nocivo quando o sujeito expressa uma emoção que é inapropriada a uma dada situação. Se uma criança pequena lhe mostra a língua, é melhor rir do que ficar entristecido ou com raiva. Como indicou Aristóteles, qualquer um pode enraivecer-se. Isso é fácil. "Mas ficar com raiva pelos motivos certos, contra a pessoa certa, da maneira certa, no momento certo e pelo tempo certo", isso não é fácil.

Qualquer que seja o cenário, para esses psicólogos que estudam quando uma emoção pode ser considerada nociva, a meta, ao tratar com uma emoção, não é nem se livrar totalmente dela nem a transcender, mas lidar com a maneira como a vivenciamos e o modo como ela se traduz em ação. A hostilidade, por exemplo, deve ser controlada de modo a neutralizar com eficácia um indivíduo nocivo, sem que com esse controle se dê livre curso a uma violência desmedida e cruel, que nunca pode ser justificada pelas circunstâncias.

O budismo, no entanto, vai além, dizendo que a hostilidade é sempre negativa, já que engendra e perpetua o ódio. É inteiramente possível agir de maneira firme e resoluta para neutralizar uma pessoa perigosa, sem sentir o menor traço de ódio por ela. Uma vez perguntaram ao Dalai Lama qual seria a melhor conduta a tomar se um malfeitor entrasse na sala e ameaçasse os ocupantes com um revólver. Ele respondeu com um tom em parte sério, em parte brincalhão: "Eu atiraria nas pernas dele para neutralizá-lo, depois iria até ele e lhe acariciaria a cabeça, oferecendo-lhe cuidados". Ele sabe muito bem que na realidade nem sempre é assim tão simples, mas queria tornar claro que uma ação enérgica é o bastante, e que injetar mais hostilidade e ódio na situação não só é inútil, como nefasto.

Ekman e Davidson concluem: "Em vez de se concentrar em uma tomada de consciência maior do nosso estado interior, como faz o budismo, a psicologia ocidental colocou mais ênfase na reavaliação das situações exteriores ou no controle e na regulagem da expressão das emoções em nosso comportamento".[10] E a psicanálise tenta fazer com que o paciente tome consciência das tendências, dos eventos passados, das fixações e dos bloqueios que conduzem aos sofrimentos da neurose e o impedem de funcionar normalmente no mundo.

A posição do budismo é diferente: enfatiza a percepção do processo pelo qual se formam os pensamentos e a tomada imediata de consciência, o que permite a identificação de um pensamento de raiva assim que ele surge e a sua desconstrução logo a seguir, como um desenho feito sobre a superfície da água que se desfaz assim que é esboçado. Repetimos o mesmo processo com o pensamento seguinte, e assim por diante. De modo que trabalhamos com os nossos pensamentos um por um, analisando a maneira como surgem e se desenvolvem, e pouco a pouco aprendemos a libertá-los assim que aparecem, desarmando as reações em cadeia que fazem com que esses pensamentos invadam a mente. Esse método é centrado no momento presente e tem algumas similaridades com aqueles desenvolvidos no Ocidente nas terapias cognitivas de Aaron Beck e no processo de redução de estresse baseado na presença mental (*mindfulness-based stress reduction program*), de Jon Kabat-Zinn. Assim, é importante, do ponto de vista da saúde mental, estar alerta à maneira como se formam os pensamentos, e aprender a ir além dos limites impostos por eles, em vez de tentar revelar e depois analisar o filme interminável da nossa história psíquica, como propõe principalmente a psicanálise.

O ponto mais importante a destacar é que nunca podemos realmente trazer eventos passados de volta à vida. Eles só sobrevivem devido ao impacto que têm em nossa experiência presente. O essencial é a natureza da nossa experiência viva, tenha ela uma qualidade boa ou aflitiva. Se nos tornarmos *experts* em liberar-nos de todos os estados aflitivos assim que eles tomam forma, o verdadeiro conteúdo dos eventos passados que pode tê-los provocado se tornará totalmente irrelevante. Mais ainda, quando vamos ficando capazes de nos liberar desses pensamentos aflitivos à medida que acontecem, ocorre uma erosão gradual na tendência que têm a se formar novamente, até que esses pensamentos cessam por completo.

Se, por um lado, as nossas emoções, estados de humor e tendências foram moldados pela acumulação de incontáveis pensamentos instantâneos, por outro, podem ser transformados ao longo do tempo, se lidarmos com eles de maneira consciente. "Cuide dos minutos, que as horas cuidarão de si mesmas", disse certa vez lorde Chesterfield ao seu filho. Este é o melhor caminho para a mudança gradual.

Até os anos 1980, poucos pesquisadores tinham se dedicado aos meios que permitem desenvolver os aspectos positivos do nosso temperamento.

Em 1998, um grupo de psicólogos americanos reuniu-se sob o comando de Martin Seligman, então presidente da American Psychological Association, para fundar o Positive Psychology Center e coordenar as diversas áreas de pesquisa que o constituem. Tratava-se de uma tentativa de expandir o campo de estudo da psicologia para além daquela que foi, por muito tempo, a sua vocação principal: a de estudar e, se possível, remediar as disfunções emocionais e os estados mentais patológicos. Uma consulta ao repertório de livros e artigos de psicologia publicados desde 1887 (*Psychological Abstracts*) revelou 136.728 títulos mencionando a raiva, a ansiedade ou a depressão, contra somente 9.510 tendo como tema a alegria, a satisfação ou a felicidade![11]

Certamente é importante tratar dos problemas psicológicos que dificultam ou até paralisam a vida das pessoas, mas a felicidade não se resume à mera ausência da infelicidade. A psicologia positiva, representada por esta nova geração de pesquisadores, busca estudar e reforçar as emoções positivas que permitem que nós nos tornemos seres humanos melhores e tenhamos mais alegria na vida. Podemos, assim, progredir de um estado dito patológico até um estado chamado "normal", e desse estágio passarmos para um quadro considerado ótimo.

Há várias razões que justificam uma abordagem assim. Em 1969, o psicólogo Norman Bradburn mostrou que os afetos agradáveis e desagradáveis não são somente opostos, mas derivam de mecanismos diferentes e, portanto, devem ser estudados separadamente. Contentar-se com a eliminação da tristeza, da depressão ou da ansiedade não garante automaticamente a felicidade e a alegria. A supressão de uma dor não conduz necessariamente ao prazer. Portanto, é preciso não só erradicar as emoções negativas como também desenvolver as positivas.

Podemos avançar, afirmando com o budismo que não basta abster-se de causar mal aos outros (eliminar a maldade); essa abstenção deve ser acrescida de um esforço determinado de fazer-lhes o bem (desenvolver o altruísmo e colocá-lo em prática).

De acordo com Barbara Fredrickson, da Universidade de Michigan, uma das fundadoras da psicologia positiva: "As emoções positivas deixam a nossa mente mais aberta e ampliam o nosso repertório de pensamentos e ações: a alegria, o interesse, o contentamento e o amor. [...] Os pensamentos positivos engendram comportamentos flexíveis, acolhedores, criativos e receptivo". Segundo os cientistas da psicologia positiva, o desenvolvimento dos pensamentos positivos oferece uma vantagem evolutiva indiscutível, na medida em que eles nos ajudam a expandir o nosso universo intelectual e afetivo e a nos abrir para novas ideias e experiências. Diferentemente da depressão, que muitas vezes nos faz entrar em parafuso, as emoções positivas criam uma espiral ascendente: "Elas constroem a resiliência, a força da alma, e influenciam o modo de as pessoas lidarem com a adversidade".[12]

POR QUE FALAMOS EM "EMOÇÕES NEGATIVAS"?

Segundo o budismo, o termo "emoção negativa" não implica necessariamente que a emoção em questão esteja associada a um sentimento desagradável que faça com que nos afastemos ou o rejeitemos, como é o caso da repugnância. Ao contrário, ela pode estar ligada à atração, ao desejo ávido e obsessivo. Esse termo também não envolve a ideia de negação ou recusa. O adjetivo "negativo" significa *menos* felicidade, lucidez e liberdade interior. Ele qualifica toda emoção que é fonte de tormentos para nós e para os que estão ao nosso redor. Do mesmo modo, uma emoção ou um fator mental "positivo" não supõe que vejamos a vida cor-de-rosa, mas contribui para *sukha*.

Essas noções não nos remetem a um dogma ou a um código moral editado por uma instância suprema, mas nos levam diretamente ao próprio coração dos mecanismos da felicidade e do sofrimento. Todos nós já passamos por esta experiência: quando damos livre curso ao ciúme, o resultado não se faz esperar – não temos mais um instante de paz e criamos um inferno para os outros. A nossa primeira reação não deve consistir apenas em abafar a emoção negativa, mas compreender as razões pelas quais ela não tem nenhum efeito positivo.

A simples compreensão mental mudará alguma coisa? No momento em que uma pessoa se dedica a refletir, geralmente sem estar sob o efeito de uma emoção forte, ela não tem como produzir efeitos positivos ou negativos sobre essa emoção. Contudo, isso permitirá que ela compreenda que deve ficar atenta quanto ao processo repetitivo dos sofrimentos engendrados pelas emoções negativas e terminará por compreender que se queima toda vez que põe a mão no fogo.

A palavra tibetana *nyön-mong* (*klesha* em sânscrito) designa um estado mental perturbado, atormentado e confuso, que nos "aflige a partir de dentro de nós", do nosso interior. Observemos o ódio, o ciúme ou a obsessão no instante em que nascem: é indiscutível que eles nos causam um profundo mal-estar. De outro ponto de vista, as ações e as palavras que esses estados inspiram, na maioria das vezes, têm a intenção de fazer mal a alguém. Em contrapartida, os pensamentos de bondade, ternura e tolerância nos dão alegria e coragem, abrem a nossa mente e nos libertam interiormente. Eles ainda nos estimulam na direção da benevolência e da empatia.

Além disso, as emoções perturbadoras tendem a distorcer a nossa percepção da realidade e nos impedem de vê-la como realmente é. O apego idealiza o seu objeto, o ódio demoniza-o. Essas emoções nos levam a acreditar que a beleza e a feiúra são inerentes às pessoas e coisas, quando é a mente que decide se elas são "atraentes" ou "repulsivas". Essa compreensão errônea abre uma brecha entre a aparência das coisas e a sua realidade, obscurece o nosso julgamento e nos leva a pensar e agir como se essas qualidades não dependessem da nossa maneira de vê-las. Já as emoções e estados mentais "positivos" (segundo a acepção budista) reforçam a nossa lucidez e a precisão do nosso raciocínio, na medida em que se baseiam em uma apreciação mais exata da realidade. Assim, o amor altruísta reflete a interdependência íntima que existe entre todos os seres, entre a nossa felicidade e a dos outros, e está em harmonia com a realidade, enquanto que o egocentrismo cava um fosso cada vez mais profundo entre nós e os outros.

O essencial, portanto, é identificar os tipos de atividade mental que conduzem ao "bem-estar", entendido no sentido de *sukha*, e os que levam ao "mal-estar", ao sofrimento, mesmo que esses últimos nos concedam breves momentos de prazer. Esse exame requer uma avaliação sutil da natureza das emoções. Por exemplo, o deleite que experimentamos ao fazer uma observação inteligente mas maliciosa é considerado negativo. Já a nossa insatisfação, ou até tristeza, por não podermos aliviar o sofrimento que testemunhamos de maneira alguma atrapalha a busca de *sukha*, visto que tais emoções nos encorajam a cultivar com desapego a capacidade de ajudar e inspiram a determinação de colocá-la em prática. Qualquer que seja o caso, a análise mais segura é sempre obtida por meio da introspecção e da auto-observação.

A primeira etapa dessa análise consiste em identificar o modo como surgem as emoções. Isso requer o cultivo de uma atenção dirigida ao desenrolar das atividades mentais, acompanhada de uma tomada de consciência que permita distinguir entre as emoções destrutivas e aquelas que favorecem o desenvolvimento da felicidade. Essa análise, realizada muitas e muitas vezes, é a preliminar indispensável para a transformação de um estado mental perturbado. Para conseguir essa transformação, o budismo prescreve um rigoroso e prolongado treino de introspecção, processo que implica a estabilização da atenção e o aumento da lucidez. Essa disciplina tem afinidade com o conceito de "atenção voluntária e sustentada", de William James, o fundador da psicologia moderna.[13] Mas enquanto James duvidava da possibilidade de desenvolver e manter essa atenção voluntária por mais do que alguns segundos, os meditadores budistas descobriram que é possível desenvolvê-la consideravelmente. Uma vez que, pela prática, tenhamos acalmado os nossos pensamentos, clarificado e concentrado a nossa mente, estamos aptos para examinar a natureza das nossas emoções e outros estados mentais de maneira muito eficaz.

A curto prazo, certos processos mentais como a avidez, a hostilidade e a inveja podem concorrer para nos ajudar na obtenção daquilo que julgamos ser desejável ou atraente. Falamos das vantagens da raiva e do ciúme para a preservação da espécie humana. A longo prazo, porém, eles são nocivos tanto para o nosso desenvolvimento quanto para o das outras pessoas. Cada episódio de agressividade e ciúme representa um recuo em nossa busca da serenidade e da felicidade.

O único objetivo do budismo ao tratar das emoções é nos liberar das causas fundamentais do sofrimento. Parte-se do princípio de que certos eventos mentais são perturbadores, não importando a intensidade ou o contexto em que surjam. Esse é o caso dos três processos mentais considerados como os "venenos" mentais básicos: o desejo, no sentido de "sede", ânsia, avidez que atormenta; o ódio, desejo de ferir, de fazer sofrer; e a ilusão, que deforma a nossa percepção da realidade. O budismo geralmente acrescenta a esses três estados mentais o orgulho e a inveja; juntos eles constituem os cinco venenos maiores, aos quais se associam cerca de sessenta estados mentais negativos. Os textos sagrados se referem também a "oitenta e quatro mil emoções negativas". Elas não são especificadas em detalhe, mas esse número simbólico dá uma ideia da complexidade da mente humana e nos convida a compreender que os métodos para transformar a mente devem se adaptar à enorme variedade de disposições mentais. É por essa razão que o budismo fala das "oitenta e quatro mil portas" que levam ao caminho da transformação interior.

EXERCÍCIO Acalmar a mente e olhar para dentro

Sente-se em uma posição confortável. O seu corpo deve permanecer em uma postura ereta, mas não tensa, mantenha os olhos semicerrados. Respire durante cinco minutos, prestando atenção no entrar e sair do ar que acontece por meio da sua respiração. Sinta que os pensamentos caóticos aos poucos vão se aquietando. Quando os pensamentos surgem, não tente nem bloqueá-los nem fazer com que se multipliquem. Simplesmente continue a observar a sua respiração.

Em seguida, em vez de prestar atenção àquilo que vê ou escuta no mundo externo, volte a sua "visão" para dentro e "olhe" para a mente em si. "Olhar", aqui, significa observar a sua própria consciência ou atenção, não o conteúdo dos seus pensamentos. Deixe a mente suavemente chegar ao repouso, como um viajante cansado que encontra um prado verdejante e aprazível onde pode sentar-se um pouco.

Então, com um profundo sentimento de apreço, pense no valor da existência humana e no seu potencial extraordinário, pronto para desabrochar. Perceba, também, que esta vida preciosa não durará para sempre e que é essencial fazer dela o melhor uso possível. Examine sinceramente aquilo que é mais importante, para você, na vida. O que você precisa atingir, ou o que deve descartar, para conseguir o bem-estar autêntico e viver uma existência plena de significado? Quando os fatores que contribuem para a felicidade verdadeira estiverem claros para você, imagine que eles desabrocham, florescendo na sua mente. Decida-se a alimentá-los dia após dia.

Finalize a sua meditação fazendo com que pensamentos de bondade pura envolvam todos os seres vivos.

CAPÍTULO 10

EMOÇÕES PERTURBADORAS: OS REMÉDIOS

> O desejo, o ódio e as outras paixões são inimigos sem mãos, sem pés; não são nem bravos nem inteligentes; como pude tornar-me escravo deles? Entrincheirados em meu coração, eles me atingem à vontade, e eu nem mesmo me irrito; que vergonha dessa paciência absurda!
>
> SHANTIDEVA

Para o budismo, dominar a mente consiste, entre outras coisas, em não deixar que as emoções se manifestem sem discriminação. Uma torrente cujas margens foram estabilizadas pode manifestar seu vigor sem devastar os campos adjacentes. Como neutralizar o poder alienante das emoções conflituosas sem se tornar insensível ao mundo, sem tirar da vida as suas riquezas? Se nos contentarmos em relegar essas emoções ao esquecimento, nas profundezas do inconsciente, elas ressurgirão com força ainda maior na primeira oportunidade, continuando a fortalecer as tendências que perpetuam o conflito interior. O ideal, ao contrário, é permitir que tais emoções se formem e se desfaçam sem deixar nenhum vestígio na mente. Os pensamentos e as emoções continuarão a surgir, mas sem proliferar, vão perdendo assim o seu poder de escravizar-nos.

Poderíamos argumentar que as emoções conflituosas – a raiva, o ciúme, a avidez – são aceitáveis porque são naturais e não há necessidade de interferir nelas. Mas a doença também é um fenômeno natural. Não nos conformamos com ela nem a recebemos como um ingrediente desejável da vida. É tão legítimo agir contra as emoções perturbadoras quanto tratar de uma doença. Afinal de contas, essas emoções negativas não são doenças? À primeira vista, esse paralelo pode parecer excessivo, mas um olhar mais atento revela que ele está longe de ser infundado, já que grande parte da confusão interior e do sofrimento nascem de uma série de emoções perturbadoras que enfraquecem o nosso "sistema imunológico mental", enquanto que o bem-estar duradouro surge do cultivo das emoções positivas e da sabedoria.

A ESPIRAL DAS EMOÇÕES

Não poderíamos deixar as emoções negativas desaparecerem por si mesmas? A experiência mostra que, como uma infecção que não é tratada, essas emoções ganham mais força quando permitimos que elas sigam o seu curso. Deixar explodir a raiva, por exemplo, tende a criar um estado de instabilidade psicológica que só nos torna ainda mais irascíveis. As conclusões de vários estudos psicológicos contradizem a ideia de que dar livre expressão às emoções alivia as tensões acumuladas.[1] Na verdade, do ponto de vista fisiológico acontece exatamente o contrário: quando evitamos que a raiva se expresse, a pressão arterial diminui, e sobe quando temos um acesso de fúria.[2]

Ao expressarmos todas as nossas emoções negativas, desenvolvemos hábitos que nos dominarão assim que a carga emocional atingir o seu limite crítico. Além disso, teremos cada vez menos controle e explodiremos de raiva com maior facilidade. Isso resultará naquilo que se chama comumente de "má índole", acompanhada de um sofrimento crônico.

Estudos comportamentais mostraram que as pessoas que conseguem equilibrar melhor as suas emoções (controlando-as sem repressão) são também as que mais manifestam comportamentos altruístas quando deparam com o sofrimento alheio.[3] A maioria das pessoas hiperemotivas está mais preocupada com sua própria angústia diante dos sofrimentos temidos do que com a maneira pela qual podem remediá-los.

Porém, não se pode concluir a partir de tais constatações que devemos abafar ou reprimir as nossas emoções. Isso redundaria em evitar que elas se manifestassem e ao mesmo tempo nós as deixaríamos intactas, sem transformá-las, como bombas-relógio nos cantos obscuros da nossa mente – o que não passa de uma solução temporária e doentia. Os psicólogos asseveram que uma emoção reprimida pode causar graves problemas mentais e físicos, portanto, é preciso evitar a todo custo que as emoções se voltem contra nós mesmos. Por outro lado, expressá-las de maneira extremada e sem controle também pode dar origem a explosões mortais, cujos exemplos mais comuns são o assassinato, as matanças e as guerras. Podemos morrer de apoplexia em um acesso de cólera, ou consumir-nos em desejos obsessivos. Todos esses casos ocorrem porque fomos incapazes de estabelecer o diálogo correto com as nossas emoções.

É POSSÍVEL LIBERAR-SE DAS EMOÇÕES NEGATIVAS?

Poderíamos pensar que a ignorância e as emoções negativas são inerentes ao fluxo da consciência e que tentar livrar-nos delas é como lutar contra uma parte de nós mesmos. Mas o aspecto mais fundamental da consciência, a pura faculdade de conhecer – aquilo que chamamos de qualidade "luminosa" da mente –, não contém ódio nem desejo. Um espelho reflete tanto a face raivosa quanto a sorridente. A própria qualidade desse espelho permite que apareçam nele incontáveis imagens sem que qualquer delas lhe pertença. Na verdade, se a face raivosa fosse intrínseca ao espelho, poderia ser vista o tempo todo e isso impediria o surgimento de outras imagens. De forma semelhante, a qualidade fundamental da cognição, que é a natureza luminosa da mente, permite o surgimento dos pensamentos. No entanto, nenhum desses pensamentos pertence à natureza fundamental da mente. A experiência da introspecção mostra, ao contrário, que as emoções negativas são estados mentais transitórios que podem ser aniquilados pelas emoções positivas que lhes são opostas, agindo como antídotos.

Portanto, é preciso começar pelo reconhecimento de que as emoções aflitivas são prejudiciais ao nosso bem-estar. Essa avaliação não se baseia somente na distinção dogmática entre o bem e o mal, mas sim na observação das repercussões a curto e a longo prazo de certas emoções, em nós mesmos e nos outros. No entanto, o mero fato de reconhecer os efeitos nefastos das aflições mentais não basta para superá-las. Tendo chegado a essa percepção, é necessário ainda familiarizar-se com cada antídoto – a bondade como antídoto para o ódio, por exemplo – até que a ausência de ódio se torne uma segunda natureza.

A palavra tibetana *gom*, em geral traduzida por "meditação", significa "familiarização", e a palavra sânscrita *bhavana*, também traduzida por "meditação", significa "cultivo". Com efeito, meditar não é sentar-se à sombra de uma árvore e relaxar para usufruir de um momento de pausa na maçante rotina diária, mas familiarizar-se com uma nova visão das coisas, um novo modo de gerir os seus pensamentos, de perceber as pessoas e experienciar o mundo dos fenômenos.

O budismo ensina vários métodos para conseguir essa "familiarização". Os três principais são os *antídotos*, a *liberação* e a *utilização*. O primeiro consiste em aplicar um antídoto específico para cada emoção negativa. O segundo nos permite desembaraçar ou "liberar" a emoção quando, ao olhar diretamente para ela, conseguimos dissolvê-la assim que surge. O terceiro método consiste em usar a força natural de cada emoção como um *catalisador* para a transformação interior. A escolha de um método ou de outro depende do momento, das circunstâncias e das capacidades da pessoa que o utiliza. Todos eles têm em comum um ponto essencial e a mesma meta: ajudar-nos a deixar de ser vítimas das emoções conflitivas.

O USO DE ANTÍDOTOS

O primeiro método, como já dissemos, consiste em neutralizar as emoções aflitivas com a ajuda de um antídoto específico, da mesma maneira como neutralizamos os efeitos destrutivos de um veneno com um soro, ou de um ácido com uma base. Um dos pontos fundamentais enfatizados pelo budismo é que dois processos mentais opostos não podem surgir ao mesmo tempo. Podemos oscilar rapidamente entre o amor e o ódio, mas não podemos sentir *no mesmo instante* de consciência o desejo de fazer o mal e o bem a alguém. Esses dois impulsos são tão opostos entre si quanto a água e o fogo. Como escreveu o filósofo Alain: "Um movimento exclui o outro; quando você estende uma mão amiga, exclui o punho fechado".[4]

Da mesma maneira, treinando a mente para o amor altruísta, pouco a pouco eliminamos o ódio, porque esses dois estados mentais podem alternar-se, mas não coexistir no mesmo instante. Assim, quanto mais cultivamos a bondade, menos espaço há para o ódio na nossa paisagem mental. É importante começar pelo aprendizado de quais são os antídotos que correspondem a cada emoção negativa e depois cultivá-los. Esses antídotos são para o psiquismo o que os anticorpos são para o organismo.

Dado que o amor altruísta age como um antídoto direto contra o ódio, quanto mais o desenvolvermos mais diminuirá em nós o desejo de fazer mal a alguém, até o ponto de desaparecer. Não é uma questão de reprimir o ódio, mas de voltar a mente para algo oposto: o amor e a compaixão. Seguindo uma prática budista tradicional, inicie reconhecendo sua própria aspiração à felicidade. Em seguida, estenda esse sentimento àqueles que você ama e depois a todas as pessoas (amigos, inimigos e desconhecidos). Pouco a pouco, o altruísmo e a bondade impregnarão sua mente até se tornarem uma segunda natureza. Desse modo, treinar o pensamento altruísta é uma proteção duradoura contra a animosidade e agressão crônicas e favorece uma prontidão genuína para agir em benefício dos outros.

É também impossível a coexistência da cobiça, ou do desejo apaixonado, e do desapego – que permite experimentar a paz interior e a serenidade. O desejo só pode se desenvolver quando permitimos que ele reine sem limites, a ponto de monopolizar a mente. A armadilha, neste caso, é que o desejo e o prazer, seu aliado, estão longe de ter o aspecto horrível da raiva. São até muito sedutores. Mas os fios sedosos e insinuantes do desejo, que no início parecem tão leves, logo se tensionam, e as roupas suaves que o urdiram tornam-se uma camisa-de-força. Quanto mais lutamos, mais apertada ela fica.

Nos piores casos, o desejo pode nos levar a buscar a satisfação a qualquer custo; quanto mais ela parece estar longe de nós, mais fazemos dela uma obsessão. Por outro lado, quando contemplamos os seus aspectos perturbadores e voltamos a mente para o desenvolvimento da calma interior, a obsessão ligada ao desejo se dissolve como os flocos de neve expostos ao sol. Não nos enganemos: não se trata, aqui, de deixarmos de amar aqueles com quem compartilhamos a nossa vida ou de nos tornarmos indiferentes a eles, mas de não nos prendermos às pessoas e às situações com uma atitude possessiva, misturada com um profundo sentimento de insegurança. Se pararmos de projetar todas as insaciáveis exigências dos nossos apegos sobre as pessoas, poderemos amá-las mais e sentir um genuíno interesse e preocupação pelo seu verdadeiro bem-estar.

Quanto à raiva, ela pode ser neutralizada pela paciência. Isso não requer que fiquemos passivos, mas que tomemos a decisão de nos afastar do domínio das emoções destrutivas. Como explica o Dalai Lama: "A paciência protege a nossa paz de espírito diante da adversidade. [...] É uma resposta deliberada [o contrário de uma reação impensada] às fortes emoções e aos pensamentos negativos que tendem a surgir quando encontramos algo que nos faz mal".[5]

Para dar outro exemplo, a inveja e o ciúme provêm da incapacidade fundamental de se alegrar, de ficar feliz com o sucesso de outrem. Exacerbado, o ciúme se torna violento e destrutivo. Como fazer quando caímos vítimas dessas imagens torturantes? O ciumento, o invejoso, abandonando-se a um automatismo mórbido, se regozija mentalmente com cenas que "colocam o dedo na ferida". Toda possibilidade de felicidade fica, então, excluída. Se restar um mínimo de lucidez para reconhecer essa tendência, é necessário fazer a escolha corajosa do antídoto certo e deixar de lado por algum tempo essas imagens, sem reforçá-las. É útil, portanto, gerar empatia e amor altruísta, e com a ajuda do tempo, o ciúme e a inveja nos parecerão apenas um sonho ruim.

Poderíamos objetar: "Isso seria perfeito em um mundo ideal, mas os sentimentos humanos não são por natureza ambivalentes? Podemos amar e sentir ciúme ao mesmo tempo. A complexidade e a riqueza dos nossos sentimentos são tais que podemos sentir emoções contraditórias no mesmo momento". Mas as emoções em questão são incompatíveis de verdade, como o calor e o frio? Podemos sentir amor profundo por um companheiro ou uma companheira e ao mesmo tempo desprezá-los porque estão nos traindo. Mas isso é realmente amor? No sentido em que o definimos, o amor é a vontade de que a pessoa que amamos seja feliz e compreenda as causas dessa felicidade. Amor verdadeiro e ódio não podem coexistir, porque aquele almeja a felicidade do outro, e este, a sua infelicidade. O apego, o desejo e a possessividade costumam acompanhar o amor, mas não são o amor. Podem coexistir com o ódio porque não são o seu oposto. Há estados mentais que são definitiva e completamente incompatíveis: o orgulho e a humildade, a inveja e a alegria, a generosidade e a avareza, a calma e a agitação. Nenhuma ambivalência é possível entre esses pares. Por meio da introspecção, seremos capazes de distinguir as emoções que aumentam a nossa alegria de viver das que a diminuem.

LIBERAR AS EMOÇÕES

O segundo método é a liberação. Ele consiste em perguntar se, em vez de tentar combater cada emoção aflitiva com o seu antídoto específico, não podemos usar um antídoto *único* que venha a agir em um nível mais fundamental sobre todas as nossas aflições mentais. Não é nem possível nem desejável reprimir a atividade natural da mente, e seria vão e doentio tentar bloquear os pensamentos; por outro lado, ao examinarmos as emoções, percebemos que elas são fluxos dinâmicos desprovidos de qualquer substância intrínseca – o que o budismo chama de "vacuidade" de existência real dos pensamentos. O que aconteceria se, em vez de contra-atacar uma emoção perturbadora com o seu oposto – a raiva com a paciência, por exemplo – nós contemplássemos ou examinássemos a natureza da própria emoção em si?

Imagine que você está sendo dominado por um sentimento de raiva muito forte. Parece não haver saída senão deixar-se levar por ela. Mas vamos observá-la com atenção: ela não é nada mais do que um pensamento. Quando você vê uma grande nuvem escura, em um céu carregado e tempestuoso, essa nuvem parece ser tão sólida que quase podemos pensar em nos sentar nela. Mas se estivermos voando perto dessa nuvem, veremos que não se pode pegá-la; ela não é nada senão vapor e vento. Examinemos mais de perto a raiva. A experiência da raiva é como uma febre alta. É uma condição temporária, e você não precisa se identificar com ela. Quanto mais você olhar para a raiva desta maneira, mais ela se evaporará diante dos seus olhos, como o gelo sob os raios do sol.

De onde vem a raiva? Como ela se desenvolve? Para onde ela vai quando desaparece? O que podemos dizer com certeza é que ela nasce na mente, permanece na mente o tempo que durar e, por fim, é também na mente que ela se dissipa. Como as ondas que surgem e se dissolvem no oceano. Ao examinarmos a raiva, não encontramos nada que seja consistente ou substancial, nada que possa explicar a tirânica influência que ela exerce sobre nós. É necessário fazer essa indagação para não ficarmos fixados no objeto da raiva e dominados pela emoção destrutiva. Por outro lado, se percebermos que a raiva não tem qualquer substância em si mesma, ela irá perder toda a sua força. Eis o que diz a esse respeito Khyentse Rimpoche:

> Lembre-se de que um pensamento é apenas o produto da conjunção fugaz de numerosos fatores e circunstâncias. Ele não existe por si mesmo. Quando um pensamento surge, reconheça que ele é, por natureza, vazio. Ele imediatamente perderá o poder de suscitar o pensamento seguinte e a cadeia de ilusão chegará ao fim. Reconheça essa vacuidade dos pensamentos e deixe que eles repousem por um instante na mente relaxada, de maneira que a claridade natural dessa mente permaneça límpida e inalterada.[6]

É a isso que o budismo dá o nome de *liberação da raiva no momento em que ela surge*. Conseguimos isso pelo reconhecimento da sua vacuidade, da sua falta de existência própria. Essa liberação se produz espontaneamente, como a imagem de um esboço desenhado na superfície da água que mencionei antes. Ao proceder assim, não reprimimos a raiva, mas neutralizamos o seu poder de transformar-se na causa de sofrimento.

Quase sempre, só chegamos a fazer essa análise e compreender tudo isso depois que a crise passou. Aqui, é necessário que reconheçamos a natureza vazia da raiva bem no momento em que ela emerge. Graças a essa compreensão, os pensamentos não têm mais a oportunidade de se encadear, formando um fluxo obsessivo e opressivo. Eles atravessam a mente sem deixar vestígio, como o voo de um pássaro que não deixa rastros no céu.

Esta prática consiste, portanto, em concentrar a sua atenção na própria raiva, em vez de fixá-la sobre o seu *objeto*. Em geral não conseguimos considerar nada além desse objeto, atribuindo-lhe um caráter intrinsecamente detestável e encontrando nele uma justificativa para a raiva. Mas se observamos a cólera em si, ela acaba por se dissolver sob o olhar interior. Pode ressurgir, é verdade, mas à medida que nos habituamos a esse processo de liberação, a emoção fica cada vez mais transparente e, com o tempo, a irascibilidade acaba por desaparecer.

Esse método pode ser usado para todas as aflições mentais; ele nos ajuda a construir uma ponte entre o exercício da meditação e as nossas ocupações cotidianas. Uma vez acostumados a olhar para os pensamentos no momento em que surgem e a permitir que eles se dissipem antes de dominarem a mente, tornar-se-á muito mais fácil permanecer no controle da situação e gerir as emoções conflituosas no seio da nossa vida ativa.

Para estimular a nossa vigilância e o nosso esforço, devemos tentar lembrar-nos do amargo sofrimento que as emoções destrutivas nos infligem.

USAR AS EMOÇÕES COMO CATALISADORES

O terceiro método para neutralizar as emoções aflitivas é o mais sutil e o mais delicado. Quando olhamos de perto para as nossas emoções, descobrimos que, tal como as notas musicais, elas são compostas de numerosos elementos, ou harmônicos. A raiva nos incita à ação e permite que superemos alguns obstáculos. Ela apresenta também outros aspectos como clareza, foco, vivacidade e eficácia que não são, em si mesmos, maléficos. O desejo possui um elemento de bem-aventurança e felicidade que é distinto do apego; o orgulho dá confiança em si mesmo, firmeza, decisão e elimina a hesitação, sendo um excelente sentimento quando não vira arrogância; a inveja incita determinação para agir, o que não pode ser confundido com a insatisfação doentia que está vinculada a ela.

Por mais difícil que seja separar esses vários aspectos, é possível reconhecer e usar as facetas positivas de um pensamento considerado negativo. Com efeito, o que é nocivo na emoção é o eu fictício por meio do qual nos identificamos com ela. Nos agarramos à emoção vendo-a como algo real. Inicia-se, então, por causa desse eu fictício, uma reação em cadeia durante a qual a centelha inicial, que é a claridade e o foco, transforma-se em raiva e hostilidade. A habilidade que nos vem da experiência meditativa nos ajuda a intervir antes que essa reação se inicie.

As emoções não são inerentemente perturbadoras, apesar de parecerem assim a partir do momento em que nos apegamos e identificamos com elas. A pura consciência, que é a fonte de todos os eventos mentais, não é boa nem ruim em si mesma. Os pensamentos tornam-se perturbadores somente quando o processo de "fixação" é posto em andamento, quando nos apegamos às qualidades que atribuímos ao objeto da emoção e ao eu que a está sentindo.

Tendo aprendido a evitar essa fixação, não é necessário colocar em cena antídotos externos; as próprias emoções agem como catalisadores para nos liberar da sua influência nociva. Isso acontece porque o nosso ponto de vista mudou. Quando caímos no mar, é a própria água que nos faz boiar, que nos sustenta e permite que nademos até a costa. Mas é necessário sabermos nadar – ou seja, termos a habilidade necessária para explorar as emoções, beneficiando-nos de seus aspectos positivos, sem nos deixar afogar em seus aspectos negativos.

Esse tipo de prática requer grande domínio da linguagem das emoções. Permitir que emoções poderosas se expressem sem se tornar presa delas é brincar com fogo, ou antes, tentar apanhar uma joia que está na cabeça de uma serpente. Se formos bem-sucedidos, a nossa compreensão da natureza da mente aumentará; se falharmos, seremos dominados pelas qualidades negativas da raiva e o seu poder sobre nós ficará ainda mais forte.

TRÊS TÉCNICAS, UM OBJETIVO

Vimos como podemos contra-atacar cada emoção negativa com o seu antídoto específico; depois, como o reconhecimento da natureza vazia dos pensamentos pode neutralizar qualquer emoção aflitiva; e ainda como é possível utilizar a emoção negativa de modo positivo.

As contradições, aqui, são apenas aparentes. Esses métodos são maneiras diferentes de abordar o mesmo problema e de chegar ao mesmo resultado: não nos tornarmos vítimas das emoções aflitivas e do sofrimento a que elas em geral nos conduzem. Da mesma maneira, é fácil imaginar várias formas de evitar o envenenamento por uma planta tóxica. Podemos usar antídotos específicos para neutralizar os efeitos de cada veneno. Podemos identificar, no nosso sistema imunológico, a origem da nossa vulnerabilidade a esses venenos e, então, com apenas um procedimento, fortalecer esse sistema para adquirir resistência universal a todos eles. Podemos, por último, analisar os venenos, isolar as diversas substâncias que os compõem e descobrir que alguns, aplicados na dosagem apropriada, têm qualidades medicinais.

O mais importante é que em todos os casos atingimos a mesma meta: não sermos mais escravos das emoções negativas e progredir quanto à liberação do sofrimento. Cada uma dessas técnicas é como uma chave; pouca diferença faz se ela é feita de ferro, de prata ou de ouro, contanto que abra a porta para a liberdade.

É preciso não esquecer, no entanto, que a fonte das emoções perturbadoras é o apego ao ego. Para ficarmos livres do sofrimento interior, de uma vez por todas, não basta nos liberarmos das emoções em si; é necessário erradicar o apego ao ego. Isso é possível? Sim, porque, como vimos, o ego existe como mera ilusão. Um conceito ou uma ideia falsa podem ser dissolvidos pela sabedoria que reconhece que o ego é desprovido de existência intrínseca.

AS EMOÇÕES NO TEMPO

Às vezes as emoções podem ser tão poderosas que não deixam nenhum espaço para a reflexão, e é impossível lidar com elas no momento em que eclodem. Paul Ekman fala de um período "refratário", durante o qual só registramos aquilo que justifica a nossa raiva ou qualquer outra emoção forte.[7] Ficamos impermeáveis a qualquer coisa que poderia nos ajudar a compreender que o objeto da nossa raiva não é tão odioso quanto pensamos.

Eis como Alain descreve este processo: "As paixões nos colocam numa armadilha. Um homem tomado pela raiva representa, dentro de si, uma tragédia dramática e intensamente iluminada, onde se expõem todas as faltas do seu inimigo, seus estratagemas, suas preparações, seu desprezo, seus planos para o futuro. Tudo é interpretado conforme a lente da raiva, que fica, assim, fortalecida".[8] Em tais casos não há outra escolha senão trabalhar com essas emoções *depois* de elas terem se aquietado. Só depois que as ondas da paixão cessam é que chegamos a ver como a nossa visão das coisas estava distorcida. É somente nesse momento que nos surpreendemos, vendo como as nossas emoções nos manipularam e levaram ao erro. Pensávamos que a nossa raiva era justificada mas, para ser legítima, devia ter feito mais bem do que mal, o que raramente é o caso. A "raiva positiva", ou antes, indignação, pode quebrar o *status quo* de uma situação inaceitável ou fazer alguém compreender que está agindo de um modo que fere outra pessoa; mas essa raiva, inspirada no altruísmo, é rara. O que quase sempre acontece é que a nossa raiva machuca alguém e nos deixa depois em um estado de profunda insatisfação. Nunca devemos subestimar o poder da mente de criar e cristalizar mundos de ódio, ganância, ciúme, euforia ou desespero.

Tendo obtido alguma experiência, podemos lidar com as emoções negativas *antes* que elas cheguem à superfície. É possível antever o seu surgimento e aprender a distinguir as que trazem sofrimento das que contribuem para a felicidade. As técnicas que descrevemos podem nos ajudar a administrar melhor as nossas emoções, que pouco a pouco deixarão de nos ter sob seu domínio. Para prevenir os incêndios florestais no tempo da seca, o guarda-florestal abre aceiros, faz provisões de água e permanece alerta. Ele sabe muito bem que é mais fácil extinguir uma centelha de fogo do que um gigantesco braseiro.

Em um terceiro momento, com conhecimento cada vez maior sobre a mente, conseguiremos lidar com as nossas emoções com maestria, no mesmo instante em que surgem e *enquanto* se expressam. É assim, como vimos, que as emoções que nos afligem são "liberadas" no momento em que emergem. Elas já não poderão mais semear confusão na mente ou converterem-se em palavras e atos que geram sofrimentos. Esse método exige perseverança, porque não estamos acostumados a tratar os pensamentos dessa maneira.

Contrariamente ao que poderíamos pensar, o estado de liberdade interior em relação às emoções não leva nem à apatia nem à indiferença. A vida não perde as suas cores. O que ocorre é que, em vez de sermos um joguete dos nossos pensamentos, nossas disposições e nossos humores aflitivos, nos tornamos os seus mestres. Não como um tirano que exerce um controle incansável e obsessivo sobre os seus súditos, mas como um ser humano que é livre e senhor do seu próprio destino.

Nesse ponto, os estados mentais conflituosos dão lugar a um rico leque de emoções positivas, que interagem com os outros seres, tendo como base uma apreensão fluida da realidade. A sabedoria e a compaixão tornam-se a influência predominante, guiando os nossos pensamentos, palavras e atos.

EXERCÍCIO Liberação direta das emoções

Traga à sua mente uma situação em que você sentiu muita raiva e tente reviver essa experiência. Quando a raiva surgir, focalize sua atenção *nela mesma*, em vez de olhar para o objeto da raiva. Não se deixe assimilar por essa raiva, mas olhe para ela como se fosse um fenômeno separado. Ao manter-se apenas nessa observação da raiva em si mesma, veja que ela pouco a pouco se dissolve sob os seus olhos.

Mas pode ser que ela continue surgindo em sua mente, e você se sinta incapaz de pacificá-la. Ela segue assim tão vívida e forte porque a sua mente, indefesa, fica sendo levada ao objeto do seu ressentimento. Esse objeto se torna uma espécie de alvo e, cada vez que você volta a ele, uma centelha mental é disparada e a emoção se acende novamente. Você sente que é como se ela invadisse a sua mente, como se você tivesse sido capturado em um círculo vicioso. Em vez de prestar atenção no "alvo", volte sua atenção para a emoção em si mesma. Você verá que a raiva não conseguirá se sustentar, e logo ficará sem força alguma.

Use a experiência que você adquiriu nas sessões de meditação e tente aplicar esse processo de liberação na sua vida diária. Depois de algum tempo, a sua raiva ficará cada vez mais transparente, e a sua irritabilidade desaparecerá.

Pratique do mesmo modo com o desejo obsessivo, a inveja e outras emoções dolorosas.

UM TRABALHO A LONGO PRAZO

A maior parte das pesquisas atuais da área da psicologia que têm como objeto de estudo o controle das emoções concentra-se em como dirigir e modular as emoções depois de que elas já invadiram a nossa mente. O que está faltando, ao que parece, é o reconhecimento de que uma atenção mais desenvolvida e uma clareza mental – a "presença mental" do budismo – podem desempenhar papel central nesse processo de controle. *Reconhecer* a emoção no exato momento em que ela surge, *compreender* que ela não é nada mais do que um pensamento – desprovido de existência intrínseca –, *permitir que ela se dissipe* de maneira a evitar a reação em cadeia a que via de regra daria origem são atitudes que estão no cerne da prática contemplativa budista.

Em obra recente, Paul Ekman, que participa há muitos anos dos encontros entre o Dalai Lama e importantes cientistas promovidos pelo Mind and Life Institute, enfatiza a utilidade de se considerar com atenção as sensações emocionais, como na vigilância e na presença desperta do budismo. Ele considera que essa é uma das maneiras mais práticas de administrar as emoções, ou seja, decidir se queremos ou não expressá-las em palavras e em atos.

Sabemos que a maestria em qualquer disciplina, música, medicina, matemática etc., requer treinamento intensivo. No entanto, parece que no Ocidente – com exceção da psicanálise, cujos resultados são, na melhor das hipóteses, incertos, e o processo, doloroso – não é comum que sejam empreendidos esses esforços persistentes que visam, a longo prazo, transformar os estados emocionais e o temperamento. A própria meta da psicanálise é diferente da estabelecida pela psicologia positiva ou pelo budismo, que buscam não apenas "normalizar" o nosso modo neurótico de funcionar no mundo. A condição considerada como "normal" é, nos dois casos, apenas o ponto de partida, não o objetivo. A nossa vida vale muito mais do que isso! Disse-me certa vez Martin Seligman: "O melhor que ela [a psicanálise] pode fazer é nos levar de menos dez para zero".

Assim, a maior parte dos métodos conhecidos pela psicologia ocidental para modificar de maneira duradoura os estados afetivos diz respeito sobretudo ao tratamento de estados patológicos. Diz um artigo recente escrito por psicólogos ocidentais e budistas:

> Com poucas e notáveis exceções – entre as quais o desenvolvimento da "psicologia positiva" – nenhum esforço tem sido realizado no sentido de cultivar atributos positivos da mente em indivíduos que não estejam sofrendo de problemas mentais. É importante sublinhar o fato de que o treinamento para se obter a excelência em qualquer domínio requer uma dose considerável de prática. As abordagens ocidentais não incluem esse esforço persistente e a longo prazo para se fazerem mudanças duradouras nos estados ou traços emocionais. Nem mesmo a psicanálise chega a requerer um trabalho de décadas, como o que os budistas consideram necessário para cultivar *sukha*.[9]

Esse esforço, no entanto, é muito desejável. Precisamos nos livrar das toxinas mentais e, ao mesmo tempo, cultivar os estados da mente que contribuem para o equilíbrio emocional e asseguram o bom desenvolvimento de uma mente saudável. Grande parte das emoções conflituosas são problemas mentais. Uma pessoa possuída por um ódio feroz ou uma inveja obsessiva não pode, em sã consciência, ser considerada alguém que tem uma mente sadia, mesmo que não seja candidata aos tratamentos psiquiátricos. Como essas emoções estão integradas à nossa vida cotidiana, a importância e a urgência de lidar com elas parecem não estar tão claras quanto deveriam. Como resultado, a ideia de treinar a mente não figura entre as preocupações que pressionam o homem moderno, como o trabalho, as atividades culturais, os exercícios físicos e o lazer.

O ensino dos valores humanos é em geral considerado uma incumbência da religião ou da família. A espiritualidade e a vida contemplativa são reduzidas, assim, a meros complementos vitamínicos da alma. Os conhecimentos filosóficos que adquirimos são quase sempre distantes da nossa prática, e cabe ao indivíduo escolher suas próprias regras de vida. Mas em nossa época, a pseudoliberdade de fazer tudo o que passa pela cabeça e a falta de referências deixam o indivíduo infeliz desamparado. As considerações abstratas em geral incompreensíveis da filosofia contemporânea, somadas ao ritmo febril da vida cotidiana e à supremacia da diversão e do entretenimento, deixam pouco lugar para a busca de uma fonte de inspiração autêntica quanto à direção que podemos dar à nossa vida. O Dalai Lama enfatiza: "Gostaríamos que a espiritualidade fosse fácil, rápida e barata". Ou seja, inexistente. É o que Chögyam Trungpa denominou de "materialismo espiritual".[10] Pierre Hadot, especialista em filosofia antiga, sublinha que "a filosofia não é senão um exercício preparatório para a sabedoria"[11] e que uma verdadeira escola filosófica corresponde antes de tudo a determinada escolha de vida.

É necessário reconhecer que oferecemos uma resistência fenomenal à mudança. Não falamos apenas da alegria e do vigor com que a nossa sociedade adota como tendência as novidades superficiais, mas de uma inércia profunda no que tange a qualquer transformação genuína do nosso modo de ser. A maior parte do tempo não queremos nem ouvir falar da possibilidade de mudar e preferimos tratar com escárnio aqueles que buscam soluções alternativas. Ninguém quer ser raivoso, ciumento ou orgulhoso, mas a cada vez que cedemos a essas emoções, usamos a desculpa de que isso é normal, que faz parte dos altos e baixos da vida.

Então, por que mudar? Seja você mesmo! Divirta-se bastante, compre um carro novo, mude de ares, consiga uma nova amante, tenha tudo, farte-se de tudo o que é estúpido e supérfluo, mas, acima de tudo, jamais toque no essencial, porque isso exige um trabalho duro, um esforço verdadeiro. Uma atitude como essa seria justificada se estivéssemos satisfeitos com o nosso destino. Mas estamos mesmo? Citando Alain mais uma vez: "Os insanos são mestres no proselitismo e, principalmente, relutam em curar-se".

Como o ego é recalcitrante e revolta-se cada vez que a sua hegemonia é ameaçada, preferimos proteger esse parasita que nos é tão caro e nos perguntamos o que seria da nossa vida sem ele – não ousamos nem pensar! Eis uma lógica do tormento bastante curiosa.

E, no entanto, uma vez que iniciamos o nosso trabalho de introspecção, descobrimos que a transformação não é nem de longe tão dolorosa quanto havíamos imaginado. Ao contrário, tão logo decidimos empreender essa metamorfose interior, mesmo que tenhamos que passar por algumas dificuldades, percebemos nesse trabalho uma alegria que faz de cada passo uma nova satisfação. Temos o sentimento de adquirir uma liberdade e uma força interior cada vez maiores, que se traduzem em uma diminuição das nossas angústias, dos nossos medos e das nossas ansiedades. O sentimento de insegurança dá lugar a uma confiança repleta de alegria de viver, e o egoísmo crônico, a um altruísmo amistoso.

Um dos meus professores, o falecido Sandrak Rimpoche, viveu mais de trinta anos na fronteira montanhosa entre o Nepal e o Tibete. Ele me contou que, quando iniciou seus retiros, ainda adolescente, passou por anos muito difíceis. As suas emoções eram tão poderosas, principalmente os desejos, que ele chegou a pensar que ficaria louco (quando me falou sobre isso, tinha um grande sorriso na face). Mas depois, pouco a pouco, foi se familiarizando com as várias maneiras de tratar as emoções e conseguiu uma perfeita liberdade interior. Desde então, cada momento da vida foi, para ele, uma experiência de pura alegria. E isso era visível! Ele foi uma das pessoas mais simples, alegres, serenas e reconfortantes que conheci. Eu tinha a impressão de que nada poderia afetá-lo; era como se as dificuldades exteriores passassem por ele como gotas d'água deslizando sobre uma pétala de rosa. Quando falava, seus olhos ficavam brilhando de alegria, deliciados, e ele parecia tão leve, tão vivaz que eu pensava que ele iria sair voando como um passarinho.

Quem sonharia lamentar o fato de que são necessários vários anos para construir um hospital e uma geração inteira para completar a nossa educação? Então, por que reclamar dos anos de perseverança exigidos para tornar-se um ser humano compassivo e equilibrado?

CAPÍTULO 11

O DESEJO

> É raro que a felicidade venha colocar-se justamente sobre o desejo que chamou por ela.
>
> MARCEL PROUST

Ninguém discute o fato de que é natural ter desejo e que ele tem um papel motivacional em nossa vida. Mas há uma diferença crucial entre as profundas aspirações que temos ao longo da nossa vida e o desejo, que não é mais do que uma avidez, um tormento, uma obsessão. O desejo pode assumir formas infinitamente variadas: podemos desejar um copo de água fresca, alguém que amamos, um momento de paz, a felicidade alheia; podemos também desejar a nossa própria morte. O desejo tanto pode nutrir a nossa existência quanto envenená-la.

Ele também pode expandir, liberar-se, aprofundar-se e até transformar-se em uma aspiração: a de fazer de si mesmo um ser humano melhor, de trabalhar pelo bem dos outros e atingir o despertar espiritual. É importante, assim, estabelecer uma distinção entre o desejo, que é essencialmente uma força cega, e a aspiração, que é precedida por uma motivação e por uma atitude. Se essa motivação é ampla e altruísta, pode ser fonte das maiores qualidades e realizações humanas. Se é estreita e egocêntrica, alimenta as intermináveis preocupações da vida cotidiana, que se seguem umas às outras como ondas, desde o nascimento até a morte, não trazendo nenhuma garantia de satisfação profunda. Quando essa motivação é negativa, pode dar livre curso a destruições devastadoras.

Por mais natural que seja, o desejo rapidamente se degenera em "veneno mental", assim que se transforma em um imperativo, uma obsessão ou um apego incontrolável. Um desejo como esse é tão mais frustrante e alienador quanto mais estiver em desacordo com a realidade. Quando estamos obcecados por uma coisa ou pessoa, nós construímos erroneamente uma imagem como se ela fosse cem por cento desejável e possuí-la ou desfrutá-la torna-se uma necessidade absoluta. A avidez não causa apenas tormentos e angústias; essa posse, ou poderíamos até dizer essa "possessão" daquilo que desejamos, em qualquer situação, só pode ser precária, momentânea, e está sob constante ameaça. É também ilusória, no sentido de que em última análise temos muito pouco controle sobre aquilo que pensamos possuir. Como ensinou o Buda: "Vítima do desejo, como um macaco na floresta, você salta de galho em galho sem jamais encontrar uma fruta, e de vida em vida sem jamais encontrar a paz".

Os desejos apresentam diferentes graus de duração e intensidade. Um desejo menor, como o de tomar uma xícara de chá ou um bom banho quente, pode, na maior parte das vezes, ser satisfeito com facilidade, sendo frustrado apenas se as condições externas forem muito contrárias. Há ainda desejos como o de ser aprovado em um exame, comprar um carro ou uma casa, quando a realização pode apresentar algumas dificuldades possíveis de vencer pela perseverança e engenhosidade. Finalmente, existe um nível mais básico de desejo, como o de construir uma família, ser feliz na companhia de alguém que escolhemos ou trabalhar com algo de que gostamos.

Realizar esses desejos requer muito tempo, e a qualidade de vida gerada por eles depende tanto das nossas aspirações mais profundas quanto da orientação que pretendemos dar à nossa vida. Queremos que as nossas ações tragam felicidade para a nossa vida ou só buscamos ganhar dinheiro e conseguir um certo *status* na sociedade? Estabelecemos com nosso cônjuge uma relação de posse ou de reciprocidade altruísta? Qualquer que seja a nossa escolha, participamos todos os dias e em qualquer lugar da dinâmica do desejo.

Em nossos dias, o desejo nunca para de ser alimentado e amplificado pela imprensa, pelo cinema, pela literatura e pela publicidade. Ele nos faz dependentes da intensidade das nossas emoções, por conduzir apenas satisfações de curta duração. Não temos, por outro lado, nem mesmo tempo de avaliar a medida da frustração que nos advém de todos os desejos irrealizáveis, porque outras solicitações logo chegam para substituí-los; distraídos, deixamos sempre para depois esse exame, como também as ações que poderiam nos trazer um sentimento de plenitude digno desse nome. E o carrossel continua a girar.

Conheci em Hong Kong alguns desses jovens leões do mercado financeiro, que dormem no chão do escritório em sacos de dormir para poder acordar no meio da noite e, ligados nos computadores, "pegar" a Bolsa de Nova Iorque antes do fechamento. Também eles, à sua maneira, tentam ser felizes, mas sem muito sucesso. Um deles me confidenciou que vai para a praia uma ou duas vezes por ano e fica olhando para o mar, quase surpreendido, vendo como é belo. Nesses momentos acaba refletindo: "Como é estranha a minha vida... e, no entanto, lá vou eu de novo na segunda-feira de manhã". Falta de senso de prioridade? Falta de coragem? Ficamos grudados na imagem refletida da ilusão, sem usar o tempo livre que nos resta para permitir que, das profundezas mais abissais de nós mesmos, surja a questão: "O que eu realmente quero da minha vida?". Uma vez que tenhamos obtido uma resposta, sempre haverá tempo para pensar sobre como conseguir o que se quer. Mas não é triste e trágico abafar essa questão?

O DESEJO ALIENANTE

O budismo não recomenda a abolição dos desejos simples nem das aspirações essenciais, mas a obtenção da liberdade no que tange aos desejos escravizadores, aqueles que nos trazem uma multidão de tormentos inúteis. O desejo de alimentar-se quando se tem fome, a aspiração de trabalhar pela paz no mundo, a sede de conhecimento, o desejo de partilhar a nossa vida com os entes queridos, o ânimo que nos incita à liberação do sofrimento: desde que esses desejos não sejam matizados pela avidez e não exijam que obtenhamos aquilo que não pode ser obtido, todos eles podem contribuir para a nossa satisfação profunda. Quando temos uma coisa, queremos uma segunda, e depois uma terceira, e assim por diante. Como terminará isso? Só a derrota ou o cansaço podem fazer cessar, momentaneamente, essa sede de posses, de sensações ou de poder.

OS MECANISMOS DO DESEJO

A sede de sensações prazerosas é fácil de instalar-se na mente, já que o prazer é obsequioso, amável e está sempre pronto a oferecer-nos os seus serviços. Ele é atraente, inspira confiança e com algumas imagens convincentes consegue afastar qualquer hesitação. O que deveríamos temer em uma oferta tão tentadora? Nada é mais fácil do que tomar o caminho do prazer. Mas a exultação desses primeiros passos dura pouco e logo dá lugar à decepção de nossas expectativas ingênuas e ao sentimento de solidão que acompanha a saciedade dos sentidos. Os prazeres, uma vez satisfeitos, não permanecem, não são acumuláveis, não se conservam e não frutificam: eles desaparecem. Não é nada realista esperar que algum dia eles nos tragam uma felicidade duradoura.

Arthur Schopenhauer, o grande filósofo pessimista, declarou: "Todo desejo nasce de uma falta, de um estado ou uma condição que não nos satisfazem; portanto, enquanto não for satisfeito, ele é sofrimento. Mas nenhuma satisfação é duradoura; ao contrário, sempre é apenas um ponto de partida para novos desejos. Em todo lugar, vemos desejos sendo frustrados e impedidos de se realizar, de diversas maneiras; por toda parte vemos pessoas lutando por eles, e assim eles sempre aparecem como sofrimento. Não há término para o esforço, não há medida e não há fim para o sofrimento".[1] Essa afirmação é verdadeira mas incompleta. Ela parte do princípio de que não podemos escapar do desejo e do sofrimento por ele perpetuado. Para superar essa condição, precisamos saber como o desejo é criado.

A primeira constatação é de que todo desejo apaixonado (não estamos falando aqui de sensações primárias como a fome ou a sede) é precedido por um sentimento e uma representação mental. A formação dessa imagem pode ser desencadeada por um objeto exterior (uma forma, um som, uma textura, um cheiro ou um gosto) ou interior (uma memória ou um devaneio). Mesmo que sejamos influenciados por tendências latentes, e mesmo que o desejo – primariamente sexual – esteja inscrito na nossa constituição física, ele não pode se expressar sem uma representação mental. Ele pode ser voluntário ou, aparentemente, se impor sobre a nossa imaginação; pode se formar lentamente ou tão rápido quanto a luz, sub-reptícia ou abertamente; mas a representação sempre precede o desejo ativo, porque o seu objeto deve se refletir nos nossos pensamentos. Por influência do desejo consideramos uma dada pessoa como inerentemente desejável e vemos suas qualidades de maneira exagerada, enquanto minimizamos seus defeitos. "O desejo embeleza os objetos sobre os quais pousa suas asas de fogo", escreveu Anatole France. Não podemos desejar ter uma sensação se não a considerarmos agradável. Compreender esse processo nos ajuda a acelerar o diálogo interior que nos permitirá superar o desejo aflitivo.

Esse ponto de vista do budismo é próximo àquele apresentado pelas ciências cognitivas. Segundo Aaron Beck, as emoções são sempre geradas pela cognição e não o contrário. Pensar em uma pessoa atraente dá origem ao desejo, pensar no perigo gera o medo, pensar em uma perda provoca tristeza e pensar que um limite foi transgredido desencadeia a raiva. Quando sentimos uma dessas emoções, não é muito difícil reconstituir o encadeamento de pensamentos que conduziu a ela.

Por sua parte, Seligman afirma: "Há trinta anos, a revolução trazida pela psicologia cognitiva derrubou ao mesmo tempo Freud e os behavioristas, pelo menos nos meios acadêmicos [...]. Segundo a teoria freudiana clássica, com efeito, são as emoções que determinam o conteúdo dos pensamentos".[2] Este último ponto de vista talvez seja correto nos casos das crises emocionais que, à primeira vista, nos parecem irracionais; nas crises de angústia agudas; ou nas fobias graves que são a expressão de fixações formadas no passado. Isso não diminui o fato de que essas tendências resultem de uma acumulação de imagens e de pensamentos.

Geralmente, uma vez que o desejo começou a se estabelecer na mente por meio das imagens mentais a ele ligadas, ou nós o satisfazemos ou o reprimimos. O primeiro caso representa uma capitulação do autocontrole; o segundo, desencadeia um conflito. O conflito interior criado pela repressão é sempre uma fonte de tormento. Há a opção de entregar-se ao desejo. É como dizer: "Por que tornar tudo tão complicado? Vamos satisfazer o desejo e não se fala mais nisso". O problema é que nós nunca vamos nos satisfazer: essa satisfação é um mero adiamento de novos desejos. As imagens mentais vão sendo criadas pelo desejo e ressurgem com rapidez. Quanto mais satisfazemos os nossos desejos, mais essas imagens se multiplicam, nos invadem e aprisionam. Quanto mais água salgada bebemos, mais sedentos ficamos. O repetido reforço das imagens mentais leva à adição e à dependência, tanto mental quanto física. Quando chegamos a esse ponto, a experiência do desejo é sentida mais como escravidão do que como prazer. Perdemos a nossa liberdade.

Outro exemplo clássico é o da coceira. Queremos instintivamente aliviá-la, coçando-nos. Esse coçar é certamente agradável no instante em que o fazemos, mas a coceira não tarda a voltar, mais irresistível do que nunca, e acabamos por voltar a nos coçar – até sangrar. Confundimos coçar com curar. Quando decidimos não nos coçar mais, apesar do forte anseio que persiste, não é porque a vontade não esteja presente, mas porque aprendemos com a experiência que isso leva à dor e que, se deixarmos acalmar o fogo da coceira, o tormento logo passará. Não se trata de uma repressão doentia, nem de uma questão de moral ou de princípios, mas de uma ação inteligente em que preferimos um bem-estar durável à alternância entre alívio e dor. Trata-se de uma medida prática, baseada na análise e no bom senso. O filósofo budista indiano do século II, Nagarjuna, resume esse processo: "É bom coçar-se quando vem a coceira, mas é melhor quando ela não vem. É bom satisfazermos os nossos desejos, mas é melhor quando estamos livres deles".[3] O principal obstáculo a essa liberdade é nossa resistência a toda forma de mudança interior que acarrete esforço. Preferimos declarar, corajosamente: "Quanto a mim, escolhi me coçar".

É possível tornar-se mais atento à maneira como se formam as imagens mentais e adquirir a compreensão, e depois o controle, sobre a evolução dessas imagens. A repressão (ou a satisfação) só acontecerá quando a intensidade do desejo tornar-se tal que seria doloroso insistir em não realizá-lo. Mas no caso em que as imagens mentais se formam e se desfazem naturalmente, não há nem intensificação nem repressão do desejo. No capítulo dedicado aos antídotos, examinamos diversos métodos ou técnicas para conservar a liberdade quando ele está presente, sem no entanto reprimi-lo. À medida que a força das imagens mentais diminui, não nos submetemos mais ao desejo, e isso pode ocorrer sem que tenhamos que lançar mão da menor atitude repressiva. As poucas imagens que ainda surgirem não são mais do que centelhas fugidias no espaço da mente.

DO DESEJO À OBSESSÃO

O desejo obsessivo que costuma acompanhar o amor apaixonado deturpa a afeição, a ternura e a alegria de apreciar e compartilhar a vida com alguém. Ele é o oposto do amor altruísta. Surge de um egocentrismo doentio que acarinha a si mesmo no outro ou, ainda pior, busca construir a própria felicidade às expensas do outro. Esse tipo de desejo só quer se apropriar das pessoas, dos objetos e das situações que o atraem para ter controle. Considera a atração como uma característica inerente àquela pessoa, cujas qualidades ele amplia, enquanto subestima os defeitos. "O desejo embeleza os objetos sobre os quais pousa as suas asas de fogo",[4] ressaltou Anatole France.

A paixão romântica é o maior exemplo desse tipo de cegueira. Eis como o dicionário define paixão: "Um amor poderoso, exclusivo e obsessivo. Afetividade violenta que atrapalha o julgamento". Ela é alimentada pelo exagero e pela ilusão e insiste em que as coisas sejam outras, diferentes de como realmente são. Como uma miragem, o objeto idealizado é insaciável e fundamentalmente frustrante.

E quando ocorre uma louca paixão sexual? Podemos concordar com Christian Boiron, escritor e CEO, segundo o qual "a atração sexual não é patológica, mas também não é uma emoção. É a expressão normal de um desejo, como a fome e a sede".[5] Mesmo assim, ela faz surgir em nós as mais poderosas emoções porque sua força deriva dos cinco sentidos: visão, tato, audição, paladar e olfato. Na ausência da liberdade interior, qualquer experiência sensorial intensa engendra apegos e nos subjuga cada vez mais. Ela se parece com o redemoinho de um rio: nós não lhe damos muita atenção, pensamos que podemos nadar ali sem problemas, mas quando o turbilhão acelera e fica mais profundo, somos sugados para dentro dele sem nenhuma esperança de resgate. Já a pessoa que consegue manter uma perfeita liberdade interior experimenta todas essas sensações na simplicidade do momento presente, com o deleite de uma mente livre de apegos e expectativas.

O desejo obsessivo é reflexo da intensidade e da frequência das imagens mentais que o desencadeiam. Como um disco riscado, fica repetindo o mesmo *leitmotiv*. É uma polarização do universo mental, uma perda de fluidez, que prejudica a liberdade interior. Alain escreveu: "Este amante desprezado, que se contorce sobre a cama em vez de dormir e que medita sobre vinganças terríveis. O que sobraria da sua ferida se ele não pensasse mais sobre o passado e sobre o futuro? Este ambicioso, ferido no coração por um fracasso, onde procurará ele sua dor, senão em um passado que ressuscita e em um futuro que inventa?".[6]

Essas obsessões tornam-se muito dolorosas quando não são atendidas e vão ficando cada vez mais fortes quando o são. O universo da obsessão é um mundo onde a urgência se vincula à impotência. Somos pegos por uma engrenagem de tendências e pulsões que conferem à obsessão um caráter lancinante. Outra de suas características é a insatisfação fundamental que ela suscita. Ela não conhece a alegria e muito menos a plenitude ou a realização. Não poderia ser de outra maneira, já que aquele que é vítima da obsessão insiste em buscar alívio exatamente naquelas situações que são as causas do seu tormento. O dependente de drogas reforça a sua dependência, o alcoólatra bebe até chegar ao delírio, o amante desprezado olha para a foto da sua amada o dia todo. A obsessão gera um estado de sofrimento crônico e de ansiedade, aos quais se somam, por sua vez, o desejo e a repulsa, a insaciabilidade e a exaustão. Na verdade, ela é um adendo às causas do sofrimento.

Estudos indicam que diferentes regiões do cérebro e diferentes circuitos neurais estão em ação quando "queremos" alguma coisa e quando "gostamos" dela. Isso nos ajuda a compreender o processo pelo qual, quando nos acostumamos a sentir certos desejos, tornamo-nos dependentes deles – continuamos a sentir a necessidade de satisfazê-los mesmo quando já não gostamos do sentimento que provocam. Chegamos ao ponto de desejar sem gostar, desejar sem amar.[7] No entanto, podemos querer ser livres da obsessão, que machuca porque nos compele a desejar aquilo que não nos agrada mais. Podemos, também, amar alguma coisa ou alguém sem necessariamente desejá-los.

Pesquisadores implantaram, em determinada região do cérebro de ratos, eletrodos que produziam sensações de prazer quando estimulados. Os ratos descobriram que podiam aumentar a intensidade do prazer ao apoiar os eletrodos em uma barra. A sensação de prazer era tão intensa que eles logo abandonaram todas as outras atividades, inclusive a alimentação e o sexo. A busca dessa sensação transformou-se em uma sede insaciável, uma necessidade incontrolável, e os ratos pressionaram a barra até caírem mortos de exaustão.

DESEJO, AMOR E APEGO

Como distinguir entre o amor verdadeiro e o apego possessivo? O amor altruísta pode ser comparado ao som puro que vem de um copo de cristal, e o apego ao dedo que, ao tocar na beira do copo, abafa esse som. Reconhecemos desde o princípio que a ideia de um amor desprovido de apego é relativamente estranha à sensibilidade ocidental. Ser desapegado não significa que amamos menos a pessoa, mas que não estamos centrados no amor por nós mesmos nos escondendo no amor que dizemos sentir pelo outro. O amor altruísta é a alegria de compartilhar da vida daqueles que estão à nossa volta – os nossos familiares, os nossos amigos, os nossos companheiros, a nossa esposa ou o nosso marido – e contribuir para a felicidade deles. Amamos o outro por aquilo que ele é e não através da lente distorcida do egocentrismo. Em vez de ficarmos apegados ao outro, temos que ter em mente a felicidade dele; em vez de esperar que ele nos traga alguma gratificação, podemos receber o seu amor recíproco com alegria.

E depois podemos ir ampliando e estendendo esse amor. É preciso ser capaz de amar todas as pessoas incondicionalmente. Amar um inimigo – isso é pedir demais? Esse empreendimento pode parecer impossível, mas baseia-se em uma observação muito simples: a de que todos os seres, sem exceção, querem evitar o sofrimento e conhecer a felicidade. O amor altruísta genuíno é o desejo de que isso possa se realizar. Se o amor que oferecemos depende do modo como somos tratados, nunca seremos capazes de amar o nosso inimigo. No entanto, é certamente possível ter a esperança de que ele pare de sofrer e seja feliz!

Como conciliar esse amor incondicional e imparcial com o fato de que temos na nossa existência relações preferenciais com certas pessoas? Tomemos o sol como exemplo. Ele brilha para todos, com o mesmo calor e a mesma claridade, em todas as direções. Mas há seres que, por diversas razões, se encontram mais perto dele e que, por isso, recebem mais calor. Mas em nenhum momento essa situação privilegiada é uma exclusão. Apesar das limitações inerentes a qualquer metáfora, compreendemos que é possível gerar em si mesmo uma bondade a partir da qual chegamos a olhar para todos os seres como se fossem pais, mães, irmãos, irmãs ou filhos. No Nepal, por exemplo, chamamos qualquer mulher mais velha do que nós de "grande irmã", e a uma mulher mais nova, de "pequena irmã". Essa bondade aberta, altruísta e atenciosa, longe de diminuir o amor que sentimos por aqueles que nos são mais próximos, só o faz aumentar, aprofundar-se e ficar ainda mais belo.

É claro que temos que ser realistas – *concretamente* é impossível manifestar da mesma maneira a nossa afeição e o nosso amor por todos os seres vivos. É normal que os *efeitos* do nosso amor envolvam mais determinadas pessoas do que outras. No entanto, não há razão para que uma relação especial que temos com um amigo ou um companheiro limite o amor e a compaixão que sentimos por todas as pessoas. A essa limitação, quando surge, damos o nome de *apego*. O apego é nocivo na medida em que, sem propósito algum, restringe o campo de ação do amor altruísta. É como se o sol deixasse de brilhar em todas as direções e se reduzisse a um estreito feixe de luz. O apego é fonte de sofrimento porque o amor egoísta se bate contra as barreiras que ele mesmo levantou. A verdade é que o desejo possessivo e exclusivista, a obsessão e o ciúme só têm sentido no universo fechado do apego. O amor altruísta é a mais elevada expressão da natureza humana, quando essa natureza não é viciada, obscurecida e distorcida pelas manipulações do ego. O amor altruísta abre uma porta interior que torna inoperante o sentimento de importância de si mesmo e, portanto, também o medo desaparece. Ele nos permite dar alegremente e receber com gratidão.

CAPÍTULO 12

O ÓDIO*

O ódio é o inverno do coração.

VICTOR HUGO

De todos os venenos mentais, o ódio é o mais nefasto. Ele é uma das principais causas da infelicidade e também a força que motiva toda violência, todo genocídio, todos os atentados à dignidade humana. Sem ódio não haveria assassinatos, guerras, não haveria esses milênios de sofrimento que são a nossa história. Quando alguém nos atinge, o instinto nos impele a golpear de volta, e assim as sociedades humanas dão aos seus membros o direito de retaliar, em vários graus de justiça, dependendo do seu nível de civilidade.

Em geral, não damos muita importância à benevolência, ao perdão e à compreensão das razões do agressor. Raramente somos capazes de considerar o criminoso como vítima do seu próprio ódio. É ainda mais difícil compreender que o desejo de vingança provém basicamente da mesma emoção que levou o agressor a nos atacar. Enquanto o ódio de uma pessoa gerar o de outras, o ciclo de ressentimento, retaliações e sofrimento não terá fim. "Se o ódio responde ao ódio, o ódio nunca cessará", ensinou o Buda Shakyamuni. Eliminar o ódio do nosso fluxo mental é, portanto, um passo crucial em nossa jornada para a felicidade.

A MEDONHA FACE DO ÓDIO

A raiva negativa, que precede o ódio, obedece ao impulso de afastar violentamente quem quer que se coloque como obstáculo para as exigências do eu, sem qualquer consideração pelo bem-estar alheio. Ela aparece também na hostilidade que sentimos quando o eu é ameaçado e no ressentimento que se instaura quando ele é ferido, desprezado ou ignorado.

A maldade é menos violenta que o ódio, mas é mais insidiosa e igualmente perniciosa. Ela se inflama no ódio, que é tanto o desejo de fazer mal a alguém quanto o ato em si. O ato de prejudicar alguém, direta ou indiretamente, acaba destruindo as possibilidades de felicidade da pessoa.

O ódio amplifica os defeitos daqueles que são seu objeto e ignora suas qualidades. Como observa Aaron Beck: "Percepções e pensamentos distorcidos se estabelecem na mente, em resposta a uma ameaça, seja ela real ou imaginária. Esse enquadramento rígido, a prisão da mente, é responsável por grande parte do ódio e da violência que nos assola".[1]

A mente, obcecada pela animosidade e pelo ressentimento, fecha-se na ilusão e persuade-se de que a fonte da sua insatisfação reside fora dela. Ao pensarmos que estamos sendo tratados com injustiça ou ameaçados, concentramo-nos apenas nos aspectos negativos de uma pessoa ou de um grupo. Não conseguimos ver as pessoas e os eventos no contexto de uma rede muito mais ampla de causas e efeitos inter-relacionados. Ao formarmos a imagem do "inimigo" como alguém vil ou desprezível, generalizamos até incluir a pessoa ou o grupo inteiro. Solidificamos os atributos "maus" ou "repugnantes" que enxergamos naquele momento como sendo traços permanentes e intrínsecos da pessoa e nos afastamos da possibilidade de reavaliar a situação. Temos, assim, justificativa para expressar a nossa animosidade e nos vemos no direito de retaliar.

A hipocrisia também pode fazer com que sintamos a necessidade de "limpar" nosso entorno, a nossa sociedade, ou o mundo em geral, desse "mal". Daí vêm a discriminação, a perseguição, o genocídio, a retaliação cega e também a pena de morte – a suprema retaliação legal. Chegando a esse ponto, obscureceu-se a benevolência básica que faz com que apreciemos a aspiração, comum a todos, de evitar o sofrimento e obter a felicidade.

Meu mestre Dilgo Khyentse Rimpoche explica:

> O ódio ou a raiva que podemos sentir por uma pessoa não são inerentes a ela, existem apenas na nossa mente. Assim que vemos alguém que consideramos como inimigo, todos os nossos pensamentos se fixam sobre a lembrança do mal que ela nos fez, sobre os seus ataques no presente e aqueles que poderia vir a ter no futuro. A irritação e depois a exasperação nos dominam, a ponto de não podermos mais suportar ouvir seu nome. Quanto mais permitimos que esses pensamentos sigam livremente o seu curso, mais nos invade a fúria e, com ela, a gana irresistível de pegar uma pedra ou um pedaço de pau. É assim que uma lufada de raiva pode conduzir ao paroxismo do ódio.[2]

O ódio não se expressa unicamente pela raiva, mas esta explode assim que as circunstâncias permitam. Ela está ligada a outras emoções e atitudes negativas: agressividade, ressentimento, amargura, intolerância, calúnia, rancor, fanatismo e, acima de tudo, ignorância. A raiva pode também derivar do medo, quando sentimos que algo nos ameaça ou ameaça aqueles que amamos.

É preciso igualmente aprender a diferenciar o ódio "de todo dia" daquele que está ligado aos que estão perto de nós. O que fazer quando odiamos o nosso irmão, o nosso sócio ou o nosso ex-marido? Eles se tornam uma obsessão para nós. Ficamos ruminando o rosto deles, seus hábitos, seus gestos, até ficarmos doentes. A nossa obsessão converte incansavelmente a aversão em perseguição. Conheci um homem que ficava vermelho de raiva à menor menção da esposa, que o deixara havia vinte anos.

Os efeitos nefastos e indesejáveis do ódio são óbvios. Basta olhar um instante para dentro de si para percebê-los. Sob a sua influência, a nossa mente vê as coisas de maneira nada realista, o que dá origem a uma frustração incessante. O Dalai Lama nos dá uma resposta:

> Quando cedemos à raiva, não estamos necessariamente fazendo mal ao nosso inimigo, mas com certeza o fazemos a nós mesmos.

> Perdemos a nossa paz interior, não fazemos mais nada direito, a nossa digestão fica ruim, não podemos mais dormir, expulsamos aqueles que vêm nos visitar, lançamos olhares furiosos àquele que ousar estar no nosso caminho. Se temos um animal de estimação, esquecemos de lhe dar comida. Tornamos a vida impossível para aqueles que moram conosco e mantemos a distância até os amigos mais queridos. E como um número cada vez menor de pessoas simpatizam conosco, sentimo-nos mais e mais solitários. [...] Para que tudo isso? Mesmo se permitirmos que a nossa fúria se manifeste totalmente, nunca eliminaremos nossos inimigos. Você conhece alguém que tenha conseguido alguma vez fazer isso? Enquanto abrigarmos dentro de nós esse inimigo interno que é a raiva ou o ódio, por mais bem-sucedidos que sejamos hoje na destruição dos nossos inimigos externos, amanhã surgirão outros.[3]

O ódio é claramente corrosivo, quaisquer que sejam a intensidade e as circunstâncias que estejam por trás dele. Uma vez dominados pelo ódio, não somos mais donos de nós mesmos e ficamos incapazes de pensar em termos de amor e compaixão. Seguimos cegamente as nossas tendências destrutivas. E, no entanto, o ódio começa sempre com um simples pensamento. Este é o momento preciso em que é necessário intervir e lançar mão de um dos métodos de dissolução das emoções negativas que descrevemos no capítulo 10.

O DESEJO DE VINGANÇA, SÓSIA DO ÓDIO

É importante sublinhar que é possível colocar-se em profunda oposição à injustiça, à crueldade, à opressão e ao fanatismo, e fazer tudo o que está em nosso poder para combatê-los, sem que com isso venhamos a sucumbir ao ódio.

Quando examinamos um indivíduo que caiu nas garras do ódio, da raiva e da agressividade, e está à mercê da violência e crueza desses excessos, devemos vê-lo mais como um doente do que como um inimigo. Alguém que deve ser curado e não punido. Se um paciente ensandecido ataca seu médico, este deve controlá-lo e dar tudo de si para curá-lo, sem se deixar levar pelo sentimento de ódio recíproco. Não esperamos que um médico comece a bater em seus pacientes.

Podemos sentir uma repulsa sem limites pelas iniquidades de um indivíduo ou grupo de indivíduos, como também uma profunda tristeza pelo sofrimento que causaram, sem ceder ao desejo de vingança. A tristeza e a repulsa devem ser associadas a uma profunda compaixão, de mente aberta, pela condição miserável a que o criminoso sucumbiu. Convém distinguir o paciente da sua doença. Não se trata de ter um sentimento barato de pena pelo assassino, mas uma vasta compaixão por todos os seres sencientes, quem quer que sejam, e o desejo de que se tornem livres do ódio e da ignorância. Em resumo, a contemplação do horror dos crimes das outras pessoas deve fazer crescer, na nossa mente, um amor ilimitado e a compaixão por todos, em vez do ódio por alguns.

É importante, assim, não confundir a repulsa e o desgosto diante de um ato abominável com a condenação irrevogável e perpétua de uma pessoa. É claro que o ato não se realiza sozinho, mas apesar de essa pessoa agora estar pensando e se comportando de uma maneira extremamente nociva, mesmo o mais cruel dos torturadores não nasceu cruel, e quem sabe o que ele pode se tornar daqui a vinte anos? Quem pode afirmar com certeza que ele não mudará? Um amigo falou-me sobre um presidiário que estava detido em uma prisão americana para criminosos reincidentes. Era um daqueles que matam os próprios colegas dentro da cela. Esse detento certo dia decidiu participar de algumas sessões de meditação oferecidas no presídio, para passar o tempo. Eis o seu testemunho: "Um dia, senti como se um muro desabasse dentro de mim. Eu me dei conta de que até aquele momento nunca tinha pensado ou me comportado de outro modo senão recorrendo à violência, como se estivesse louco. Bruscamente compreendi a desumanidade das minhas ações e comecei a olhar para o mundo e para as outras pessoas sob uma luz totalmente diferente".

Durante um ano, ele lutou para agir em um plano mais altruísta e encorajou seus pares a renunciar à violência. Depois o assassinaram, com um caco de vidro, em um banheiro da prisão. Vingança por um crime passado. Transformações como essa só são raras porque em geral não oferecemos aos presidiários as condições que as tornariam possíveis. Mas, quando elas se produzem, por que continuar a punir aquele que fez mal no passado? Como diz o Dalai Lama: "Pode ser necessário neutralizar um cão malvado que sempre morde todo mundo, mas por que prendê-lo ou acorrentá-lo quando ele se tornou um cão velho e desdentado, que mal fica em pé sobre as suas patas?".[4] Aquele que perdeu toda intenção e todo o poder de fazer mal pode ser considerado uma outra pessoa.

Assim como um indivíduo pode tornar-se vítima do ódio, uma sociedade inteira também pode. No entanto, é possível remover o ódio da mente das pessoas. Podemos poluir um riacho, mas também podemos purificá-lo, tornando sua água novamente potável. Sem a possibilidade de transformação interior, seríamos pegos por um desespero autodefensivo, privados de qualquer esperança. Segundo um ditado budista: "A única coisa boa do mal é que ele pode ser purificado". Os seres humanos podem mudar e, se alguém mudou realmente, o perdão não é uma indulgência para com os seus atos passados, mas o reconhecimento daquilo em que ele se transformou. O perdão está intimamente ligado à possibilidade de transformação humana.

Há uma crença amplamente difundida de que responder ao mal com violência é uma reação "humana" ditada pelo sofrimento e pela necessidade de "justiça". Mas a humanidade genuína não deveria evitar reagir com ódio? Após o ataque a bomba que fez centenas de vítimas em Oklahoma City, em 1995, perguntaram ao pai de uma garotinha de três anos que morreu no atentado se ele gostaria que o principal autor do ataque, Timothy McVeigh, fosse executado. Ele respondeu com simplicidade: "Outra morte não vai fazer cessar a minha dor". Uma atitude assim não tem nada a ver com fraqueza, com covardia ou com qualquer tipo de transigência. É possível ter uma sensibilidade aguda ao caráter intolerável de uma situação e à necessidade de repará-la, sem no entanto ser movido pelo ódio. Podemos neutralizar uma pessoa ruim e perigosa por todos os meios necessários (incluindo aqui a violência se *nenhum* outro meio é possível), sem perder de vista que ela não é mais do que uma vítima dos seus próprios impulsos. O que nós próprios seremos se não conseguirmos evitar o ódio?

Certo dia o Dalai Lama recebeu a visita de um monge que havia chegado do Tibete após passar vinte e cinco anos nos campos chineses de trabalhos forçados. Ele havia sido levado à beira da morte, pelos seus torturadores, diversas vezes. O Dalai Lama falou com o monge por bastante tempo, profundamente tocado por vê-lo sereno após tanto sofrimento. Perguntou-lhe se tinha tido medo. O monge respondeu: "Muitas vezes tive medo de sentir ódio dos meus torturadores, porque assim eu me destruiria". Poucos meses antes de morrer em Auschwitz, Etty Hillesum escreveu: "Não vejo outra maneira: cada um de nós deve olhar dentro de si e extirpar e aniquilar tudo aquilo que acredita ser necessário extirpar e aniquilar nos outros. E tenhamos a certeza de que o mais ínfimo átomo de ódio que acrescentarmos a este mundo vai deixá-lo ainda mais inóspito do que já é".[5]

Seria possível uma atitude como essa se um criminoso entrasse na sua casa, estuprasse a sua esposa, matasse o seu filhinho e fugisse sequestrando a sua filha de dezesseis anos? Por mais trágica, intolerável e odiosa que seja uma situação, a questão que surge inevitavelmente é esta: o que fazer depois disso? A vingança não é, de modo algum, a solução mais apropriada. Por que não?, perguntarão aqueles que sentem uma propensão irresistível para exigir reparação pela violência. Porque a longo prazo ela não pode nos trazer bem-estar e paz duradouros. Em nada ela nos consola e alimenta ainda mais a violência. Não faz muito tempo, na Albânia, a tradição da *vendetta* exigia que um assassinato fosse vingado com a morte de todos os membros homens da família inimiga, mesmo se isso demorasse anos, e com a proibição extensiva a todas as mulheres desse clã de se casarem, com o objetivo único de erradicar a linhagem inimiga.

Como disse Gandhi: "Se praticarmos o olho por olho, dente por dente, logo o mundo inteiro estará cego e desdentado". Em vez de aplicar a lei da retaliação, não seria melhor aliviar a sua mente do ressentimento que a corrói? Mesmo sendo raras essas mudanças radicais de rumo – só um dos indiciados em Nüremberg, Albert Speer, arrependeu-se das suas ações – não há razão para não termos esperança de que aconteçam. Conheci, na Índia, na província de Bihar, um homem que cometeu um assassinato sórdido na sua juventude e que, liberado da prisão depois de dez anos, se consagrou inteiramente a cuidar de leprosos.

Reagir espontaneamente com raiva e violência quando algum mal foi perpetrado ou algum dano infligido é, às vezes, considerado heroísmo, mas na verdade aqueles que se mantêm livres do ódio manifestam coragem muito maior. Um casal de americanos, ambos advogados, foram para a África do Sul, em 1998, para comparecerem ao julgamento de cinco adolescentes que, de maneira selvagem e gratuita, tinham matado a filha deles em plena rua. Eles olharam nos olhos dos assassinos e disseram: "Não queremos fazer com vocês o que fizeram com a nossa filha". Não eram pais insensíveis, mas perceberam a inutilidade de perpetuar o ódio. Nesse sentido, o perdão não é desculpar o erro que foi cometido, mas desistir da ideia de vingar-se.

Miguel Benasayag, escritor, matemático e psiquiatra, passou sete anos nas prisões dos generais argentinos, inclusive longos meses na solitária. Foi torturado muitas vezes, a ponto de ser totalmente tomado pela dor. "O que eles estavam tentando", disse-me, "era fazer com que nos esquecêssemos da própria noção de dignidade humana". Sua esposa e seu irmão foram jogados de um avião no oceano. Seu enteado foi dado a um oficial de alta patente, uma prática comum naquela época, com as crianças daqueles que se opunham ao regime. Vinte anos mais tarde, quando Miguel encontrou o general que havia adotado esse enteado, viu-se incapaz de odiá-lo. Ele percebeu que, naquelas circunstâncias, o ódio não fazia nenhum sentido e não remediaria nada, nem contribuiria para coisa alguma.

Em geral a nossa compaixão e o nosso amor dependem da atitude benevolente ou agressiva que os outros tenham para conosco e aqueles a quem amamos. Por esse motivo é tão difícil sentirmos compaixão por aqueles que nos fazem mal. A compaixão budista, no entanto, se baseia no desejo sincero de que *todos* os seres, sem exceção, sejam liberados do sofrimento e de suas causas, particularmente do ódio. Podemos ir ainda mais longe, movidos pela aspiração altruísta de que todos os seres, inclusive os criminosos, possam encontrar a felicidade.

Estudos sobre o perdão mostraram que nutrir um sentimento perene de ressentimento para com um malfeitor sem nunca perdoar, assim como vingar-se daquela pessoa, não restaura a paz de espírito nem nas vítimas, nem em seus parentes. Ao contrário, mostrou-se que o perdão, no sentido da renúncia ao ódio pelo criminoso, tem de longe o melhor efeito no que tange à restauração de alguma forma de paz interior.

Quanto à pena de morte, sabemos que ela não é sequer um recurso inibidor eficaz. Depois que foi eliminada na Europa não houve qualquer aumento nas taxas de criminalidade, assim como seu restabelecimento, em alguns estados americanos, tampouco causou queda nesses mesmos índices. Como a prisão perpétua já basta para evitar que um assassino cometa mais crimes, a pena de morte não passa, então, de uma forma legalizada de vingança. Seja um assassinato ou execução legal, qualquer matança é um erro.

Ouvi uma vez na televisão japonesa um político dizer a um de seus opositores em plena sessão da assembleia nacional: "Que você possa morrer um milhão de vezes!". Para aquele que não pensa em outra coisa senão na vingança, mesmo que um inimigo pudesse morrer um milhão de vezes isso não seria suficiente para fazê-lo feliz. A razão é simples: o objetivo da vingança não é aliviar a nossa dor, mas infligir sofrimento aos outros. Como ela poderia nos ajudar a reencontrar uma felicidade perdida? Já quando renunciamos à sede de vingança e ao ódio, muitas vezes vemos, como num passe de mágica, a montanha de ressentimento desmoronar.

A sociedade não precisa de um tipo de perdão que reflita falta de interesse, tolerância ou, ainda pior, endosse o mal que foi cometido contra alguém. Isso deixaria a porta aberta para que os mesmos horrores voltassem a acontecer. A sociedade precisa de um perdão e de uma cura tais que os rancores, a maldade e o ódio não sejam perpetuados. O ódio devasta a nossa mente e nos leva a devastar a vida dos outros. Perdoar significa quebrar o ciclo do ódio.

ODIAR O ÓDIO

O único alvo ou objeto que continua sendo possível para o ódio é o próprio ódio. Odiar o ódio: este é o inimigo pérfido, obstinado e inflexível que incansavelmente transtorna e destrói vidas. Por mais apropriada que a paciência sem fraqueza possa ser diante daqueles que consideramos nossos inimigos, é totalmente inadequado ser paciente com o nosso próprio ódio, independentemente das circunstâncias. Como disse Khyentse Rimpoche: "É hora de redirecionar o ódio para longe dos seus alvos habituais, os nossos assim chamados inimigos, e voltá-lo contra ele mesmo. É o ódio o seu inimigo verdadeiro e a ele que você deve destruir". De nada adianta tentar reprimi-lo ou revertê-lo, devemos ir às suas raízes e arrancá-las de uma vez. Vejamos mais uma vez as palavras de Etty Hillesum: "Eles falam de extermínio. É melhor exterminar o mal dentro de um homem do que exterminar o próprio homem".[6] Assim, ela confirma, doze séculos mais tarde, as palavras do poeta budista indiano Shantideva: "Quantos malfeitores matarei? O número deles é infinito como o espaço. Mas se eu matar o espírito do ódio, todos os meus inimigos serão mortos de uma só vez".[7]

Não há outro remédio senão a tomada de consciência pessoal, a transformação interior e a perseverança. O mal é um estado patológico. Uma sociedade doentia, que tenha se transformado em vítima da fúria cega contra outra parte da humanidade, não passa de um grupo de indivíduos alienados pela ignorância e pelo ódio. Mas quando um número suficiente de indivíduos atinge uma transformação altruísta, a sociedade pode se desenvolver na direção de uma atitude coletiva mais humana, integrando às suas leis o repúdio ao ódio e à vingança, abolindo a pena de morte, promulgando o respeito pelos direitos humanos e estimulando a responsabilidade universal. Mas é preciso não esquecer que não haverá desarmamento exterior sem desarmamento interior. Cada um de nós e todos nós devemos mudar, e esse processo começa dentro de nós mesmos.

EXERCÍCIO Meditar sobre o amor e a compaixão

Meditar é uma forma de aprender a vivenciar as coisas de uma maneira nova. Traga à sua mente, de maneira realista, o sofrimento que atormenta uma pessoa de que você goste muito. Logo você sentirá vontade de fazer algo para diminuir esse sofrimento e remover as suas causas. Deixe que esse sentimento de compaixão preencha por completo a sua mente e o acalente por algum tempo.

Estenda, então, esse mesmo sentimento a *todos* os seres, percebendo que cada um deles aspira a ser livre do sofrimento. Junte essa compaixão ilimitada a um sentimento de prontidão e presteza para fazer tudo o que for necessário para remediar os sofrimentos de todos. Fique o maior tempo possível nessa sintonia, que vem da vivência de uma compaixão que envolve tudo, que tudo permeia.

Se tiver um sentimento de impotência e falta de coragem ao contemplar os incontáveis sofrimentos dos seres vivos, mude o foco da sua atenção para aqueles que gozam de algum tipo de felicidade e que têm qualidades humanas admiráveis. Regozije-se profundamente na presença deles e cultive uma alegria entusiástica. Isso agirá como um antídoto contra a depressão e a inveja.

Outro método é mudar o foco de sua meditação para a equanimidade. Estenda os seus sentimentos de amor e compaixão a todos os seres, *igualmente* – aos queridos, aos amigos, aos inimigos e aos estranhos. Lembre-se de que, independentemente do quanto você se sinta ameaçado por eles, todos lutam para conseguir a felicidade e evitar o sofrimento.

Você também pode concentrar-se no amor altruísta, que é a vontade ardente de que todos os seres encontrem a felicidade e as suas causas. Deixe a bondade amorosa tomar conta da sua mente e mantenha presente esse sentimento de amor altruísta que inclui tudo.

No final da sua meditação, pense um pouco sobre a interdependência que existe entre todas as coisas. Compreenda que, do mesmo modo que um pássaro necessita de duas asas para voar, você precisa desenvolver tanto a sabedoria quanto a compaixão. Antes de envolver-se nas suas atividades cotidianas, dedique a todos os seres sencientes o bem que possa ter sido gerado pela sua meditação.

CAPÍTULO 13

A INVEJA

> Como é covarde sentir-se desencorajado pela felicidade
> dos outros e devastado pela boa sorte que têm!
> MONTESQUIEU

Estranho sentimento, a inveja. Sentimos inveja da felicidade que os outros têm e certamente não da sua infelicidade. Isso não é ridículo? Não seria natural desejar a felicidade dos outros? Por que sentir desconforto quando as pessoas à nossa volta estão felizes? Por que sentir despeito das boas qualidades que têm? O oposto da inveja é regozijar-se com todas as alegrias, pequenas ou grandes, que os outros vivenciam. Dessa maneira, a felicidade deles se torna nossa também.

A inveja não tem o lado atraente do desejo, não vem disfarçada de justiceira como a raiva, não se enfeita com ornamentos sombrios como o orgulho e nem mesmo é preguiçosa como a ignorância. Não importa sob que luz seja examinada, sempre surge como algo detestável. Eis o retrato que Voltaire faz dela:

> A sombria Inveja, de tons pálidos, lívida,
> Seguindo, cambaleante, a Suspeita que a guia.

Há, é claro, diversos graus de inveja e ciúme, uma vasta gama que vai de uma leve inveja à fúria cega e destrutiva. Existe a inveja branda, cotidiana, que se destila em pensamentos semiconscientes e emerge em comentários depreciativos. É uma inveja que se traduz em uma leve maldade contra um colega que vai melhor do que nós, ou em cáusticas reflexões sobre um amigo para quem a sorte sempre parece sorrir. A essa inveja leve se opõe a obsessão sempre repetitiva, que explode às vezes em um acesso de fúria incontrolável, quando ocorre uma infidelidade, ou um rival recebe uma distinção que esperávamos para nós. *A inveja e o ciúme derivam da incapacidade fundamental de se regozijar com a felicidade ou o sucesso do outro.* O homem ciumento ensaia a injúria em sua mente, esfregando sal na ferida muitas e muitas vezes, fazendo com que seja impossível ser feliz naquele momento.

Em qualquer caso, a inveja é produto de uma ferida no nosso ego, na nossa autoimportância, não passando, portanto, de uma ilusão. Mais ainda, a inveja e o ciúme são um contrassenso para aquele que os sente. Pois, a não ser que se recorra à violência, a única vítima desses sentimentos é aquele que os alimenta. A sua fúria e o seu ressentimento não evitam que o alvo da inveja desfrute sucesso, riqueza ou distinção.

Precisamos considerar o seguinte: o que a felicidade dos outros pode realmente tirar de nós? Nada, é claro. Só o ego fica ferido com ela e a sente como uma dor. É ele que não suporta o bem-estar alheio quando estamos deprimidos ou a saúde alheia quando estamos doentes. Por que não tomar a alegria dos outros como uma fonte de inspiração, um exemplo vivo de felicidade realizada, em vez de fazer dela motivo de aborrecimento e frustração?

E quanto ao ciúme que surge de um sentimento de injustiça ou traição? Ser enganado por alguém com quem temos uma ligação profunda nos parte o coração, mas, de novo, o responsável por esse sofrimento devastador é o amor a si mesmo. La Rouchefoucauld observa nas suas *Máximas* que "no ciúme há mais amor-próprio do que amor".

Uma amiga me confidenciou recentemente: "A infidelidade do meu marido me machuca no mais íntimo e profundo de mim mesma. Não posso suportar a ideia de que ele seja mais feliz com outra mulher. Fico me fazendo a mesma pergunta, sem cessar: 'Por que não eu? O que ele encontra nela que eu não tenho?'".

Mesmo sendo difícil manter a imparcialidade em tais circunstâncias, quem cria essa dificuldade senão o ego? O medo do abandono e o sentimento de insegurança estão intimamente ligados à falta de liberdade interior. A preocupação consigo mesmo, a absorção em si mesmo – com seu inseparável cortejo de medo e esperança, atração e rejeição – é a maior inimiga da paz interior. Se não, o que impediria de nos regozijarmos ao ver uma pessoa amada encontrar mais felicidade com um outro qualquer? Não é uma tarefa fácil, mas se *realmente* queremos que a outra pessoa seja feliz, não podemos definir a maneira como ela deve agir para consegui-lo. Só o ego tem a audácia de afirmar: "A sua felicidade depende da minha". Como escreveu Swami Prajnanpad: "Quando você ama alguém, não pode esperar que essa pessoa faça as coisas da maneira que lhe agrada. Isso seria o equivalente a amar a si mesmo".[1]

Se conseguíssemos pensar com clareza, ainda que remotamente, deveríamos ter a coragem de tentar abster-nos de reforçar as imagens mentais que nos torturam, bem como a obsessão que nos faz sonhar com cruéis represálias contra aquele ou aquela que "usurpou" a pessoa de quem sentimos ciúme. Essas imagens e essa obsessão se devem inteiramente ao fato de termos nos esquecido do nosso potencial interior para a paz e a ternura. Uma pessoa que está em paz pode compartilhar a sua felicidade, mas não encontra utilidade alguma no ciúme. Útil será gerar empatia e amor altruísta por todas as pessoas, inclusive os nossos rivais. Esse antídoto curará a ferida e a seu tempo a inveja e o ciúme desaparecerão, como um sonho ruim.

CAPÍTULO 14

O GRANDE SALTO EM DIREÇÃO À LIBERDADE

> Para um homem sobrecarregado, oprimido e que por muito tempo andou pelo mundo do sofrimento, que alívio é desembaraçar-se de seu fardo pesado e inútil.
> LONGCHEN RABJAM RIMPOCHE

Ser livre é ser mestre de si mesmo. Para muita gente, essa maestria está ligada à liberdade de ação, de movimento e de opinião, e à oportunidade de atingir as metas estabelecidas para si mesmo. Essa convicção situa a liberdade principalmente fora de nós mesmos, sem tomar consciência da tirania dos pensamentos. Com efeito, há uma ideia muito difundida no Ocidente segundo a qual liberdade significa poder fazer tudo o que se queira e agir conforme cada um dos nossos impulsos. É uma ideia estranha, já que ao fazermos assim nos transformamos em joguete dos pensamentos que perturbam a nossa mente, como os ventos no topo de uma montanha, que dobram a relva em todas as direções.

"Para mim, liberdade seria fazer tudo o que quero, sem que ninguém me impedisse e nem dissesse nada a respeito", disse uma jovem inglesa entrevistada pela BBC. A liberdade anárquica, que tem como único objetivo a satisfação imediata dos desejos, pode trazer felicidade? Temos todas as razões para duvidar dessa proposição. A espontaneidade é uma qualidade preciosa, contanto que não seja confundida com o caos e a agitação mental. Se permitirmos que, em nossa mente, a matilha do desejo, do ciúme, do orgulho ou do ressentimento fique livre para ter acessos de fúria, logo tomará conta de tudo, impondo-nos um universo prisional cada vez maior. As prisões irão se adicionando e combinando até minarem toda a alegria de viver. No entanto, um único espaço de liberdade interior basta para envolver toda a dimensão da mente. Um espaço vasto, claro e sereno, que dissolve todo tormento e nutre toda paz.

A liberdade interior é, em primeiro lugar, libertar-se da ditadura do "eu" e do "meu", do "ser" cativo e oprimido, e do "ter" que invade tudo, deste ego que entra em conflito com tudo de que não gosta e busca desesperadamente se apropriar daquilo que cobiça. Saber encontrar o essencial e não se inquietar com aquilo que é acessório traz um profundo sentimento de contentamento, sobre o qual as fantasias do eu não têm nenhum poder. "Aquele que experimenta um contentamento assim", diz o provérbio tibetano, "tem um tesouro na palma da sua mão".

Dessa maneira, ser livre significa se emancipar das aflições que dominam e obscurecem a mente. Significa tomar a vida na nossa própria mão, em vez de abandoná-la às tendências criadas pelo hábito e pela confusão mental. Se um marinheiro solta o timão e deixa as velas da embarcação ao sabor do vento, o navio ao sabor das correntes, isso não se chama liberdade – chama-se ficar à deriva. Liberdade, aqui, significa ter o leme nas mãos e velejar na direção que escolhemos.

OS MEANDROS DA INDECISÃO

Não se pode costurar com uma agulha de duas pontas.
Provérbio tibetano

No Tibete, conta-se a história de um cão que vivia entre dois monastérios separados por um rio. Um dia, ouvindo o sino que batia na hora do café da manhã no primeiro monastério, pôs-se a nadar para atravessar o rio. A meio caminho, ouviu bater o sino do segundo monastério e voltou atrás. No fim, não chegou a tempo para fazer nenhuma das refeições.

A indecisão pode também se opor a toda realização. Atormentados pelos cenários que poderiam advir, somos incapazes de tomar uma decisão. E é só decidirmos agir que já nos sentimos novamente mergulhados na dúvida: não seria melhor a outra opção a esta que acabamos de escolher? A expectativa e a apreensão que nos dilaceram muitas vezes expressam uma insegurança profunda diante de um futuro povoado de esperanças e temores. A indecisão e o imobilismo que essa insegurança provoca constituem um obstáculo de primeira grandeza à busca da felicidade. Os tormentos não sinalizam uma reflexão sábia ou uma dúvida de boa qualidade, mas uma hesitação paralisante e uma ruminação ansiosa, estreitamente ligadas ao sentimento de importância do eu.

Quando nos preocupamos excessivamente conosco, ficamos divididos entre a esperança e o medo. Esses sentimentos monopolizam a mente e obscurecem o julgamento, perpetuamente dilacerado entre numerosas "soluções". Sofremos, como diz Alain, dessa "agitação que nos tira o sono e vem somente de resoluções vãs, que não decidem nada e que são lançadas pouco a pouco no nosso corpo, e o fazem pular como um peixe fora da água".

Para quem está menos obcecado por si mesmo, é mais fácil examinar objetivamente os prós e contras de uma situação, tomar uma decisão e executá-la com determinação. Quando a escolha não é evidente, se conservarmos um certo distanciamento dos acontecimentos poderemos seguir sem ser fisgados pela irresolução ou pelo medo. O sábio, diz-se, age pouco, mas uma vez que tenha decidido agir, sua resolução é como uma pérola incrustada na rocha.

Na vida diária, essa liberdade permite estar aberto aos outros e ser pacientes com eles. Ao mesmo tempo, pode-se dar continuidade ao compromisso com a direção que escolhemos dar à nossa vida. De fato, é essencial ter senso de direção. Ao fazer um *trekking* pelo Himalaia, muitas vezes é necessário andar por dias ou até semanas. Sofremos com o frio, com a altitude, com as tempestades de neve, mas como a cada passo estamos mais próximos do nosso destino, a alegria está sempre no esforço necessário para atingi-lo. Mas se nos perdemos e nos vemos andando sem rumo, em uma floresta ou um vale desconhecido, nossa coragem desaparece de repente, o peso da exaustão e da solidão fica esmagador, a ansiedade aumenta, e cada passo torna-se um sofrimento. Não temos mais vontade de andar, queremos nos sentar em desespero. Da mesma forma, a ansiedade que certas pessoas vivenciam talvez provenha de uma falta de direção na existência, de não terem tomado consciência do potencial interior para a mudança que têm dentro de si.

Compreender que não somos nem perfeitos nem completamente felizes não é uma fraqueza. É um reconhecimento muito saudável que nada tem a ver com autopiedade, com uma visão pessimista da vida ou com falta de confiança em si mesmo. Conscientizar-se disso leva a uma nova apreciação das prioridades da vida, e a uma onda de energia que o budismo chama de renúncia – uma palavra que costuma ser mal compreendida e que, na realidade, expressa um profundo desejo de liberdade.

O PARADOXO DA RENÚNCIA

Para muitas pessoas, a ideia da renúncia e do desapego evoca uma descida à escura masmorra do ascetismo e da disciplina – privar-se de modo deprimente dos prazeres da vida. Não fazer isso ou aquilo. Uma série de injunções e interdições que restringem a nossa liberdade de gozar a vida. Diz um provérbio tibetano: "Falar com alguém sobre a renúncia é como bater no focinho de um porco com uma vara. Ele não gosta disso nem um pouco".

No entanto, a renúncia verdadeira lembra muito mais a situação de um pássaro que se lança pelo céu ao abrirmos a porta da sua gaiola. De repente, as infindáveis preocupações que oprimiam a mente cessam de existir, permitindo a livre expressão do potencial interior. Somos como fatigados caminhantes, carregando pesados sacos cheios de provisões e de pedras. Não seria razoável colocar a bagagem no chão por alguns momentos, retirar o que não precisamos e aliviar o peso que teremos de carregar?

A renúncia não consiste, portanto, em privar-se daquilo que nos traz alegria e felicidade – isso seria absurdo –, mas em pôr fim àquilo que nos causa tormentos inumeráveis e incessantes. É ter a coragem de se livrar de qualquer dependência das próprias causas do sofrimento. É decidir "sair do buraco", desejo que só pode nascer da observação atenta do que acontece dentro de si e na vida cotidiana. Para livrar-se das causas do sofrimento, precisamos primeiro identificar e reconhecer essas causas, depois nos tornarmos conscientes delas na nossa vida diária. Se não dedicarmos a isso o tempo necessário, facilmente poderemos nos enganar, dando pouca importância às causas relevantes.

A renúncia, em suma, não vem de dizer "não" a tudo o que é prazeroso, de deixar de tomar sorvete de morango ou de tomar um bom banho quente depois de uma longa caminhada nas montanhas. Vem de perguntar-se, em relação a uma série de aspectos da vida: "Isto me fará mais feliz?". A felicidade genuína – ao contrário da euforia artificialmente produzida – se mantém nos altos e baixos da vida. Em vez de interditar o nosso desejo, abraçamos aquilo que há de mais desejável. Renunciar é ter a ousadia e a inteligência de examinar aquilo que costumamos considerar prazeres para determinar se eles realmente nos trazem bem-estar. Aquele que renuncia não é um masoquista que considera ruim tudo o que é bom. Quem seria capaz de suportar isso? A pessoa que renuncia dedicou o tempo necessário para olhar para dentro de si e constatou que não precisa se agarrar a certos aspectos da sua vida.

LIVRE DO PASSADO, LIVRE DO FUTURO

Certo dia, um tibetano foi visitar um velho sábio (que, por coincidência, eu também viera encontrar) na cidade de Ghoom, próxima a Darjiling, na Índia. Ele começou contando a esse sábio todos os seus infortúnios passados, em seguida passando a fazer uma lista de tudo o que temia quanto ao futuro. Durante todo o tempo, o velho sábio ficou com toda a calma assando batatas em um pequeno braseiro que estava no chão à sua frente. Passado algum tempo, disse ao seu queixoso visitante: "De que adianta preocupar-se com coisas que não existem mais e com coisas que ainda não existem?". Perplexo, o visitante parou de falar e permaneceu calado por um bom tempo ao lado do sábio – que, de quando em quando, lhe estendia uma batata quente e tostada.

A liberdade interior nos permite saborear a lúcida simplicidade do momento presente, livre do passado e emancipado do futuro. Libertar-nos da invasão das memórias do passado não significa que sejamos incapazes de tirar lições úteis da própria experiência. Libertar-nos do medo do futuro não nos torna incapazes de nos aproximarmos dele com lucidez, mas nos salva de atolar em tormentos inúteis.

Uma liberdade assim tem um componente de clareza mental, de transparência e de alegria que é bloqueada pela proliferação habitual das ruminações e dos fantasmas do passado. Ela nos permite aceitar as coisas com serenidade, sem por isso cair na passividade ou na fraqueza. Ela é também uma maneira de utilizar *todas* as circunstâncias da vida, tanto as favoráveis quanto as adversas, como catalisadores para a mudança pessoal. Essa liberdade nos ajuda a evitar a arrogância quando essas circunstâncias são favoráveis, e a depressão quando não são.

A INTELIGÊNCIA DA RENÚNCIA

A renúncia é uma maneira sensata de tomarmos a vida em nossas próprias mãos, ou seja, de ficarmos fartos de sermos manipulados como bonecos pelo egoísmo, pela renhida luta pelo poder e as posses, pela sede de prestígio e pela infindável busca do prazer. Aquele que pratica a renúncia é perfeitamente são e compreende tudo o que acontece ao seu redor. Não foge do mundo porque é incapaz de controlá-lo, mas por perder o interesse em manter preocupações fúteis. A sua abordagem é antes de tudo pragmática. Quantos seres confusos, apaixonados ou tímidos se perderam nos desvios de uma vida mais rápida do que um gesto furtivo? "Por delicadeza, perdi minha vida", escreveu Rimbaud. A renúncia não é sinal de fraqueza, mas de ousadia.

A renúncia comporta também um delicioso gosto de simplicidade e paz profunda. Uma vez que você a experimenta, torna-se cada vez mais fácil. Não se trata de forçar-se a renunciar, porque um movimento assim estaria fadado ao fracasso. Para se desapegar de alguma coisa, primeiro você deve ter claras em sua mente quais são as vantagens da renúncia e sentir uma profunda aspiração de se liberar daquilo a que está prestes a renunciar. Feito isso, a renúncia será vivida como um ato de liberação, não como uma obrigação dolorosa.

Sem com isso negligenciar aqueles com quem compartilhamos a nossa vida, chega o momento de sair da interminável montanha-russa em que se alternam a felicidade e o sofrimento. E o viajante fatigado, ou o expectador embriagado de imagens e de ruídos, retira-se, buscando o silêncio. Ao fazer isso, não rejeitamos nada, mas simplificamos tudo.

O BÁLSAMO DA SIMPLICIDADE

"A nossa vida é desperdiçada em detalhes... Simplifique, simplifique", escreveu o pensador americano David Henry Thoreau. Renúncia envolve simplificar os nossos atos, a nossa fala e os nossos pensamentos para livrar-se do supérfluo. Simplificar as nossas atividades não significa mergulhar na preguiça, mas adquirir uma liberdade cada vez maior e combater o aspecto mais sutil da inércia – o impulso que nos leva a, mesmo sabendo o que realmente conta na vida, preferir nos envolver em mil atividades secundárias e triviais, uma após a outra.

Simplificar a fala significa diminuir o fluxo de palavras inúteis que saem de nossa boca. É, acima de tudo, abster-se de dirigir aos outros observações negativas ou danosas, de lançar flechas que atingem o coração alheio. As conversações comuns, lamentava o eremita Patrul Rimpoche, são "ecos de ecos". Basta ligar a TV ou ir a qualquer reunião social para ser engolfado por uma torrente de palavras que, na maior parte das vezes, não só são inúteis, como exacerbam a cobiça, o ressentimento e a vaidade. Não se trata de isolar-se em um silêncio arredio e desdenhoso, mas de tomar consciência do que é uma fala adequada e o que representa o valor do tempo. A fala adequada evita as mentiras egoístas, as palavras cruéis e as fofocas, cujo único efeito é nos distrair e semear a discórdia. É sempre adaptada às circunstâncias, suave ou firme conforme a necessidade, e provém de uma mente controlada e altruísta.

Ter uma mente simples não é o mesmo que ser simplório. Ao contrário, a simplicidade mental é acompanhada pela lucidez e pela clareza do pensamento. Como a água limpa e transparente, que nos permite ver até o fundo do lago, a simplicidade permite ver a natureza da mente por trás do véu dos pensamentos errantes.

André Comte-Sponville encontrou um modo inspirador de descrevê-la:

> A pessoa simples vive da mesma maneira que respira, sem grandes esforços ou glórias, sem grandes afetações e sem vergonha. [...] A simplicidade não é uma virtude que se deve adicionar à existência. É a existência em si, desde que nada lhe seja adicionado [...]. Sem outra riqueza que tudo. Sem outro tesouro que nada. A simplicidade é liberdade, leveza, alegria, transparência. Tão simples quanto o

ar, livre como o ar. [...] A pessoa simples não se leva demasiadamente a sério, nem faz de qualquer coisa uma tragédia. Ela segue o seu caminho de bom humor, com o coração leve, a alma em paz, sem um objetivo, sem nostalgia, sem impaciência. O mundo é o seu reino, e isso lhe basta. O presente é a sua eternidade, e a pessoa se delicia com ele. Não precisa provar nada, já que não precisa manter as aparências, e não busca nada, já que tudo está diante de si. Há algo mais simples do que a simplicidade? Mais leve? A simplicidade é a virtude dos sábios e a sabedoria dos santos.[1]

UM ANDARILHO COMO NENHUM OUTRO

Não posso resistir ao prazer de relatar um episódio da vida de Patrul Rimpoche, um eremita tibetano do século XIX. À primeira vista, nenhum sinal exterior permitia identificá-lo como o grande mestre espiritual que era. Todas as suas posses consistiam em um cajado, uma pequena bolsa de tecido contendo um bule de barro para ferver a água para o seu chá, uma cópia do *Guia do estilo de vida do bodhisatva*, um texto clássico sobre o amor e a compaixão, além das roupas que vestia. Parava onde bem lhe aprouvesse – cavernas, florestas, cabanas – e ficava até quando queria. Sempre que visitava um monastério, vinha sem aviso, para evitar que se fizesse qualquer preparação para a sua chegada. Durante a sua estadia, dormia numa cela de monge ou acampava ao ar livre.

Um dia, Patrul Rimpoche dava seus ensinamentos a milhares de pessoas perto do monastério de Dzamthang, no Tibete oriental. Em vez de sentar-se dentro de um templo, ou em um trono, escolheu para isso um monte de terra coberta de relva, na pradaria. Todos sabiam que ele nunca aceitava presentes, mas mesmo assim, ao final da sessão de ensinamentos, um homem idoso insistiu em deixar um lingote de prata na relva aos pés do eremita antes de ir embora.

Terminado o encontro, Patrul pôs a sua pequena bolsa no ombro, pegou o seu cajado e seguiu seu caminho. Um ladrão que havia presenciado a cena do lingote de prata seguiu-o, com a intenção de roubá-lo. Patrul caminhava sozinho, sem nenhum destino específico, e passou a noite tranquilamente sob as estrelas. Enquanto dormia, o ladrão se aproximou furtivamente, oculto pela escuridão. Patrul tinha deixado a sua bolsinha de tecido com o bule de barro ali perto. Tendo-a revistado sem encontrar nada, o ladrão começou a vasculhar dentro do grande casaco de pelo de carneiro que o eremita usava.

Patrul foi acordado pelo bandido, em sua busca nervosa, e exclamou: "O que você quer, fuçando assim em minhas roupas?". O ladrão rosnou: "Alguém lhe deu um lingote de prata. Dê-me esse lingote!".

"Oh, meu caro", disse o eremita, "que vida dura é a sua, correndo para lá e para cá como um louco! Você andou esse caminho todo por um pouco de prata! Pobre homem! Agora escute-me. Volte sobre os seus passos até chegar ao monte de terra em que eu estava sentado. O lingote de prata está lá".

O ladrão estava bem descrente, mas tinha vasculhado o suficiente as coisas do eremita para saber que ele não trazia o lingote consigo. Apesar de duvidar de que fosse encontrá-lo onde Patrul havia dito que estaria, voltou e procurou em volta do monte de terra. O lingote lá estava, brilhando na relva.

O bandido começou a pensar: "Aquele Patrul não é um lama comum. Ele se liberou de todo apego. Querendo roubá-lo, acabo de acumular um carma bem ruim". Cheio de remorso, saiu novamente à procura do eremita. Quando finalmente o reencontrou, Patrul o repreendeu, nestes termos: "Você outra vez! Sempre correndo para cá e para lá, não é? Eu lhe disse que o lingote não está comigo. O que você quer agora?".

O criminoso se prostrou diante dele para fazer a sua confissão, com os olhos cheios de lágrimas. "Não vim até aqui para roubar nada de você. Encontrei a prata. Quando penso que eu estava pronto para bater em você e tirar-lhe tudo o que tem! Você é um homem verdadeiramente sábio. Peço o seu perdão e quero me tornar seu discípulo."

Patrul acalmou-o: "Você não precisa se confessar comigo ou pedir o meu perdão. Seja generoso, invoque o Buda e pratique o seu ensinamento. Isso será o suficiente". Algum tempo depois, as pessoas descobriram o que tinha acontecido e prepararam-se para dar uma surra no ladrão. Quando Patrul Rimpoche soube disso, repreendeu-os severamente. "Maltratar este homem é fazer mal a mim. Deixem-no em paz!"

Conheci pessoalmente, no Sikkim, que fica a nordeste da Índia, um eremita que se chamava Kangri Lopeun, o "sábio das montanhas nevadas". Ele vivia em uma pequena gruta, sumariamente mobiliada, sentado sobre uma pele de carneiro. Os nômades do lugar sempre lhe traziam provisões.

Ele conservava o necessário para aquele dia e, com a sua gentileza costumeira, oferecia o restante para os visitantes que vinham vê-lo em busca de conselhos espirituais. Ele era a própria simplicidade, uma simplicidade que irradiava muito mais do que a mais flamejante das arrogâncias!

LIVRE PARA OS OUTROS

A liberdade como fonte de felicidade e plenitude duradoura tem uma ligação estreita com o altruísmo. De que vale a liberdade que traga benefícios apenas para nós mesmos? No entanto, para respeitar o direito das pessoas de evitar o sofrimento, é preciso estarmos, nós próprios, liberados dos grilhões do egoísmo. Para ajudar melhor os outros, devemos começar por mudar a nós mesmos.

Ser livre quer dizer também ser capaz de seguir um caminho de transformação interior. Para este fim, é preciso vencer não só a adversidade exterior, como também, e mais ainda, os nossos inimigos interiores: a preguiça, a dispersão mental e todos os hábitos que nos distraem ou fazem com que adiemos a nossa prática espiritual.

Como vimos, os prazeres, de início atraentes, quase sempre se transformam no seu oposto. O esforço exigido pela jornada espiritual e pelo processo de libertar-se do sofrimento segue uma progressão inversa. Às vezes árduo no começo, ele gradualmente se torna mais fácil e inspirador, e pouco a pouco traz um sentimento de realização que não pode ser substituído por nada. O seu aspecto austero dá lugar a uma satisfação profunda, que os estados de dependência ou de saciedade não podem alcançar. *Sukha* constitui um tipo de armadura tão flexível quanto invulnerável. Conforme um sábio tibetano: "É fácil para um pássaro ferir um cavalo que já tem as costas machucadas, assim como é fácil para as circunstâncias ferirem alguém que tem medo, mas elas não têm nenhum poder contra as naturezas estáveis". Tal realização merece o nome de liberdade.

CAPÍTULO 15

UMA SOCIOLOGIA DA FELICIDADE

> As pessoas têm respostas prontas para muitas questões sobre si mesmas, sabem o seu nome, seu endereço e a sua filiação partidária. Mas geralmente não sabem se são felizes e devem construir uma resposta para essa indagação sempre que ela for feita.
>
> DANIEL KAHNEMAN

Uma das metas deste livro, como vimos, é determinar as condições que favorecem a felicidade e aquelas que a impedem. Mas o que podemos aprender com os estudos de psicologia social sobre os fatores que influenciam a nossa qualidade de vida? Já mencionamos que a psicologia e a psiquiatria, no início do século XX, estavam preocupadas sobretudo com a descrição e o tratamento das perturbações psicológicas e doenças mentais. Essas foram identificadas e explicadas com precisão, e muitas delas podem, hoje, ser curadas. Até recentemente, no entanto, a ciência pouco se interrogou sobre a possibilidade de passar de um estado de ser "normal" para um estado de bem-estar e desenvolvimento elevados. As coisas começam a mudar, agora que as ciências cognitivas e a "psicologia positiva" passam por uma ascensão considerável.

Nascemos com predisposições diferentes para a felicidade e a infelicidade? Como as condições exteriores da nossa vida interagem com a experiência interior? Até que ponto é possível modificar os traços da nossa personalidade e gerar um sentimento duradouro de satisfação? Que fatores mentais contribuem para essa transformação? Nos últimos trinta anos, todas essas questões têm sido amplamente pesquisadas. Centenas de milhares de sujeitos foram examinados em cerca de setenta países, e um vasto número de estudos foi publicado.[1]

São três as conclusões principais que surgem de todas essas pesquisas. Primeiro, as condições exteriores e outros fatores gerais – como a riqueza, a educação, o *status* social, os *hobbies*, o sexo, a idade, o grupo étnico e assim por diante – têm influência circunstancial e são responsáveis, juntos, por não mais do que 10% a 15% da variação no índice de satisfação.[2] Segundo, há indicações de que temos uma *predisposição* genética para sermos felizes ou infelizes – cerca de 25% do nosso *potencial* para a felicidade parece estar determinado pelos nossos genes. No entanto, estes agem mais como um projeto que pode ou não ser implementado, conforme as circunstâncias. Terceiro, podemos exercer uma influência considerável em nossa experiência da felicidade ou infelicidade mediante a maneira como vivemos e pensamos, a nossa percepção dos eventos da vida e como reagimos a eles. Ainda bem, já que, se a capacidade de sermos felizes fosse predeterminada, não faria sentido estudar o fenômeno da felicidade ou buscar formas de obtê-la de maneira mais intensa ou duradoura.

Essas conclusões têm o mérito de desacreditar um grande número de falsas ideias sobre a felicidade. Muitos escritores e filósofos já ridicularizaram a ideia de que a felicidade pudesse fazer bem à saúde, de que os otimistas tivessem uma vida mais longa e feliz e de que fosse possível "cultivar" a felicidade como uma habilidade. No entanto, aos poucos as descobertas científicas estão comprovando essas verdades, por mais que desagradem àqueles que não veem na felicidade mais do que uma insensatez inútil.

AS CONDIÇÕES GERAIS PARA A FELICIDADE

Muitas pesquisas foram consagradas à felicidade definida como "qualidade de vida", ou, mais precisamente, "apreciação subjetiva da nossa própria qualidade de vida". Os questionários usados nesses estudos são simples, quando não simplistas, e perguntam aos entrevistados questões como:

"Você é muito feliz, feliz, um pouco feliz, infeliz ou muito infeliz?". Pede-se então aos sujeitos em estudo que deem algumas informações sobre a sua situação social e conjugal, renda, saúde, os eventos mais marcantes de sua vida e assim por diante. Depois disso, as correlações são analisadas em dados estatísticos. Mais recentemente, conceberam-se estudos para monitorar em tempo real os sentimentos vivenciados pelas pessoas na sua vida diária. Conforme Daniel Kahneman, psicólogo laureado com o prêmio Nobel, os dados obtidos desses estudos fornecem uma estimativa mais precisa do bem-estar subjetivo, porque sofrem menos influência de memórias distorcidas e outros artificialismos.

Descobriu-se com essas pesquisas que o índice de felicidade é mais elevado nos países onde os habitantes têm mais segurança, mais autonomia e mais liberdade, bem como oportunidades suficientes no campo da educação e do acesso à informação. As pessoas são notoriamente mais felizes nos países onde as liberdades pessoais são garantidas e a democracia está estabelecida. Isso não é diferente do esperado: os cidadãos são mais felizes em clima de paz. Independentemente das condições econômicas, aqueles que vivem sob governos militares são mais infelizes.

A felicidade aumenta com o envolvimento social e a participação em organizações beneficentes ou de voluntários, com a prática de esportes ou música, e também quando as pessoas pertencem a clubes de lazer. Ela está estreitamente ligada à manutenção e à qualidade das relações pessoais.

As pessoas casadas ou que vivem juntas são, em geral, bem mais felizes do que as solteiras, viúvas, divorciadas ou que vivem sozinhas. Quanto aos filhos de pais separados, estes são duas vezes mais propensos a terem uma série de problemas sociais, psicológicos ou acadêmicos.[3]

A felicidade geralmente é maior entre aqueles que têm um trabalho remunerado. Com efeito, o índice de mortes, doenças, depressão, suicídio e alcoolismo entre os desempregados é notavelmente maior. No entanto, as donas de casa não são menos satisfeitas do que aqueles que têm uma atividade profissional. É interessante notar também que a aposentadoria não torna a vida menos satisfatória, havendo nela um índice de satisfação bem maior. Os idosos percebem sua vida como menos agradável do que a dos jovens, mas no conjunto sentem uma satisfação geral mais estável e vivem mais emoções positivas. Ao que tudo indica, a idade pode trazer uma relativa sabedoria. A felicidade tende a ser mais pronunciada entre as pessoas em boas condições físicas e cheias de energia. Ela não parece estar ligada ao clima pois, contrariamente ao que em geral se pensa, as pessoas não são mais felizes nas regiões ensolaradas do que nas chuvosas, exceto em certos casos patológicos de pessoas que sofrem de depressão devido às longas noites de inverno nas latitudes muito elevadas.

As atividades de lazer trazem mais satisfação à vida, especialmente entre aqueles que não trabalham (os aposentados, os que vivem de renda, os desempregados), em parte porque têm a possibilidade de exercer controle voluntário sobre o que fazem. As férias têm um efeito positivo sobre o bem-estar, a calma e a saúde. Somente 3% das pessoas em férias reclamam de dores de cabeça, contra 21% entre as que trabalham. Encontra-se a mesma diferença no que se refere à fadiga, à irritabilidade e... à constipação![4] Notemos que ver televisão, por mais popular que seja, só traz um aumento mínimo no bem-estar. Aqueles que a assistem muito são menos felizes do que a média, provavelmente porque não têm muito mais o que fazer ou porque a mediocridade e a violência dos programas podem induzir a um estado depressivo. Nos Estados Unidos e na Europa, o número médio de horas diárias que as pessoas passam em frente ao aparelho de TV é de três horas e meia. Isso quer dizer um ano inteiro de vida a cada sete anos!

O DINHEIRO NÃO COMPRA A FELICIDADE

No caso das pessoas para quem faltam os meios básicos de subsistência e cujo dinheiro é usado todo para a sobrevivência, é evidente que obter mais riqueza traz um sentimento legítimo de satisfação. Entretanto – e talvez isso seja surpreendente para algumas pessoas –, os estudos deixam claro que, além de um limite relativamente baixo de riqueza, o nível de satisfação permanece inalterado, mesmo que a renda continue a subir. Nos Estados Unidos, por exemplo, a renda real vem subindo desde 1949 até hoje, a ponto de chegar a mais do que o dobro do que era naquele ano, mas não só o número de pessoas que se declaram "muito felizes" não aumentou como sofreu leve diminuição.

Richard Layard, da London School of Economics, afirma: "Temos mais comida, mais roupas, mais carros, casas maiores, mais construções com aquecimento central, mais feriados com viagens para o exterior, menos horas de trabalho por semana, um bom trabalho, e, acima de tudo, uma saúde melhor. No entanto, não nos sentimos mais felizes. [...] Se quisermos que as pessoas sejam mais felizes, realmente temos que procurar saber quais são as condições que geram a felicidade e como cultivá-las".[5]

Uma das principais fontes da insatisfação que as pessoas sentem se origina nas comparações que fazem entre si mesmas e os outros membros da família, os colegas de trabalho e os conhecidos. Como explica Layard: "Há muitos casos em que a pessoa se torna objetivamente muito melhor, mas subjetivamente sente-se pior. Um deles é a Alemanha Oriental, onde os padrões de vida daqueles que têm empregos subiu às alturas depois de 1990, mas o nível de felicidade caiu: com a reunificação da Alemanha, os alemães orientais começaram a se comparar com os ocidentais, em vez de buscarem como referência aqueles que moram em outros países do antigo bloco soviético".[6]

A comparação repetida da nossa situação com a de outros é um tipo de doença da mente que traz muita insatisfação e frustração, totalmente desnecessárias. Ficamos exultantes quando obtemos uma nova fonte de prazer ou compramos um carro novo, sentindo-nos como se estivéssemos no topo do mundo. Mas logo nos acostumamos à nova situação e cessa esse estado de excitação. Quando sai o próximo modelo de carro, ficamos infelizes com aquele que temos e achamos que só voltaremos a ficar satisfeitos se o trocarmos de novo, especialmente se os outros à nossa volta já possuírem o tal próximo modelo. Somos pegos pela "roda hedonista" – um conceito cunhado por P. Brickman e D. T. Campbell.[7] Quando estamos dentro dessa roda, precisamos correr muito só para ficar no mesmo lugar. Nesse caso, precisamos correr para obter mais coisas e novas fontes de entusiasmo para *manter* o nível atual de satisfação.

Está claro que esse não é um estado ótimo de funcionamento da mente. Sentir-nos sempre ávidos, sempre necessitando de mais (coisas, pessoas, situações) só para permanecer satisfeitos, ficar inquietos quando as pessoas ao nosso redor ganham mais são situações que têm a ver com as aflições mentais (inveja, cobiça e ciúme) bem mais do que com as condições em que vivemos. Diz um provérbio tibetano: "Saber ficar satisfeito é ter um tesouro na palma da mão". De outro modo, cada vez que temos um, queremos dois, e inicia-se um ciclo de descontentamento crônico.

Um problema interessante com que os psicólogos têm trabalhado é o dos "pobres felizes", que são mais alegres e despreocupados do que muitas pessoas ricas e estressadas. Robert Biswas-Diener realizou um estudo com os sem-teto e os habitantes das favelas de Calcutá. Ele descobriu que, em muitas áreas, analisando indicadores como vida familiar, amizades, moralidade, alimentação e alegria de viver, o índice de satisfação com a vida que eles têm é só um pouco menor do que o dos estudantes universitários.[8] E aqueles que vivem nas ruas ou nos abrigos, em geral sem vínculos sociais ou emocionais, afirmam ser muito mais infelizes. Os sociólogos arriscam explicar esse fenômeno pelo fato de muitos dos pobres de Calcutá terem abandonado o sonho de melhorar a sua condição social e financeira, não sentindo assim ansiedade em relação a isso. Além disso, satisfazem-se com muito mais facilidade quando obtêm alguma coisa, como comida ou algum objeto.

Não se trata, aqui, de uma tentativa de pintar o mundo de cor-de-rosa. Quando vivi em um bairro pobre de Delhi, onde trabalhava imprimindo textos tibetanos, conheci muitos *wallahs* de riquixás – homens que pedalam o dia inteiro transportando passageiros nos assentos de trás de seus velhos triciclos. Nas noites de inverno, eles se reúnem em pequenos grupos, na rua, em volta de fogueiras feitas com caixas e engradados vazios. As conversas e as risadas são muitas, e aqueles que têm boa voz cantam canções populares. Depois vão dormir, encolhidos nos assentos dos triciclos. A vida deles não é nada fácil – longe disso –, mas não posso deixar de pensar que a boa índole que têm e a despreocupação com que enfrentam a vida fazem com que sejam mais felizes do que muitos, vitimados pelo estresse, nas agências de publicidade em Paris ou no mercado financeiro. Lembro-me também de um velho camponês do Butão com quem eu tinha uma relação de amizade. Certa vez, quando o jovem abade do meu monastério lhe deu de presente uma camisa nova e mil rúpias, ele pareceu completamente desconcertado e nos disse que jamais havia possuído mais do que trezentas rúpias (cerca de sete dólares) em momento algum da sua vida. Quando o abade lhe perguntou se tinha alguma preocupação, ele pensou um pouco e respondeu:

"Sim, as sanguessugas quando ando pela floresta na estação chuvosa."
"O que mais?"
"Nada mais."

Diógenes, em seu famoso tonel, disse a Alexandre: "Eu sou maior do que vós, meu senhor, porque desdenhei mais do que tudo o que alguma vez possuístes". Mesmo que a simplicidade de um camponês do Butão não tenha a mesma dimensão do que a filosofia do grande sábio, ainda assim é evidente que a felicidade e a satisfação não são proporcionais à riqueza.

Nada menos do que 80% dos americanos afirmam ser felizes! Mas a situação está longe de ser tão animadora quanto parece. Apesar da melhora nas condições materiais, a ocorrência de depressão atinge, atualmente, índices dez vezes maiores que os da década de 1960 e afeta um setor cada vez mais jovem da população. Há quarenta anos, a idade média das pessoas que passavam por uma grave depressão pela primeira vez era de vinte e nove anos enquanto hoje é de catorze.[9] No mundo todo, o suicídio corresponde a 2% da causa das mortes a cada ano, um índice maior do que o de mortes provocadas por guerras e assassinatos.[10] Nos Estados Unidos, o suicídio causado pelo transtorno bipolar, anteriormente conhecido como psicose maníaco-depressiva, é a segunda maior causa de mortes entre as jovens adolescentes e a terceira entre os garotos dessa mesma faixa etária.[11] E, na Suécia, o suicídio entre estudantes subiu 260% desde 1950.

Entre 1950 e 1980, o número de crimes oficialmente registrados subiu 300% nos Estados Unidos e 500% no Reino Unido. Embora a taxa de criminalidade tenha entrado em significativo declínio desde então, ela ainda permanece muito mais alta do que era há cinquenta anos, apesar do fato de as condições externas de bem-estar – cuidados médicos, poder de compra, acesso à educação e tempo de lazer – terem melhorado. Como explicar isso?

De acordo com vários estudos examinados por Richard Layard, o aumento no número de crimes está relacionado a muitos fatores, tais como a diminuição da confiança entre as pessoas, a dissolução das famílias, a influência da violência continuamente imposta àqueles que assistem televisão, o fato de que as pessoas vivem cada vez mais sozinhas e frequentam cada vez menos as associações culturais, esportivas, políticas, filantrópicas, bem como as associações de assistência a pobres e idosos.[12]

A diminuição do sentimento de confiança, por exemplo, é enorme. Em 1960, ao responder à questão "Você acha que a maioria das pessoas merece confiança?", 58% dos americanos e igual proporção de ingleses disseram que sim. Já em 1998, esse número caiu para 30%. A grande maioria dos americanos pensa que "hoje em dia não dá para saber de verdade em quem confiar".[13]

Martin Seligman teorizou que "uma cultura que se constrói sobre uma autoestima excessiva e injustificada adota a postura de se considerar vítima diante da mais ínfima perda e encoraja o individualismo crônico, contribuindo assim para esta epidemia".[14] Em sua visão, o individualismo exacerbado ajuda a explicar o enorme crescimento dos índices de depressão nas sociedades ocidentais, em parte como resultado do "nada faz sentido", que acontece quando "não há uma ligação com algo maior do que nós mesmos". O budismo acrescentaria que, com certeza, isso também decorre de dedicarmos a maior parte do nosso tempo a atividades e metas exteriores que nunca têm fim, em vez de aprendermos a desfrutar o momento presente, a companhia daqueles que amamos, a serenidade dos ambientes naturais e, acima de tudo, o florescimento da paz interior que dá a cada segundo da vida uma qualidade nova e diferente.

A excitação e o prazer ocasionados pelo aumento e pela intensificação dos estímulos sensoriais, pelos entretenimentos barulhentos, cintilantes, frenéticos e sensuais não podem substituir a paz interior e a alegria de viver que ela engendra. Os excessos têm como objetivo livrar-nos da nossa apatia, mas em geral não fazem mais do que nos causar uma fadiga nervosa, somada a uma insatisfação crônica. Tomamos então atitudes extremas, como a de um jovem que escapou de um acidente de carro, ficou oito dias em coma e depois disse a um dos meus amigos: "Eu estava a cento e sessenta por hora. Sabia que não iria conseguir passar, mas acelerei". Esse extremo nasce de uma esperança desabusada que, ao forçar ainda mais o absurdo, acabe talvez por chegar a algum lugar ou por se aniquilar em "lugar nenhum". Essa repulsa pela vida vem de uma total ignorância ou um desdém pela nossa riqueza interior, de uma recusa de olhar para nós mesmos e de compreender que somente cultivando a serenidade dentro de nós e a bondade para os outros é que poderemos respirar este oxigênio, a *joie de vivre*.

A NATUREZA HEREDITÁRIA DA FELICIDADE

Nascemos com uma predisposição para a felicidade ou infelicidade? A herança genética tem preponderância sobre os fatores psicológicos, inclusive aqueles ligados aos eventos da primeira infância, ao ambiente e à educação? Podem o ambiente e os fatores emocionais modificar a expressão dos genes? Até que ponto e por quanto tempo o nosso cérebro é capaz de passar por grandes mudanças – aquilo que é comumente conhecido por plasticidade cerebral? Esses pontos foram calorosamente debatidos nos círculos científicos. Uma possível linha de resposta vem do estudo de gêmeos idênticos que foram separados logo depois de nascerem. Eles têm exatamente o mesmo genoma, mas foram criados em condições às vezes muito diferentes. Até que ponto serão parecidos, psicologicamente? Pode-se também comparar o perfil psicológico de crianças adotadas com o de seus pais biológicos, e posteriormente com o de seus pais adotivos.

Estudos como esses revelaram que, no que diz respeito a raiva, depressão, inteligência, satisfação geral, alcoolismo, neuroses e muitos outros fatores, gêmeos idênticos criados em separado compartilham mais traços psicológicos do que gêmeos fraternos criados juntos. O grau de semelhança que apresentam é quase idêntico ao dos gêmeos idênticos criados juntos.

Da mesma forma, crianças adotadas têm muito mais semelhança psicológica com seus pais biológicos (que não as criaram) do que com os pais adotivos (que as educaram). Um estudo que envolveu centenas de casos desse tipo levou Auke Tellegen e seus colaboradores a afirmar que a felicidade é, em 45% das vezes, produto da hereditariedade e que os nossos genes determinam em torno de 50% das variáveis entre todos os traços de personalidade considerados.[15]

No entanto, outros pesquisadores consideram essa interpretação extremada e dogmática. Após a separação no nascimento, a maior parte dos gêmeos idênticos incluídos nesses estudos foi adotada por famílias prósperas, que havia muito tempo buscavam a adoção e que dispensaram cuidados excelentes às crianças. Provavelmente, os resultados seriam muito diferentes se algumas dessas crianças fossem mimadas por suas famílias adotivas enquanto seus gêmeos acabassem na rua ou nas favelas. Conforme esses pesquisadores, o número de variáveis produzidas pelos genes não excede 25% do total e representa meramente um *potencial* cuja expressão depende de muitos outros fatores.

Michael Meaney e seus colegas do Douglas Hospital Research Center, no Canadá, fizeram uma série fascinante de experimentos com ratos[16] que têm uma predisposição genética para a ansiedade extrema. Esses estudos mostraram que quando os ratos foram entregues, na primeira semana de vida, aos cuidados de mães cuidadosas e protetoras, que tratavam bem deles, lambiam-nos e faziam muito contato físico, os seus genes de ansiedade foram bloqueados (por um processo denominado metilação) e não se expressaram *pelo resto da vida deles* (exceto os que depois tiveram algum trauma de grandes proporções). Já os filhotes entregues a mães ausentes, e que manifestavam pouco cuidado para com eles, exibiram uma quantidade muito elevada de estresse. No entanto, dados recentes sugerem que esses efeitos são reversíveis. Um filhote, cuja mãe exibe pouco o comportamento de lambê-lo e que depois é "adotado" por outra mãe que tem esse comportamento bem estabelecido, mostra um desenvolvimento normal. Mostrou-se que diferenças individuais no cuidado materno mudam não só a capacidade que as crias mostram, no decorrer da vida, de lidar com o estresse, como também alteram o seu desenvolvimento cerebral e cognitivo. Os filhotes criados por mães que os lambem muito não só são mais calmos durante as situações de estresse, como também manifestam maior capacidade de aprendizagem. Meaney e outros pesquisadores empreendem, agora, um amplo estudo para examinar como isso se aplica aos seres humanos. Os pesquisadores prognosticam que, se os padrões observados nos humanos forem parecidos, as crianças de mães menos empenhadas em criá-las podem desenvolver uma predisposição a ter problemas, tais como uma alta taxa de comportamento agressivo e a síndrome do *deficit* de atenção.

Tudo isso está de acordo com a visão do budismo, segundo a qual o que uma criança pequena essencialmente necessita é de afeto, sempre e a cada dia. É inegável que a quantidade de amor e carinho que recebemos quando pequenos influencia a visão que temos da vida. Sabemos que crianças que foram vítimas de abuso sexual têm um risco duas vezes maior de sofrer de depressão na adolescência ou na idade adulta, e que muitos criminosos foram privados de amor e maltratados quando crianças.

No contexto da transformação pessoal, é importante ressaltar que entre os traços com forte base genética, alguns parecem ser pouco sujeitos à mudança (os que determinam o peso, por exemplo), enquanto outros podem ser bastante modificados pelas circunstâncias da vida e por um treinamento mental.[17] Isso é verdadeiro em especial nos casos de medo, pessimismo e... felicidade. Veremos no capítulo intitulado "A felicidade no laboratório" que esse tipo de treinamento mental pode aumentar muito o altruísmo, a compaixão e a serenidade da pessoa.

CARACTERÍSTICAS PESSOAIS

Não parece que a felicidade esteja mais ligada à inteligência (pelo menos, não da maneira como esta é medida pelos testes de Q.I.), ao sexo ou ao grupo étnico do que à beleza física. No entanto, a "inteligência emocional" diferencia de maneira significativa as pessoas felizes das infelizes. Esse conceito, cunhado e descrito por Peter Salowey e apresentado ao público geral por Daniel Goleman, é definido como a capacidade de perceber corretamente os sentimentos dos outros e levá-los em conta. É também a capacidade de identificar com rapidez e clareza as nossas próprias emoções.

Conforme K. Magnus e seus colaboradores, a felicidade tem estreita ligação com a capacidade de se afirmar e de demonstrar extroversão e empatia: as pessoas felizes em geral estão abertas para o mundo.[18] Elas acreditam que o indivíduo pode exercer controle sobre si mesmo e sobre a sua própria vida, enquanto as pessoas infelizes são mais propensas a crer que são joguetes do destino. Com efeito, parece que quanto mais capaz de exercer controle sobre o seu ambiente, mais feliz o indivíduo se torna. É interessante notar que, na vida diária, as pessoas extrovertidas vivenciam acontecimentos mais positivos do que as introvertidas, e que os neuróticos têm mais experiências negativas do que as pessoas estáveis. Uma pessoa pode estar passando por uma temporada de má sorte ou sentindo-se um ímã de problemas, mas é importante não perder de vista que, afinal de contas, é a nossa própria disposição – extrovertida ou neurótica, otimista ou pessimista, egoísta ou altruísta – que faz com que deparemos sempre com situações repetidas. Uma pessoa extrovertida e de mente aberta é socialmente mais apta para enfrentar circunstâncias difíceis, ao passo que aquela que está mal consigo mesma sente uma ansiedade aguda, que muitas vezes se reflete em problemas afetivos e familiares ou em fracasso social.

Uma dimensão espiritual, seja ou não religiosa, nos ajuda a estabelecer objetivos na vida e promover valores humanos, caridade, generosidade e sinceridade – todos estes são fatores que nos colocam mais perto da felicidade do que da miséria. Isso nos ajuda a evitar a ideia de que não há direção alguma a seguir, e de que a vida não é mais do que uma luta egoísta sob o grito de guerra: "Cada um por si!".

É fácil imaginar a *priori* que a saúde deve ter uma influência poderosa sobre a felicidade, e que deve ser difícil ser feliz tendo uma doença grave, confinado em um hospital. Mas este não é bem o caso e, mesmo em circunstâncias assim, logo reencontramos o nível de felicidade que tínhamos antes de adoecer. Estudos realizados com pacientes com câncer mostraram que o seu nível de felicidade é apenas um pouco menor do que o do resto da população.

FELICIDADE E LONGEVIDADE

D. Danner e seus colegas estudaram a longevidade de um grupo de 178 freiras católicas nascidas no início do século XX.[19] Elas viviam no mesmo convento e foram professoras na mesma escola em Milwaukee, nos Estados Unidos. Esse caso é ainda mais interessante porque as circunstâncias exteriores da vida dessas freiras eram bastante similares: tinham as mesmas rotinas diárias, a mesma dieta, não fumavam nem bebiam, tinham a mesma condição social e financeira e, por fim, o mesmo acesso aos serviços médicos. Esses fatores permitiram a eliminação de grande parte das variáveis causadas por condições exteriores.

Os pesquisadores analisaram os relatos autobiográficos que essas freiras haviam escrito antes de fazer os seus votos. Psicólogos que nada sabiam sobre essas mulheres avaliaram os sentimentos positivos e negativos expressos nesses escritos. Algumas haviam dito que eram "muito felizes" ou sentiam "grande alegria" quando pensaram em entrar para a vida monástica e servir aos outros, enquanto outras manifestaram pouca ou nenhuma emoção positiva. Classificados os breves relatos biográficos dessas freiras quanto ao grau de alegria e satisfação neles expressos, foram estabelecidas correlações entre esses resultados e a longevidade delas.

Os dados mostraram que 90% das freiras que estavam no quartil "mais feliz" do grupo ainda estavam vivas aos oitenta e cinco anos, contra somente 34% daquelas que pertenciam ao quartil "menos feliz". Uma análise em profundidade dos relatos permitiu eliminar outros fatores que poderiam explicar essas diferenças de longevidade: não se conseguiu estabelecer nenhuma ligação entre a longevidade das freiras e a força da fé que tinham, a sofisticação intelectual dos seus escritos, as suas esperanças para o futuro ou qualquer outro parâmetro considerado. Em resumo, tudo sugere que as freiras felizes vivem bem mais do que as infelizes.

De modo similar, um estudo de dois anos de duração realizado com dois mil mexicanos residentes nos Estados Unidos com sessenta e cinco anos de idade descobriu que a taxa de mortalidade daqueles que expressavam principalmente emoções negativas era *duas vezes maior do que* a das pessoas que tinham uma disposição mais feliz e viviam emoções mais positivas.[20] Uma pesquisa finlandesa realizada com 96 mil viúvas e viúvos mostrou que o risco que essas pessoas corriam de morrer dobrava na semana seguinte à morte do seu parceiro.[21] Essa vulnerabilidade maior foi atribuída ao rebaixamento das defesas do sistema imunológico causado pela dor e depressão vivida pelos enlutados.

E DAÍ?

Como explicar que haja, em última análise, uma correlação tão baixa – 10% a 15% – entre saúde, riqueza, beleza e felicidade? De acordo com Ed Diener: "Parece que a maneira como as pessoas percebem o mundo é muito mais importante para a felicidade do que as circunstâncias objetivas".[22] Trata-se também das metas que estabelecemos para a vida.[23] Ter muito dinheiro é importante para a felicidade de alguém que escolheu como seu objetivo principal o enriquecimento pessoal, mas terá um impacto muito pequeno para um outro que considere a riqueza de importância secundária.

Quanto às correlações destacadas pela psicologia social, todas são de grande importância, mas na maior parte dos casos não se sabe se elas agem como causas ou como consequências. Sabemos que a amizade está muito ligada à felicidade, mas somos felizes porque temos muitos amigos ou temos muitos amigos porque somos felizes? Extroversão, otimismo e confiança promovem a felicidade ou são manifestações dela? A felicidade favorece a longevidade, ou pessoas de grande vitalidade têm também uma natureza feliz? Esses estudos não podem responder a essas questões. Então, o que devemos pensar?

Podemos argumentar que algumas destas qualidades, como felicidade, altruísmo e otimismo quase que andam de mãos dadas. Não é possível vivenciar uma felicidade genuína e duradoura sendo ao mesmo tempo egoísta e pessimista em relação a tudo e a todos, porque tanto o altruísmo quanto a perspectiva construtiva são componentes essenciais da felicidade autêntica.

Quando foi solicitado aos sujeitos dos estudos acima que respondessem mais detalhadamente as razões para se considerarem felizes, eles citaram como principais fatores contribuintes a família, os amigos, um bom emprego, uma vida tranquila, boa saúde, liberdade para viajar, participação na vida social, acesso à cultura, à informação, ao lazer, e assim por diante. Poucos mencionaram um estado mental ótimo, construído por eles mesmos por meio do desenvolvimento de uma habilidade. É óbvio que mesmo quando o conjunto das circunstâncias materiais fornece "tudo o que precisamos" para sermos felizes, nem sempre o somos – longe disso. Mais ainda, esse "tudo" não tem nenhuma estabilidade inerente e está fadado a ruir, mais cedo ou mais tarde, levando com ele a felicidade, bastando que faltem uma ou duas condições. A dependência de tais condições cria ansiedade, porque, conscientemente ou não, estamos a todo instante nos perguntando: "Será que isso vai durar? Por quanto tempo?". Começamos nos perguntando, cheios de esperança e ansiedade, se conseguiremos reunir as condições ideais, depois passamos a ter medo de perdê-las e por fim sofremos quando elas desaparecem. O sentimento de insegurança, portanto, está sempre conosco.

Estudos sociológicos nos dizem muito pouco sobre as *condições interiores* que tornam a felicidade possível e nada sobre os caminhos pelos quais cada indivíduo pode desenvolvê-las. O objetivo desses estudos se limita a evidenciar as condições exteriores que devem ser melhoradas para criar "o maior bem para o maior número". Essa meta é eminentemente desejável, mas a busca de felicidade não se resume a uma tal aritmética das condições exteriores. Isso não escapou aos pesquisadores. Ruut Veenhoven, por exemplo, afirma que "os determinantes para a felicidade podem ser buscados em dois níveis: condições exteriores e processos interiores. Se conseguirmos identificar as circunstâncias em que as pessoas tendem a ser felizes, poderemos criar condições similares a essas para todos. Se enfrentarmos a questão dos processos mentais, interiores, que a presidem, é possível que consigamos desenvolver a capacidade de ensinar as pessoas a ter prazer na vida".[24]

FELICIDADE INTERNA BRUTA

> Os Estados modernos não consideram que é trabalho deles fazer com que os seus cidadãos sejam felizes, preocupando-se, em vez disso, em salvaguardar a segurança e a propriedade.[25]
>
> Luca e Francesco Cavalli-Sforza

No fórum do Banco Mundial realizado em fevereiro de 2002, em Katmandu, no Nepal, o representante do Butão, um reino budista do Himalaia do tamanho da Suíça, afirmou que se, por um lado o Produto Interno Bruto do seu país não era muito elevado, por outro ele estava mais do que satisfeito com o seu índice de Felicidade Nacional Bruta. A política butanesa de Felicidade Interna Bruta (FIB), tratada em público com sorrisos indulgentes dos representantes dos países "superdesenvolvidos" (pelas costas, zombaram dela), foi estabelecida na década de 1980 pelo rei Jigme Singye Wangchuck e ratificada pelo seu parlamento.

Em muitas nações industriais, a prosperidade econômica é muitas vezes igualada à felicidade. No entanto, sabe-se que, embora o poder de compra nos Estados Unidos tenha subido mais de 16% nos últimos trinta anos, a proporção de pessoas que se consideram "muito felizes" caiu de 36% para 29%.[26] Portanto, teremos muitos problemas pela frente se atrelarmos a nossa felicidade aos índices da Bolsa. Buscá-la em uma simples melhora nas condições materiais é como triturar areia para obter óleo.

Diferentemente do PIB, o indicador econômico que mede o fluxo de recursos dentro de determinada economia, o FIB mede a felicidade das pessoas como indicador de desenvolvimento e progresso. Para melhorar a qualidade de vida de seus habitantes, o Butão harmonizou a preservação cultural e ambiental com o desenvolvimento da indústria e do turismo. É o único país do mundo onde as atividades de caça e pesca são proibidas em todo o seu território. Que contraste feliz, quando pensamos no que acontece na França, por exemplo, com seus dois milhões de caçadores! Além disso, 60% da terra é, por lei, destinada à preservação das florestas.

O Butão é considerado por alguns como um país subdesenvolvido – mas subdesenvolvido sob que ponto de vista? Há pobreza, mas não há miséria nem pessoas sem-teto. Menos de um milhão de habitantes vivem dispersos em uma paisagem deslumbrante de menos de quinhentos quilômetros de largura. Por todo o interior, cada família tem sua terra, seu gado, seu tear, e consegue satisfazer a maior parte das suas necessidades. A educação e os serviços de saúde são gratuitos. Maurice Strong, que ajudou o Butão a se tornar membro das Nações Unidas, costumava dizer: "O Butão pode vir a se tornar um país como qualquer outro, mas nenhum outro pode jamais voltar a ser como o Butão".

Você pode perguntar, em tom de dúvida, se essas pessoas são genuinamente felizes. Para obter uma resposta, basta sentar-se na encosta de uma colina e escutar os sons que chegam do vale. Você ouvirá as pessoas cantando enquanto semeiam, enquanto fazem a colheita, caminhando pela estrada. "Poupe-me das histórias de Poliana!", protesta você. Histórias de Poliana? Não: apenas um reflexo do índice FIB!

CAPÍTULO 16

A FELICIDADE NO LABORATÓRIO

Não há tarefa grande e difícil que não possa ser dividida em tarefas pequenas e fáceis.

PROVÉRBIO BUDISTA

Tentamos, ao longo destas páginas, explorar as relações entre as condições exteriores e interiores que influenciam a felicidade. Sem prejulgar a própria natureza da consciência[1] – uma discussão que nos levaria longe demais para os propósitos deste livro –, é claro que devemos nos interrogar sobre as relações existentes entre a felicidade e o funcionamento do cérebro. Sabemos que muitos problemas mentais graves surgem a partir de patologias cerebrais, sobre as quais, ao que parece, os pacientes têm muito pouco controle subjetivo, e que só podem ser assistidas por meio de tratamentos a longo prazo. Sabemos também que, ao estimularmos certas regiões do cérebro de um sujeito de pesquisa, podemos instantaneamente provocar nele, e enquanto durar o estímulo, depressão ou sentimentos de intenso prazer. Mas até que ponto o treinamento da mente pode mudar o cérebro? Quanto tempo leva para que essas mudanças aconteçam e que extensão elas podem atingir? Descobertas recentes sobre a "plasticidade" do cérebro, e novas pesquisas que reúnem alguns dos melhores cientistas cognitivos e *experts* em meditação com muitos anos de treinamento da mente, começam a lançar luz sobre essas fascinantes questões.

A PLASTICIDADE DO CÉREBRO

Há vinte anos era praticamente um dogma, entre quase todos os neurocientistas, que o cérebro adulto apresentava uma margem de mudança muito reduzida e não podia gerar novos neurônios. Segundo essas concepções, só era possível uma quantidade limitada de reforço ou desativação das conexões sinápticas e, com a idade, o cérebro passava a ter um lento declínio. Pensava-se que mudanças de grande extensão podiam fazer grandes estragos nas funções cerebrais complexas que tinham sido construídas desde o início da vida. As ideias hoje são muito diferentes, e os neurocientistas falam cada vez mais em neuroplasticidade, termo que exprime a ideia de que o cérebro está sempre evoluindo em função das nossas experiências, seja pelo estabelecimento de novas conexões neuronais, do fortalecimento das conexões existentes ou da criação de novos neurônios.

Em um projeto de pesquisa muito criativo, Fred Gage e seus colegas do Salk Institute, na Califórnia, estudaram a resposta de ratos a um "ambiente enriquecido". Os roedores foram transferidos de uma caixa que oferecia pouca estimulação para uma grande gaiola cheia de brinquedos, rodas para fazer exercício, túneis para explorar e muitos companheiros para brincar. Os resultados foram surpreendentes: em apenas quarenta e cinco dias, o número de neurônios do hipocampo – a estrutura cerebral associada ao processamento de novas experiências e ao encaminhamento destas para serem armazenadas em outras áreas do cérebro – aumentou 15%, mesmo nos ratos mais velhos.[2]

Isso se aplica também aos seres humanos? Peter Ericksson, na Suécia, conseguiu estudar a formação de novos neurônios em pacientes com câncer que, para terem o crescimento de seu tumor monitorado, haviam recebido a mesma droga que fora usada para medir a formação dos novos neurônios nos ratos. Quando os mais idosos dentre esses pacientes morreram, realizou-se uma autópsia nos seus cérebros e descobriu-se que, assim como nos dos roedores, novos neurônios haviam se formado no hipocampo.[3]

Ficou claro que a neurogênese é possível no cérebro ao longo de toda a vida. Como escreve Daniel Goleman em *Como lidar com emoções destrutivas*: "O treinamento musical, em que o músico pratica diariamente e por anos com o seu instrumento, oferece um modelo válido para a neuroplasticidade. As imagens por ressonância magnética permitiram-nos descobrir que em um violinista, por exemplo, as áreas do cérebro que controlam os movimentos dos dedos na mão que faz o dedilhado aumentam de tamanho. Aqueles que começam o seu treinamento mais cedo, que praticam por mais tempo, passam pelas maiores mudanças no cérebro".[4] Estudos com jogadores de xadrez e atletas olímpicos revelaram profundas transformações nas capacidades cognitivas implicadas nas suas práticas. A questão que agora podemos formular é: pode um enriquecimento interior voluntário, como a prática da meditação a longo prazo, mesmo quando levado a efeito em um ambiente neutro como o de um monastério, induzir mudanças importantes e duradouras no funcionamento do cérebro?

Isso é exatamente o que Richard Davidson e a sua equipe começaram a estudar no W. M. Keck Laboratory for Funcional Brain Imaging and Behaviour, na Universidade de Wisconsin-Madison.

UM ENCONTRO EXTRAORDINÁRIO

Tudo começou do outro lado do mundo, nos contrafortes do Himalaia, na Índia, em Dharamsala – a pequena cidade onde o Dalai Lama estabeleceu o seu governo no exílio depois da invasão chinesa do Tibete.

No outono de 2000, um pequeno grupo formado por alguns dos principais neurocientistas e psicólogos do nosso tempo – Francisco Varela, Paul Ekman, Richard Davidson, entre outros – se reuniu com o Dalai Lama para realizar um diálogo de cinco dias de duração. Essa foi a décima sessão de uma série memorável de encontros entre o Dalai Lama e importantes cientistas, organizados a partir de 1985 pelo Mind and Life Institute, por iniciativa do falecido Francisco Varela, um pesquisador marcadamente inovador no campo das ciências cognitivas, e do ex-empresário americano Adam Engle.

Escolheu-se como tema desse diálogo as "emoções destrutivas", e eu tive a assustadora tarefa de apresentar a visão budista, na presença do

Dalai Lama – um teste que me fez lembrar dos tempos dos meus exames da escola. A partir desse memorável encontro, que foi objeto de um relato de importância inestimável feito por Daniel Goleman em seu livro *Como lidar com emoções destrutivas*, vários programas de pesquisa foram iniciados para estudar indivíduos que se devotaram por vinte anos ou mais ao desenvolvimento sistemático da compaixão, do altruísmo e da paz interior.

Quatro anos mais tarde, em novembro de 2004, a prestigiada revista científica *Proceedings of the National Academy of Sciences* publicou a primeira de uma série de pesquisas – ainda em andamento – que podem ser consideradas o primeiro estudo sério a respeito do impacto da meditação a longo prazo sobre o cérebro.[5] Os estados meditativos foram tradicionalmente descritos a partir da experiência vivida, na primeira pessoa, mas agora começam a ser traduzidos também para a linguagem científica.

Até o momento, doze meditadores experientes, pertencentes à tradição do budismo tibetano (oito asiáticos e quatro europeus, incluindo monges e praticantes leigos) foram examinados por Richard Davidson e Antoine Lutz, um aluno de Francisco Varela que se juntou ao laboratório da Universidade de Wisconsin em Madison. Foram comparados os resultados obtidos por esses praticantes – que, segundo estimativas, fizeram de dez mil a quarenta mil horas de meditação, por um período de quinze a quarenta anos – com os de um grupo de controle formado por doze voluntários, com a mesma idade dos primeiros, que receberam instruções sobre meditação e a praticaram por uma semana.

MEDITADORES NO LABORATÓRIO

Eu fui a primeira "cobaia". Desenvolveu-se um protocolo pelo qual o meditador alternadamente entrava em estados mentais neutros e estados específicos de meditação. Entre os vários estados inicialmente testados, quatro foram escolhidos como objeto de mais pesquisas: as meditações sobre "amor altruísta e compaixão", "atenção focalizada", "presença aberta" e "visualização" de imagens mentais.

Na prática budista existem métodos para *cultivar a bondade amorosa e a compaixão*. Os meditadores procuram gerar um sentimento todo abrangente de benevolência, um estado em que o amor e a compaixão permeiam a totalidade da mente. Eles permitem que o amor e a compaixão sejam o único objeto de seus pensamentos: vivenciam-nos de maneira intensa, profunda e sem qualquer limite ou exclusão. Apesar de não focalizarem imediatamente nenhuma pessoa em particular, o amor altruísta e a compaixão incluem prontidão total e disponibilidade incondicional para beneficiar os outros.

A atenção focalizada, ou *concentração*, requer que concentremos toda a nossa atenção em um objeto escolhido, e façamos com que a nossa mente volte para ele cada vez que ocorre alguma distração. Idealmente, essa concentração em um único ponto deve ser clara, calma e estável. Deve evitar que a mente mergulhe em um embotamento ou seja levada pela agitação mental.

A presença *desperta* ou aberta é um estado mental claro, aberto, vasto e desperto, livre de construtos e encadeamentos mentais. A mente não se concentra em nada e ao mesmo tempo não se distrai. Apenas permanece natural, sem esforço, presente em um estado de atenção pura. Quando os pensamentos aparecem, o meditador não faz nenhuma tentativa de interferir sobre eles, mas permite que desapareçam naturalmente.

A *visualização* consiste em reconstituir, pela imaginação, uma imagem mental complexa, como a representação de uma deidade budista, nos seus menores detalhes. O meditador começa visualizando com a maior clareza possível cada detalhe da face, das roupas, da postura, e assim por diante, um por um. No final, visualiza a deidade inteira e estabiliza essa visualização.

Essas diversas meditações estão entre os vários exercícios espirituais que um praticante budista cultiva por muitos anos, ao longo dos quais vão se tornando cada vez mais estáveis e claros.

No laboratório, há dois modos principais de testar os meditadores. O eletroencefalograma (EEG) permite registrar as mudanças na atividade elétrica do cérebro com uma medição de tempo muito precisa, enquanto as imagens por ressonância magnética (RM) medem o fluxo sanguíneo em várias áreas do cérebro, fornecendo uma localização também extremamente precisa da atividade cerebral.

O meditador alterna períodos neutros de trinta segundos com períodos de noventa segundos em que gera um dos estados meditativos. O processo é repetido muitas vezes para cada estado mental. Nesse estágio, o instrumento que fazia as medições nos meditadores estava equipado com 256 sensores. Os equipamentos detectaram uma diferença notável entre os novatos e os meditadores experientes. Durante a meditação sobre a compaixão, os mais experientes exibiram um aumento dramático na atividade cerebral de alta frequência, as chamadas ondas gama, "de um tipo que nunca havia sido relatado antes na literatura da neurociência", diz Richard Davidson.[6] Descobriu-se também que o movimento das ondas através do cérebro era muito mais bem coordenado ou sincronizado quando comparado ao que ocorria nos membros do grupo de controle, que exibiam, durante a meditação, apenas um pequeno aumento na atividade das ondas gama. Isso parece demonstrar que "o cérebro pode ser treinado e modificado fisicamente em maneiras tais que poucas pessoas conseguem imaginar", e que os meditadores conseguem deliberadamente regular a sua atividade cerebral.[7] Em comparação, os sujeitos menos experientes que receberam um exercício mental para praticar – focalizar em um objeto ou ocorrência, visualizar uma imagem e assim por diante – geralmente eram incapazes de limitar a sua atividade mental a uma única tarefa.

Uma das descobertas mais interessantes é que os monges que viveram a maior parte dos anos meditando geraram os níveis mais altos de ondas gama. Isso levou Richard Davidson a especular que "a meditação não somente muda o funcionamento do cérebro a curto prazo, mas também, muito possivelmente, produz mudanças permanentes".[8]

"Não podemos excluir a possibilidade de que houvesse, entre os monges e os novatos, uma diferença preexistente na função cerebral", diz Davidson, "mas o fato de que os monges com maior número de horas de meditação apresentaram as maiores mudanças cerebrais nos deixa confiantes de que essas mudanças são realmente produzidas pelo treinamento mental".[9] Mais evidências disso podem ser apontadas no fato de que os praticantes também apresentam muito mais atividade das ondas gama do que os do grupo de controle quando permanecem no estado neutro e mesmo antes de começarem a meditar. O cientista e escritor Sharon Begley comenta: "Isso abre uma possibilidade interessantíssima, a de que o cérebro, como o resto do corpo, pode ser alterado intencionalmente. Como a aeróbica esculpe os músculos, o treinamento mental esculpe a substância cinzenta de várias maneiras, e a investigação científica sobre esse tema está apenas no início."[10]

UM MAPA DA ALEGRIA E DA TRISTEZA

Já mencionamos que não se pode propriamente falar na existência de um "centro das emoções" do cérebro. As emoções são fenômenos complexos, associados a processos cognitivos que põem em ação interações entre diversas regiões cerebrais. Portanto, não faz sentido procurar um "centro da felicidade" ou da infelicidade. No entanto, os trabalhos levados a efeito nos últimos vinte anos, principalmente por Richard Davidson e seus colegas, mostraram que quando as pessoas relatam estar sentindo alegria, altruísmo, interesse ou entusiasmo, e quando manifestam muita energia e vivacidade de espírito, elas apresentam significativa atividade cerebral no córtex pré-frontal esquerdo. Por outro lado, aqueles que predominantemente vivenciam estados emocionais "negativos", tais como depressão, pessimismo ou ansiedade, e têm a tendência a se recolherem em si mesmos, manifestam uma atividade importante no córtex pré-frontal direito.

Além disso, quando comparamos os níveis de atividade das áreas do córtex pré-frontal esquerdo e direito em sujeitos que estão em repouso – ou seja, com a mente em estado natural –, descobrimos que a relação entre eles varia conforme a pessoa, refletindo de maneira muito fiel o temperamento dela. As pessoas que têm o lado esquerdo mais ativo do que o direito sentem na maioria das vezes emoções agradáveis. Já aqueles cujo córtex pré-frontal direito é mais ativo sentem com mais frequência emoções negativas. Vemos também que os sujeitos que sofreram alguma lesão no córtex pré-frontal esquerdo (causada por um acidente ou algum tipo de doença) são mais vulneráveis à depressão, talvez porque o lado direito não seja mais contrabalançado pelo esquerdo.

Essas características são relativamente estáveis e se manifestam desde a primeira infância. Um estudo realizado com quase quatrocentas crianças de dois anos e meio de idade revelou que aquelas que, ao entrarem em uma sala onde havia outras crianças, brinquedos e adultos, agarravam-se à mãe e só com relutância falavam com estranhos, apresentavam atividade predominante no córtex pré-frontal direito.[11] Já aquelas que se sentiam seguras, iam logo brincar e falavam sem medo, apresentavam atividade predominante no córtex esquerdo. É assim possível encontrar no cérebro a assinatura do temperamento extrovertido ou introvertido, o *imprint* (a marca) de uma disposição feliz ou infeliz.

Como diz Goleman:

> As implicações destas descobertas para o nosso equilíbrio emocional são profundas: cada um de nós tem uma relação característica da ativação esquerda/direita nas zonas pré-frontais, que oferece um barômetro dos humores que temos mais probabilidade de viver no dia a dia. Essa relação representa o ponto de equilíbrio emocional, a média em torno da qual flutuam esses humores cotidianos. Todos temos a capacidade de mudar de humor, pelo menos um pouco, e assim alterar essa relação. Quanto mais para a esquerda esta tende, maior a probabilidade de termos um bom estado mental, e as experiências que melhoram o nosso estado de espírito levam, pelo menos temporariamente, a tais movimentos para a esquerda. Por exemplo, a maior parte das pessoas apresenta pequenas mudanças positivas nessa relação quando pedimos que se lembrem de momentos agradáveis de sua vida, ou quando assistem a filmes divertidos ou que tragam alegria.[12]

O que acontece no caso dos meditadores que metodicamente e por longo tempo cultivaram estados mentais positivos, como a empatia e a compaixão? Alguns anos antes, Davidson havia estudado a assimetria entre os córtices pré-frontais direito e esquerdo em um monge tibetano idoso, que meditara sobre a compaixão várias horas por dia durante toda a sua vida. Davidson notara que a predominância da atividade no córtex esquerdo apresentada por esse monge era muito mais elevada do que nas outras 175 pessoas "comuns" testadas até aquele momento. Mais uma vez, os números obtidos no teste de um meditador estavam fora da curva de distribuição dos resultados de testes em várias centenas de outros sujeitos.

O mais surpreendente era o pico da assim chamada atividade gama no giro médio-frontal esquerdo. A pesquisa de Davidson já havia mostrado que essa parte do cérebro é um ponto focal das emoções positivas e que as flutuações em seu equilíbrio costumam ser pequenas. Mas os dados obtidos nos experimentos com os meditadores foram inusitados. Assim que começavam a meditar sobre a compaixão, registrava-se um notável aumento na atividade pré-frontal esquerda. A compaixão, o próprio ato de sentir interesse pelo bem-estar dos outros, parece ser uma das emoções positivas, como a alegria e o entusiasmo. Isso confirma as pesquisas feitas por psicólogos, que mostram que os membros mais altruístas da população são também os que manifestam os maiores índices de satisfação com a vida.

Usando imagens de RM, Lutz, Davidson e seus colaboradores também descobriram que a atividade cerebral dos praticantes que meditam sobre a compaixão era especialmente elevada no córtex pré-frontal esquerdo. A atividade nesse córtex inibe a do córtex pré-frontal direito (local das emoções negativas e da ansiedade), algo nunca visto antes no que se refere à atividade puramente mental.[13]

Resultados preliminares obtidos por Jonathan Cohen e Brent Field na Universidade de Princeton também sugerem que os meditadores treinados são capazes de manter a atenção focalizada em várias tarefas por um período de tempo muito maior do que sujeitos que não passaram por esse treinamento.

Isso é ainda mais admirável pelo fato de os meditadores estarem em um ambiente estranho para eles. Pediram-lhes que ficassem deitados na câmara apertada do escâner por longos períodos, sem mover a cabeça nem um milímetro para que os dados não fossem perdidos. Essa situação está longe da ideal para meditar, no entanto Davidson ficou surpreso ao ver que os meditadores saíam relaxados dessa rotina cruel.

LEITURA FACIAL

Outros resultados notáveis, descritos por Goleman em *Como lidar com emoções destrutivas*, foram relatados por Paul Ekman, um dos mais importantes cientistas que estudam a emoção, e que na época liderava o Laboratório de Interação Humana no campus da Universidade da Califórnia, em São Francisco. Ekman fazia parte do pequeno grupo de cientistas que esteve em Dharamsala e que presenciou a vinda de um dos primeiros meditadores aos laboratórios, vários meses antes. Em cooperação com esse monge, empreendeu quatro estudos, e em cada um deles, como disse, "descobrimos coisas que nunca havíamos encontrado antes".

Algumas descobertas eram tão inéditas, reconheceu Ekman, que nem ele mesmo estava seguro de ter conseguido compreendê-las por inteiro.

O primeiro experimento recorreu a um sistema de medida das expressões faciais usadas para transmitir várias emoções. O desenvolvimento desse sistema foi um dos grandes sucessos da carreira de Ekman. Trata-se de um vídeo em que uma série de faces com várias expressões diferentes é mostrada em uma rápida sucessão. Começa-se por uma face neutra seguida pela expressão propriamente dita, que permanece na tela por apenas um trigésimo de segundo. Ela passa com tamanha rapidez que, se piscarmos, poderemos deixar de percebê-la. Essa expressão emotiva é de novo substituída pela expressão neutra e assim por diante. O teste consiste em identificar, durante esse trigésimo de segundo, os sinais faciais que acabamos de ver: raiva, medo, aversão, surpresa, tristeza ou alegria.

A capacidade de reconhecer essas expressões fugazes foi associada a uma capacidade incomum de sentir empatia e *insight*. As seis microemoções propostas são universais, biologicamente determinadas e expressas facialmente de maneira igual no mundo todo.

Como comenta Goleman: "Se por um lado há grandes diferenças culturais na maneira como lidamos conscientemente com a expressão de emoções, tais como a aversão, essas expressões ultrarrápidas vêm e vão de maneira tão instantânea que eludem até os tabus culturais. As microexpressões abrem uma janela pela qual podemos observar a realidade emocional de uma pessoa".[14]

O estudo de milhares de sujeitos realizado por Ekman mostrou que as pessoas dotadas de maior talento para reconhecer microexpressões eram também as mais abertas para novas experiências, as mais curiosas sobre as coisas em geral, as mais confiáveis e mais eficientes. "Assim, eu já esperava que os muitos anos de experiência meditativa" – que requer tanto abertura quanto rigor – "deviam conferir-lhes uma melhor aptidão para realizar este exercício", explica Ekman.

Acontece que dois dos meditadores ocidentais experientes testados por Ekman obtiveram resultados muito melhores do que os dos cinco mil sujeitos previamente testados. "Eles se saíram melhor do que os policiais, advogados, psiquiatras, funcionários da alfândega, juízes – melhor até mesmo do que os agentes do Serviço Secreto", o grupo que tinha se mostrado até aquele momento como o mais preciso, observou Ekman. A partir disso, ele desenvolveu um CD interativo que ensina esta habilidade a qualquer um, em poucas horas. Mas sem esse treinamento especial, só os meditadores manifestaram-na em tal nível.

A REAÇÃO DE SOBRESSALTO

O sobressalto, um dos reflexos mais primitivos do repertório de respostas do corpo humano, envolve uma série de espasmos musculares muito rápidos em reação a um barulho repentino ou uma visão inesperada e perturbadora. Em todas as pessoas, os mesmos cinco músculos faciais contraem-se instantaneamente, sobretudo em torno dos olhos. O sobressalto surge dois décimos de segundo depois da audição do som e termina meio segundo após o mesmo. Todo o processo dura apenas um terço de segundo. Essas etapas são sempre as mesmas: somos feitos assim.

Como todos os reflexos, o sobressalto responde a uma atividade no tronco cerebral, a parte mais primitiva e reptiliana do cérebro que não está sujeita ao controle voluntário. Até onde a ciência sabe, nenhum ato intencional pode alterar o mecanismo que o controla.

Ekman se interessou pelo sobressalto porque sabemos que a sua intensidade revela a importância das emoções negativas a que estamos sujeitos – medo, raiva, tristeza ou aversão. Quanto mais uma pessoa se sobressalta e recua, tanto mais inclinada está para vivenciar as emoções negativas. Por outro lado, não há nenhuma relação entre o sobressalto e as emoções positivas, tais como a alegria.

Para testar o reflexo de sobressalto do primeiro meditador, Ekman levou-o até o outro lado da baía de São Francisco, ao Berkeley Psychophysiology Laboratory dirigido por Robert Levenson, da Universidade de Berkeley, seu colega de muitos anos. Foram registrados os movimentos corporais, o pulso, a taxa de sudação e a temperatura da pele do meditador. As suas expressões faciais foram filmadas para capturar todas as suas reações fisiológicas diante de um barulho repentino. Os experimentadores optaram pelo limite máximo da tolerância humana – uma detonação poderosa, equivalente a um tiro de revólver sendo disparado ao lado e bem próximo do ouvido.

Explicou-se ao sujeito da experiência que em algum momento, nos cinco minutos seguintes, ele ouviria uma forte explosão. Pediu-se a ele que tentasse neutralizar a forte reação que inevitavelmente teria, a ponto de, se pudesse, torná-la imperceptível. Algumas pessoas obtêm resultados melhores neste exercício do que outras, mas ninguém é capaz de suprimir a reação mesmo com os mais intensos esforços para restringir os espasmos musculares. Entre as centenas de sujeitos testados por Ekman e Levenson, nenhum jamais conseguira chegar a esse ponto. Pesquisas previamente realizadas haviam descoberto que até mesmo os atiradores de elite da polícia, que todo dia disparam as suas armas, não conseguiam deixar de recuar. Mas o meditador conseguiu.

Como explicou Ekman: "Quando ele tenta reprimir o sobressalto, este quase desaparece. Nunca encontrei ninguém que conseguisse fazer isso. Nenhum outro pesquisador encontrou. Esta é uma realização espetacular. Não temos a menor ideia das características anatômicas que lhe permitiram reprimir o seu reflexo de sobressalto".

Durante esses testes, o meditador praticou dois tipos de meditação: a *concentração* unidirecional (sobre um objeto único) e a *presença aberta*, tendo ambas sido estudadas por imagens de ressonância magnética no laboratório de Madison. Na opinião dele, o melhor efeito foi obtido com a meditação de presença aberta. "Nesse estado", disse, "eu não tentei controlar o sobressalto, mas a detonação pareceu mais fraca, como se eu a ouvisse de longe". Com efeito, de todos os testes, foi nesse que o meditador obteve os seus melhores resultados. Ekman descreveu que, apesar da ocorrência de algumas mudanças na sua fisiologia, nenhum músculo da sua face se moveu. O meditador explicou: "Estando distraído, a explosão de repente traz você de volta para o momento presente e faz com que você dê um salto, surpreso. Mas, na presença aberta, você está *repousando* no momento presente, e o ruído simplesmente ocorre, causando pouca ou nenhuma perturbação, como um pássaro cruzando o céu".

Apesar do fato de nenhum dos músculos faciais do meditador ter mostrado o menor tremor quando ele estava na presença aberta, seus parâmetros fisiológicos (pulso, transpiração, pressão arterial) seguiram o aumento que usualmente ocorre no reflexo de sobressalto. Isso significa que o corpo reagiu, registrando todos os efeitos da detonação, mas o som do disparo não teve nenhum impacto emocional na mente. O desempenho do meditador sugere uma notável equanimidade emocional – precisamente, o mesmo tipo de equanimidade que os antigos textos descrevem como sendo um dos frutos da prática meditativa.

O QUE FAZER COM TUDO ISSO?

A pesquisa, escreve Goleman,

> busca mapear [...] qual é a extensão em que o cérebro pode ser treinado para funcionar de maneira construtiva: contentamento em vez de desejo, calma e não agitação, compaixão em lugar do ódio. Os medicamentos são a modalidade mais usada no Ocidente para lidar com as emoções perturbadoras e, para o bem ou para o mal, não há dúvida de que as pílulas que alteram os nossos estados de ânimo trouxeram conforto para milhões de pessoas. Mas a pesquisa [com meditadores] levanta a questão de ser ou não possível a uma pessoa, através de seus próprios esforços, provocar mudanças positivas e duradouras no funcionamento do cérebro que sejam mais eficazes e permanentes do que os medicamentos sobre as emoções.[15]

Aos olhos dos especialistas das ciências cognitivas, o propósito dessas pesquisas não é apenas demonstrar as capacidades notáveis de alguns meditadores isolados, mas fazer com que suspendamos os nossos pressupostos a respeito da influência do treinamento mental sobre o desenvolvimento das emoções construtivas. "O que descobrimos é que a mente treinada, ou o cérebro, é fisicamente diferente daquele que não é treinado. Com o tempo, seremos capazes de compreender a importância potencial do treinamento da mente e aumentar a probabilidade de que ele seja levado a sério", diz Richard Davidson.[16] O mais importante é descobrir se esse treinamento da mente pode ser aplicado em qualquer pessoa que tenha determinação suficiente para levá-lo a cabo.

Podemos nos perguntar quanta prática é necessária para que o cérebro se modifique dessa maneira, especialmente em se tratando de um exercício tão sutil quanto a meditação. Por exemplo, no momento em que os violinistas de certo nível estão prontos para prestar o concurso de admissão ao Conservatório Superior de Música, já totalizaram em média dez mil horas de prática com o instrumento. A maior parte dos meditadores que estão sendo estudados agora por Antoine Lutz e Richard Davidson já fizeram muito mais do que dez mil horas de meditação. A maior parte do seu treinamento foi empreendida em extensos retiros, além dos seus anos de prática diária.

Para a grande maioria de nós, dez mil horas podem causar desânimo e parecer algo fora do nosso alcance. No entanto, há algumas notícias encorajadoras. Um estudo publicado por Richard Davidson, Jon Kabat-Zinn e outros mostrou que um treinamento de três meses de meditação realizado com funcionários de uma empresa de biotecnologia de Madison mudou de forma significativa para a esquerda a linha de base que mostrava as atividades diferenciais em seus córtices pré-frontais. O sistema imunológico desses aprendizes de meditação também recebeu um grande impulso, sendo a vacina contra a gripe que receberam no final do treinamento 20% mais eficaz do que a aplicada no grupo de controle.[17]

Fica bem claro que o que necessitamos, a seguir, é de mais estudos amplos e longitudinais sobre os efeitos da meditação em geral e mais particularmente do cultivo da bondade amorosa e da compaixão. Alguns estudos nesse sentido já estão sendo planejados. No recém-criado Santa Barbara Institute for Consciousness Studies, Alan Wallace dirigirá um retiro de oito meses para novos meditadores. Eles farão oito horas diárias de meditação e serão acompanhados por cientistas da University of California-Davis. Outro programa de pesquisas, "Cultivando o Equilíbrio Emocional", empreendido a pedido do Dalai Lama e encabeçado pelo Mind and Life Institute, foi iniciado por Paul Ekman e é atualmente dirigido por Margaret Kemeny na UC-San Francisco. Esse programa estuda o efeito de um curso de meditação, com a duração de três meses, sobre 150 professoras, e já apresentou resultados preliminares notáveis.

Se qualquer meditador é capaz de treinar a mente para fazer com que suas emoções destrutivas desapareçam, então elementos práticos desse treinamento de meditação podem ser incorporados à educação das crianças e ajudar os adultos a obter uma melhor qualidade de vida. Se tais técnicas de meditação são válidas e atingem os mecanismos mais profundos da mente humana, seu valor é universal e não precisam ser rotulados como budistas ainda que sejam fruto de mais de vinte séculos de investigação contemplativa da mente realizada por praticantes do budismo. A colaboração entre cientistas e meditadores nos dias de hoje pode despertar o interesse das pessoas para o imenso valor do treinamento da mente. Se a felicidade e o equilíbrio emocional são habilidades, não podemos subestimar o poder da transformação da mente e precisamos dar a devida importância aos métodos que de verdade permitem que nos tornemos seres humanos melhores.

CAPÍTULO 17

FELICIDADE E ALTRUÍSMO

O homem mais feliz é aquele que não tem,
em sua alma, nenhum traço de maldade.

PLATÃO

Um homem está deitado no gramado do parque em forma de quadrilátero da Universidade de Manchester, na Inglaterra, perto de um caminho por onde passa muita gente. Ele parece estar doente. As pessoas passam. Só um número muito pequeno entre elas – 15% – se detém para ver se ele necessita de ajuda. Mais tarde, o mesmo "cobaia" está deitado no mesmo gramado, mas agora veste a camiseta do time de futebol de Liverpool, rival do Manchester, que tem numerosos fãs entre os estudantes da universidade. Dos passantes, 85% deles (fãs do Liverpool) param para ver se o "seu colega" precisa de ajuda. Mais à frente, no fim do caminho, uma equipe de pesquisadores da universidade aplica um questionário a todos os transeuntes, independentemente de terem parado ou não.[1] Esse estudo, como muitos outros, confirma o fato de que o sentimento de *pertencer* influencia consideravelmente a manifestação do altruísmo. As pessoas sentem muito mais inclinação a oferecer assistência a um amigo ou a alguém com quem tenham alguma coisa em comum – grupo étnico, nacionalidade, religião, opiniões – do que a ajudar um estranho com quem não tenham nenhuma conexão em particular.

A abordagem do budismo consiste em aos poucos estender esse sentimento de pertencer até que inclua o conjunto de todos os seres. Para essa finalidade, é essencial compreender no nível mais fundamental que todos os seres vivos compartilham o mesmo desejo de evitar o sofrimento e viver o bem-estar. A fim de que tenha sentido, essa compreensão não pode ficar como um mero conceito, mas deve ser interiorizada até tornar-se uma segunda natureza. Por fim, quando o nosso sentimento de pertencer se estende a todos os seres vivos, somos tocados pelas suas alegrias e seus sofrimentos. Esta é a importantíssima noção de "responsabilidade universal" a que o Dalai Lama costuma referir-se.

AS ALEGRIAS DO ALTRUÍSMO

O que o altruísmo tem a ver com a felicidade? Em uma série de estudos realizados com centenas de estudantes, descobriu-se que há uma correlação inegável entre o altruísmo e a felicidade. Esses estudos mostraram que as pessoas que se declaram mais felizes são também as mais altruístas.[2] Quando estamos felizes, o sentimento de importância de nós mesmos diminui e ficamos mais abertos aos outros. Os estudos mostraram também, por exemplo, que as pessoas que tinham vivido um momento feliz na hora precedente sentiam-se mais inclinadas a prestar ajuda a estranhos.

Sabe-se que a depressão aguda é acompanhada por uma dificuldade de sentir e expressar amor pelos outros. "A depressão é um defeito do amor", escreve Andrew Solomon em seu livro *O demônio do meio-dia*. De modo ainda mais conclusivo: aqueles que passaram por uma depressão afirmam que dar amor aos outros e recebê-lo é um importante fator de cura. Essa afirmação está de acordo com o ponto de vista do budismo, que sustenta que o egoísmo é a principal causa do sofrimento, e o amor altruísta é um ingrediente essencial para a felicidade verdadeira. A interdependência entre todos os fenômenos em geral, e particularmente a que existe entre todos os seres, é tal que a nossa própria felicidade está intimamente ligada à dos outros. Portanto, como sublinhamos no capítulo sobre as emoções, a compreensão da interdependência está no coração de *sukha*, e a nossa felicidade passa necessariamente pela felicidade dos outros.

O trabalho de pesquisa feito por Martin Seligman, pioneiro da psicologia positiva, mostra que a alegria que acompanha um ato de bondade desinteressada produz uma profunda satisfação. Para verificar essa hipótese, ele pediu aos seus alunos que fizessem duas coisas – saíssem para se divertir e participassem de uma atividade filantrópica. Depois disso, deveriam escrever um relatório para entregar na aula seguinte.

Os resultados foram notáveis. As satisfações produzidas pelas atividades prazerosas, como sair com os amigos, ir ao cinema ou tomar uma *banana split*, foram largamente eclipsadas por aquelas trazidas por um ato de bondade. Quando esse ato era espontâneo e envolvia qualidades humanas, o dia inteiro transcorria melhor. As pessoas notaram que, nesses dias, eram melhores ouvintes, mais amigáveis, além de serem mais apreciadas pelos outros. "Ao contrário do prazer, o exercício da bondade é gratificante", conclui Seligman,[3] no sentido de que produz uma satisfação duradoura e um sentimento de harmonia com a nossa natureza interior. Jean-Jacques Rousseau observou: "Sei e sinto que fazer o bem é a felicidade mais verdadeira que o coração humano pode experimentar."[4]

Podemos sentir algum prazer em atingir as nossas metas em detrimento dos outros, mas essa satisfação é passageira e superficial, mascarando um sentimento de apreensão que não tardará a vir à superfície. Passada a excitação, somos forçados a admitir a presença de um certo desconforto. Poderíamos pensar que a benevolência está muito mais distante da nossa verdadeira natureza do que a maldade, mas viver em harmonia com essa natureza sustenta a alegria de viver, ao passo que rejeitá-la leva a uma insatisfação crônica.

SOMOS NATURALMENTE EGOÍSTAS?

Se os biólogos não confiam muito na noção de "natureza humana", os filósofos não veem nenhum problema em oferecer opiniões bem definidas sobre esse tema. O filósofo inglês do século XVII, Thomas Hobbes, por exemplo, estava convencido de que os seres vivos são fundamentalmente egoístas e de que o verdadeiro altruísmo está excluído do comportamento humano. Para ele, qualquer coisa que lembrasse altruísmo não seria mais do que mero egoísmo vestido de bons sentimentos. Em certa ocasião, no fim de sua vida, foi surpreendido ao oferecer ajuda a um mendigo. Quando lhe perguntaram se tinha ou não realizado um ato altruísta, ele respondeu: "Não, o sofrimento desse homem me fez sofrer, e ao aliviar o seu sofrimento aliviei o meu". Não há dúvida de que o conceito de pecado original, que é peculiar à civilização cristã – juntamente com o sentimento de culpa de que está imbuído até as entranhas –, não é estranho a essa maneira de pensar. De fato, ele teve uma influência considerável sobre a esfera intelectual do Ocidente, e ainda hoje desempenha um papel que não podemos ignorar, mesmo entre aqueles que não falam a partir de uma perspectiva religiosa.

Muitos teóricos da evolução sustentaram por muito tempo que os genes responsáveis pelo comportamento egoísta teriam mais probabilidade de ser transmitidos para as gerações seguintes. Como os indivíduos portadores desses genes sistematicamente dão prioridade aos seus próprios interesses em vez dos interesses alheios, argumentam, eles teriam maior chance de sobreviver e de se reproduzir do que os altruístas. Essas duras afirmações têm sido abrandadas nos últimos anos e hoje admite-se que os comportamentos de cooperação, aparentemente altruístas, podem ser úteis para a sobrevivência e a proliferação das espécies.

O filósofo da ciência Elliott Sober, por exemplo, mostrou por meio de modelos muito convincentes que indivíduos altruístas e isolados, quando têm contato com indivíduos egoístas e violentos, são dominados e desaparecem com rapidez.[5] De modo inverso, se esses altruístas se agrupam e cooperam uns com os outros, levam uma vantagem evolucionária inegável sobre os egoístas, que também lutam entre si e, portanto, podem lentamente desaparecer da população.

Segundo o filósofo holandês Han de Wit, a vulgarização das ideias científicas a respeito da seleção natural e os "genes egoístas" levou-nos, em certos momentos, a "conferir um *status* quase existencial ao egoísmo: ele faz parte do homem [...]. O ser humano acaba sempre por dar prioridade ao seu interesse pessoal, apesar de tudo e de todos. Nessa ótica, uma explicação da ação humana só pode ser aceitável se atribuir importância crucial ao interesse pessoal".[6] Para o sociólogo Garett Hardin, a regra fundamental que decorre disso é: "Nunca peça a alguém para agir contra o seu próprio interesse".[7]

UM ALTRUÍSMO VERDADEIRO

As pesquisas contemporâneas da psicologia do comportamento mostraram um quadro bem diferente desse. O psicólogo Daniel Batson escreve: "Nos últimos quinze anos, outros psicólogos sociais e eu conduzimos mais de vinte e cinco experimentos, concebidos para testar a natureza da motivação de ajudar os outros evocada pela empatia. Os resultados desses experimentos dão sustentação à hipótese da empatia/altruísmo. Nenhuma das explicações que lança mão do egoísmo como hipótese recebeu suporte significativo".[8] O altruísmo genuíno, motivado por nenhuma outra razão senão o bem dos outros, apesar de tudo, é possível.

Para colocar em evidência o altruísmo puro, temos que eliminar várias outras explicações segundo as quais todo comportamento altruísta não seria mais do que egoísmo disfarçado. Os experimentos conduzidos por Batson e sua equipe descobriram que, na verdade, é possível identificar vários tipos de altruístas. Os "falsos altruístas" ajudam porque não conseguem aguentar a sua própria angústia ante o sofrimento das outras pessoas, e se apressam em desanuviar a sua própria tensão emocional. Eles também ajudam porque têm medo de ser julgados, ou a partir do desejo de serem elogiados, ou ainda para evitar o sentimento de culpa. Se não têm outra escolha senão intervir, socorrem a pessoa que está em dificuldades (desde que o preço disso não seja muito elevado), mas se puderem evitar ter que presenciar o doloroso espetáculo do sofrimento, ou puderem se esquivar sem incorrer em nenhuma desaprovação, não intervêm com mais frequência do que os indivíduos em que o altruísmo é pouco desenvolvido.

Os "altruístas verdadeiros", por outro lado, oferecem-se para ajudar mesmo quando poderiam olhar para o outro lado sem que ninguém notasse. As pesquisas descobriram que esses altruístas verdadeiros somam, no Ocidente, cerca de 15% da população, e que esse altruísmo é, na personalidade deles, um traço duradouro.

Como saber se uma pessoa considerada altruísta não está agindo apenas a partir da motivação de sentir o orgulho que vem de realizar um ato de bondade? Devemos determinar se essa pessoa ficaria igualmente contente se *qualquer outro* o fizesse. Para um altruísta verdadeiro, é o resultado que conta, não a satisfação pessoal de ter ajudado. Isso é precisamente o que foi demonstrado por Batson e sua equipe, em seus complexos estudos.[9]

No mundo real, exemplos de altruísmo genuíno ocorrem em abundância – quantas mães se dispõem, sinceramente, a sacrificar a vida para salvar a de seus filhos? Esse exemplo pode ser ampliado ainda mais, já que, no budismo, o verdadeiro altruísta aprende a olhar para todos os seres com a mesma proximidade que teria se eles fossem seus parentes.

Citemos um exemplo. Dola Jigme Kalsang foi um sábio tibetano do século XIX. Certo dia, durante uma peregrinação à China, chegou à praça central de uma pequena cidade onde uma multidão estava reunida. Conforme se aproximava, descobriu que um ladrão estava prestes a ser assassinado de maneira particularmente cruel: seria colocado no dorso de um cavalo feito de ferro, que havia sido aquecido até ficar avermelhado. Dola Jigme abriu caminho na multidão e anunciou: "Sou eu o ladrão!". Fez-se um grande silêncio. O mandarim que governava aquela parte do país voltou-se impassivelmente para o recém-chegado e perguntou: "Você está pronto para assumir as consequências do que acaba de nos dizer?". Dola Jigme aquiesceu. Ele morreu no lombo do cavalo, e o ladrão foi libertado. Em um caso assim, tão impressionante e terrível, qual poderia ter sido a motivação de Dola Jigme senão a infinita compaixão pelo condenado? Um estranho, naquele lugar, poderia ter seguido o seu caminho sem que ninguém lhe prestasse a menor atenção. Ele agiu a partir do altruísmo e de uma benevolência incondicional para salvar a vida de um estranho. Este é, naturalmente, um caso excepcional de renúncia, feito por alguém que não tinha família ou qualquer outra pessoa que dependesse dele para seu sustento ou proteção, mas nos diz muito sobre o potencial para o altruísmo presente na mente humana.

Um exemplo mais próximo de nós é o de Maximilian Kolbe, um padre franciscano que, em Auschwitz, se ofereceu para tomar o lugar de um pai de família. Este, juntamente com nove outras pessoas, tinha sido escolhido para morrer de fome e de sede em represália à fuga de um outro prisioneiro. Não obstante a palavra *altruísmo* ter sido cunhada apenas em 1830 por Auguste Comte, significando o oposto do termo egoísmo, é possível ser *fundamentalmente altruísta*, ou seja, preocupar-se mais com a sorte dos outros do que com a nossa própria. Tal atitude pode ou não fazer parte da nossa disposição ou caráter desde o começo da vida, mas de qualquer modo podemos desenvolvê-la. Como vimos no capítulo "Felicidade no laboratório", pesquisas feitas com meditadores experientes apresentam evidências de que o amor altruísta e a compaixão são habilidades que podem ser treinadas ao longo dos anos.

É interessante notar que, segundo vários outros estudos, as pessoas que sabem lidar melhor com as suas emoções se comportam de maneira mais altruísta do que aquelas que são demasiadamente emotivas.[10] Confrontadas com o sofrimento dos outros, as emotivas ficam mais preocupadas em administrar as suas próprias emoções, dominadas pelo medo, a ansiedade e a angústia, do que em fazer alguma coisa quanto ao sofrimento alheio. Isso é considerado lógico pelo budismo, já que a liberdade interior, que nos livra do aprisionamento trazido pelas emoções conflituosas, só é obtida minimizando-se o amor obsessivo por si mesmo. Uma mente livre, vasta e serena, está muito mais apta a considerar uma situação dolorosa a partir de uma perspectiva altruísta do que uma mente assediada por conflitos interiores. Além disso, é interessante ver como certas pessoas que testemunharam uma situação de injustiça ou agressão acabam se prendendo mais ao malfeitor – perseguindo-o, agredindo-o ou molestando-o – do que em ajudar a vítima. De modo nenhum isso é altruísmo, mas, sim, raiva.

OURO É OURO

O budismo considera as emoções destrutivas como construções mentais, que surgem no fluxo da nossa consciência, mas não pertencem à sua natureza fundamental. Se voltarmos o olhar para o nosso íntimo e examinarmos a mente a longo prazo, perceberemos que essa natureza primordial é a faculdade cognitiva básica que "ilumina", no sentido de que lança a luz da atenção, da percepção, sobre fenômenos exteriores e eventos mentais interiores – sobre tudo o que conhecemos. Essa faculdade é subjacente a todos os pensamentos, mas ela própria não é essencialmente modificada por eles, assim como a superfície de um espelho não se modifica intrinsecamente pelas imagens refletidas nele.

Podemos perceber também que as emoções negativas – a raiva, por exemplo – são mais periféricas e menos fundamentais do que o amor e a ternura. Elas surgem na maioria dos casos como reações a uma provocação ou outro evento específico, não sendo estados mentais constitutivos ou permanentes. Mesmo se temos um caráter irascível e muitas vezes nos deixamos dominar pela raiva, ela sempre é desencadeada por um incidente particular. Excetuando-se os casos patológicos, é muito raro vivenciar um estado prolongado de ódio que não seja dirigido a um objeto preciso. O altruísmo e a compaixão constituem, por outro lado, estados muito mais fundamentais, que habitam a nossa mente como um modo de ser e têm uma duração que independe dos objetos a que se dirigem ou dos estímulos específicos que os desencadearam.

É possível que a raiva nos ajude a superar obstáculos, mas ela pode e deve ser limitada. As pessoas com uma personalidade hostil, predispostas a sentir raiva contra qualquer obstáculo, por menor que seja, são disfuncionais na sociedade e sofrem muito. Já o amor e a ternura são, de longe, essenciais para a sobrevivência a longo prazo. O recém-nascido não duraria mais do que algumas horas sem a ternura e o cuidado da sua mãe, o idoso incapacitado logo morreria sem a atenção daqueles que estão ao seu redor. Temos necessidade de receber amor para podermos dar amor, e para sabermos como fazê-lo. Esse reconhecimento está de acordo com a investigação da natureza da mente e o sentimento de estar em sintonia com a nossa natureza profunda. Muitas vezes dizemos, depois de um acesso de raiva, "eu estava fora de mim" ou "perdi o controle". Mas quando agimos com bondade desinteressada, por exemplo ao ajudarmos um ser humano ou um animal a recuperar a sua saúde ou liberdade, ou mesmo a escapar da morte, temos o sentimento de que estamos em harmonia com a nossa verdadeira natureza. Como seria vivenciar esse estado de espírito com mais frequência, sentir que as barreiras ilusórias erigidas pelo eu se dissolvem, e que o nosso sentimento de comunhão com os outros reflete a interdependência essencial de todos os seres?

Os fatores mentais destrutivos são desvios que aos poucos nos afastam da nossa verdadeira natureza, chegando ao ponto de nos esquecermos de que ela existe. No entanto, nada se perde para sempre. Mesmo recoberto pela imundície, o ouro permanece ouro em sua natureza essencial. As emoções destrutivas são apenas véus que a recobrem. O padre Pierre Ceyrac, renomado missionário jesuíta que nos últimos sessenta anos cuidou de trinta mil crianças na Índia, disse-me: "Apesar de tudo, fico assombrado com a bondade das pessoas, mesmo aquelas que parecem ter o coração e os olhos fechados. São as outras pessoas, todas as outras, que criam o tecido das nossas vidas e formam a matéria da nossa existência.

Cada uma delas é uma nota no 'grande concerto do universo', como dizia o poeta Tagore. Ninguém pode resistir ao chamado do amor. No fim, sempre acabamos nos abrindo para ele. Acredito de verdade que o homem é intrinsecamente bom. É preciso, a cada dia, ver na pessoa o bem e o belo, e nunca destruir – procurar sempre a grandeza do homem, sem distinção de religião, casta, crença ou pensamento."

A relação entre ter um bom coração e a felicidade fica ainda mais evidente. Um engendra e reforça o outro, e ambos refletem harmonia com a nossa natureza profunda. A alegria e a satisfação estão estreitamente ligadas ao amor e à ternura. Quanto à miséria e à infelicidade, andam lado a lado com o egoísmo e a hostilidade. Shantideva escreve:

> Todos os que são infelizes o são por terem procurado a própria felicidade,
> Todos os que são felizes o são por terem procurado a felicidade dos outros.
> De que servem tantas palavras?
> Basta comparar o tolo que fica apegado ao seu próprio interesse
> E o santo que age no interesse dos outros.[11]

Gerar e expressar a bondade dessa maneira dissipa o sofrimento, deixando em seu lugar um sentimento duradouro de plenitude. Do mesmo modo, a realização progressiva de *sukha* permite que a bondade se desenvolva como o reflexo natural da alegria interior.

CAPÍTULO 18

FELICIDADE E HUMILDADE

> Se você mantiver sua mente humilde, o orgulho
> se dissipará como a névoa da manhã.
> DILGO KHYENTSE RIMPOCHE

Quantas vezes durante o dia sentimos dor porque somos feridos no nosso orgulho? O orgulho, que é a exacerbação da importância de si mesmo, consiste em ficar apaixonado pelas poucas qualidades que possuímos e em imaginar que possuímos aquilo que nos falta. Ele atrapalha todo progresso pessoal, porque para aprender devemos primeiro acreditar que não sabemos. Diz o adágio tibetano: "A água das boas qualidades não se acumula no topo do rochedo do orgulho". E: "A humildade é como um vaso colocado no chão, pronto para receber a chuva das qualidades".

A humildade é um valor esquecido no mundo contemporâneo. A nossa obsessão com a imagem que temos que projetar de nós mesmos é tão forte, que paramos de questionar a validade das aparências e passamos a buscar incessantemente uma aparência melhor.

Que imagem de nós mesmos devemos projetar? Sabemos que os políticos e as estrelas de cinema têm "consultores de comunicação" cujo trabalho é forjar-lhes uma imagem favorável para o grande público, chegando às vezes a ensinar-lhes como sorrir! Pouco importa se essa imagem é o oposto do que eles verdadeiramente são, desde que ela os faça elogiados, reconhecidos, admirados, adulados. Os jornais dedicam cada vez mais espaço às colunas sociais, sobre as "pessoas que são notícia", publicando as suas avaliações sobre quem está na moda e quem não está. Diante disso, que lugar resta para a humildade, um valor tão raro que poderia ser relegado ao museu das virtudes obsoletas?

O conceito de humildade é muitas vezes associado ao desprezo por si mesmo, à falta de confiança nas próprias capacidades, à depressão ligada a um sentimento de impotência e até a um complexo de inferioridade, um sentimento de menos-valia ou de não ser digno. Isso é subestimar consideravelmente os benefícios da humildade, pois se a suficiência é privilégio do estúpido, a humildade é a virtude fecunda daquele que sabe quanto ainda tem que aprender e a extensão do caminho a ser percorrido. Diz S. Kirpal Singh: "A verdadeira humildade consiste em ser livre de toda consciência do eu, o que implica ser livre da própria consciência da humildade. O homem de fato humilde ignora a sua humildade".[1] Na ausência do sentimento de ser o centro do universo, ele está aberto para os outros e se situa na perspectiva justa da interdependência.

No plano coletivo, o orgulho se expressa na convicção de ser superior aos outros como nação, povo ou raça, ou de ser o guardião dos verdadeiros valores da civilização, e na necessidade de impor esse "modelo" dominante às pessoas ou povos "ignorantes" através de todos os meios que estejam ao seu alcance. Essa atitude muitas vezes é tomada como pretexto para "desenvolver" os recursos de países subdesenvolvidos. Os conquistadores e seu clero queimaram sem hesitar as imensas bibliotecas maias e astecas do México, das quais não sobreviveram mais do que uma dúzia de volumes. Os manuais escolares e os meios de comunicação de massa chineses ainda se aprazem em descrever os tibetanos como bárbaros retrógrados e o Dalai Lama como um monstro que, se ainda estivesse no Tibete, se alimentaria de cérebros de recém-nascidos, usando suas peles como tapete em seu quarto!

Foi o orgulho, acima de tudo, que fez com que os chineses ignorassem os milhares de volumes de filosofia abrigados nos monastérios budistas antes de demolir seis mil desses centros de aprendizagem.

De que maneira a humildade constitui um ingrediente da felicidade? Os arrogantes e os narcisistas se alimentam de fantasmas e ilusões que entram continuamente em conflito com a realidade. As desilusões inevitáveis que decorrem disso podem levar ao ódio de nós mesmos (quando percebemos que não conseguimos estar à altura das nossas expectativas) ou a um sentimento de vazio interior. Com uma sabedoria em que não há lugar para as fanfarrices do eu, a humildade evita esses tormentos inúteis. Diferentemente da afetação, que tem necessidade de ser reconhecida para sobreviver, a humildade está ligada a uma grande liberdade interior.

O humilde não tem nada a perder e nada a ganhar. Se recebe um elogio, sente que é a sua humildade, e não ele próprio, que está sendo louvada. Se é criticado, considera que trazer as suas faltas à luz do dia é o melhor serviço que alguém poderia lhe prestar. "Poucas pessoas são suficientemente sábias para preferir a crítica útil ao elogio traiçoeiro", escreveu La Rochefoucauld, fazendo eco aos sábios tibetanos que, de bom grado, nos recordam que "o melhor ensinamento é aquele que desmascara as nossas faltas escondidas". Igualmente livre da esperança e do medo, a pessoa humilde permanece alegre e despreocupada.

A humildade é também uma atitude em essência voltada para os outros e para o bem-estar deles. Estudos de psicologia social mostraram que as pessoas que supervalorizam a si mesmas apresentam tendência para a agressividade superior à média.[2] Esses estudos também colocaram em evidência uma ligação entre a humildade e a faculdade de perdoar.[3] Aqueles que se consideram superiores julgam os erros dos outros com mais severidade e consideram-nos como menos perdoáveis.

Paradoxalmente, a humildade favorece a força do caráter: a pessoa humilde toma decisões tendo por base aquilo que considera certo, justo, sem se inquietar com a sua própria imagem ou a opinião dos outros. Como diz o provérbio tibetano: "Por fora, ele é dócil como um gatinho; por dentro, tão duro de dobrar quanto o pescoço de um iaque". Essa determinação nada tem a ver com obstinação ou teimosia, surgindo da percepção lúcida de um objetivo significativo. É inútil tentar convencer o lenhador que conhece a floresta a tomar o caminho que leva ao precipício.

A humildade é uma qualidade sempre encontrada no sábio: podemos compará-lo a uma árvore cujos galhos, carregados de frutos, se curvam para o chão. Já o homem cheio de vaidade se parece mais com uma árvore nua, cujos galhos apontam com orgulho para cima. A humildade também se traduz em uma linguagem corporal desprovida de arrogância e ostentação. Nas viagens que fiz em companhia de Sua Santidade o Dalai Lama, vi com meus próprios olhos a imensa humildade, cheia de um amor bondoso, que tem esse homem universalmente reverenciado. Ele está sempre atento a todos e jamais se coloca como uma pessoa importante. Certo dia, quando entrávamos em uma sala onde o Parlamento Europeu oferecia um banquete em sua honra, ele percebeu que os cozinheiros o observavam de trás de uma porta semiaberta. Antes de mais nada dirigiu-se a eles para visitar a cozinha e pouco depois reapareceu, dizendo ao presidente e aos quinze vice-presidentes do Parlamento: "Que cheiro delicioso!". Uma excelente maneira de quebrar o gelo em uma refeição tão solene.

Testemunhar o reencontro de dois mestres espirituais é, do mesmo modo, uma fonte inesgotável de inspiração. Diferentemente das personalidades imbuídas de si, que fazem de tudo para ocupar o lugar de honra, os mestres "rivalizam" na humildade. Emocionei-me ao presenciar o encontro entre o Dalai Lama e Dilgo Khyentse Rimpoche: ambos se prostraram um diante do outro, ao mesmo tempo, tocando as cabeças quando estavam próximos ao solo. Dilgo Khyentse Rimpoche já estava bem idoso e Sua Santidade, mais ágil, inclinou-se três vezes diante de Dilgo Khyentse antes que este tivesse tempo de se levantar da sua primeira prostração. E o Dalai Lama, com isso, rompeu em gargalhadas.

Os ocidentais igualmente se surpreendem quando ouvem grandes eruditos ou meditadores do Oriente dizerem: "Nada sou e nada sei". Acreditam que se trata de falsa modéstia ou de um hábito cultural, quando, na verdade, não passam pela cabeça desses sábios pensamentos do tipo "*eu* sou sábio" ou "eu sou um meditador realizado". A humildade e o desinteresse natural que têm pela própria pessoa não significam que eles não tenham ciência de seu conhecimento e erudição, mas que esse aprendizado revela o quanto ainda há por saber. Uma vez compreendida, essa atitude pode ser tocante e até mesmo engraçada, como na ocasião em que participei de uma visita que dois grandes eruditos tibetanos fizeram a Dilgo Khyentse Rimpoche, no Nepal. O encontro desses homens notáveis foi cheio de graça e de uma alegre simplicidade. Durante a conversa, Khyentse Rimpoche pediu-lhes que dessem ensinamentos aos monges do monastério. Um dos eruditos respondeu com sinceridade: "Oh, mas eu não sei nada!" e, apontando para o seu colega, prosseguiu, dizendo: "E *ele* também não sabe!". Ele tinha certeza de que o outro erudito teria dito a mesma coisa. Este acenou com a cabeça, concordando.

CAPÍTULO 19

OTIMISMO, PESSIMISMO E INGENUIDADE

> Ela adorava a chuva tanto quanto o sol.
> Seus menores pensamentos tinham uma coloração alegre
> como as flores belas, vigorosas, agradáveis aos olhos.
> ALAIN

Certa manhã, no pátio do monastério, eu olhava para uma árvore com algumas flores vermelhas, onde estavam pousados talvez uma dúzia de pardais. Tudo o que eu via produzia em mim um sentimento de júbilo interior e de percepção da pureza infinita dos fenômenos. Forcei minha mente a entrar em uma disposição mais depressiva e invoquei todo o tipo de sentimentos negativos. De um momento para outro, a árvore me pareceu poeirenta, as flores murchas e o chilrear dos pardais começou a me irritar. Perguntei-me qual era a maneira correta de olhar para as coisas e cheguei à conclusão de que era a primeira, porque gerou uma atitude aberta, criativa e liberadora, que se traduziu em uma grande satisfação. Uma atitude assim permite que abracemos o universo e os seres, fazendo desaparecer qualquer divisão egocêntrica entre o eu e o mundo. Já quando nos agarramos a uma percepção "impura" dos fenômenos, algo soa falso – sentimo-nos "desconectados" do universo, que então parece tedioso, estranho, distante, artificial e às vezes hostil.

AS ACUSAÇÕES INFUNDADAS CONTRA O OTIMISMO

Por muito tempo os psicólogos acreditaram que as pessoas ligeiramente depressivas eram as mais "realistas". Com efeito, os otimistas têm tendência a se referir com maior frequência aos eventos prazerosos do que às situações dolorosas e a superestimar o seu desempenho passado e a maestria que exerceram sobre as coisas. Pesquisadores submeteram um grupo de pessoas a uma série de questões com certa dificuldade, de tal modo que elas errariam, em média, uma a cada duas perguntas. A cada resposta, os participantes eram informados do resultado, mas a sua pontuação final não lhes era comunicada. No dia seguinte, quando os pesquisadores perguntaram a cada um deles a respeito do que esperavam da pontuação total, as pessoas ligeiramente deprimidas estimaram corretamente terem se enganado uma vez a cada duas questões, ao passo que os otimistas pensaram que só tinham se enganado uma vez a cada quatro.[1]

O pessimista teria, então, tendência a andar com os olhos bem abertos e avaliar as situações mais lucidamente do que o otimista. "Ainda que a realidade não seja sempre divertida, você deve ver as coisas como são", ele poderia dizer. O otimista, por outro lado, seria um exultante mas incurável sonhador, sempre ingênuo. "Logo a vida vai fazê-lo ter os pés no chão", pensamos. Acontece que nada disso é verdade. Estudos posteriores mostraram que é preciso não se contentar com a avaliação objetiva, distanciada e desconfiada da realidade a que se abandonam os pessimistas. Quando não se trata de testes que lembram jogos, mas sim de situações reais, extraídas da vida diária, a abordagem do otimista é mais pragmática do que a do pessimista. Por exemplo: se mostrarmos a um grupo de mulheres que bebem café um relatório sobre o aumento do risco de câncer no seio com o uso de cafeína, ou mostrarmos a um grupo de pessoas que gostam de tomar banho de sol outro relatório dizendo que essa prática aumenta o risco de câncer de pele, uma semana depois os otimistas se lembrarão melhor dos detalhes desses relatórios do que os pessimistas, levando-os mais em consideração na sua conduta.[2] Mais ainda, os otimistas concentram-se de maneira atenta e seletiva nos riscos que de fato lhes dizem respeito, em vez de se inquietarem de maneira inútil e ineficaz com tudo.[3] Desse modo, permanecem mais serenos do que os pessimistas e poupam sua energia para os perigos reais.

Se observarmos a maneira como as pessoas percebem os acontecimentos da sua vida, apreciam a qualidade do momento vivido, e criam o seu futuro superando obstáculos graças a uma atitude aberta e criativa, percebemos que os otimistas têm uma vantagem inegável sobre os pessimistas. Muitos estudos mostram que eles têm mais sucesso nos exames, na profissão que escolheram e nos seus relacionamentos; que vivem mais e com mais saúde, têm uma probabilidade maior de sobreviver aos traumas pós-operatórios e são menos propensos à depressão e ao suicídio.[4] Nada mal, não é? Em 1960, realizou-se um estudo com mais de novecentas pessoas internadas em um hospital americano. Avaliou-se, através de testes e questionários, o grau de otimismo e outros traços psicológicos desses sujeitos. Quarenta anos mais tarde, o estudo demonstrou que os otimistas viveram 19% mais do que os pessimistas – para um octogenário, isso representa desesseis anos a mais de vida.[5] Além disso, Martin Seligman mostra que os pessimistas têm oito vezes mais chances de ficarem deprimidos quando as coisas vão mal, e seu desempenho na escola, nos esportes e no trabalho é inferior ao que seria de esperar pelo seu talento e capacidades. Mostrou também que é o pessimismo que agrava a depressão e as outras dificuldades citadas e não o contrário, e que quando se ensina a essas pessoas como superar o pessimismo mudando a sua perspectiva, elas se tornam muito menos sujeitas a recaídas da depressão. Os psicólogos descrevem o pessimismo como um "modo de explicação" do mundo que gera uma "impotência adquirida".[6]

DUAS MANEIRAS DE VER O MUNDO

O otimista é uma pessoa que considera as suas dificuldades como momentâneas, controláveis e ligadas a uma situação específica. Ele dirá: "Não há motivo para fazer tanto barulho, essas coisas não duram. Eu vou encontrar uma solução e, de todo modo, em geral dá tudo certo". O pessimista, ao contrário, pensa que os seus problemas vão durar ("Este é o tipo de coisa que não se resolve sozinha"), comprometendo tudo o que ele empreende e que escapa ao seu controle ("O que você quer que eu faça?"). Ele imagina ter em si algum tipo de imperfeição determinante ("Não importa o que eu faça, é sempre a mesma coisa"), presume que a situação não tem saída e conclui: "Não nasci para ser feliz".

O sentimento de insegurança que aflige tantas pessoas hoje em dia está intimamente ligado ao pessimismo. O pessimista antecipa o desastre e torna-se uma vítima crônica da ansiedade e da dúvida. Mal-humorado, irritável e nervoso, não tem confiança nem no mundo nem em si mesmo, e sempre espera ser intimidado, abandonado e ignorado.

Eis uma anedota sobre um pessimista. Em um belo dia de verão, um motorista passava por uma região do interior do país quando um dos pneus do seu carro furou, no meio do nada. Para tornar as coisas ainda piores, descobriu que não tinha um macaco para erguer o carro e trocar o pneu. O lugar era praticamente deserto. Havia apenas uma casa solitária à vista, na subida de um morro. Depois de alguns minutos de hesitação, o viajante decidiu ir até lá e pedir um macaco emprestado. No caminho, começou a pensar: "Mas e se o dono não quiser me emprestar o macaco? Vai ser muito ruim se ele me deixar nessa situação!". À medida que se aproximava da casa, foi ficando cada vez mais contrariado. "Eu nunca faria isso com um estranho. Seria odioso!" Finalmente, bateu na porta da frente da casa e, quando o dono a abriu, gritou: "Pode ficar com o seu macaco, seu filho da mãe!".

O otimista, por outro lado, acredita que é possível realizar as suas aspirações e que, com paciência, determinação e inteligência, chegará lá. E o que acontece é que, quase sempre, ele chega mesmo.

Na vida diária, o pessimista é aquele que já começa adotando uma atitude de recusa, mesmo que ela seja totalmente inadequada. Lembro-me de um oficial butanês com quem eu costumava tratar. Cada vez que eu lhe fazia uma pergunta, ele respondia "não, não, não" qualquer que fosse a frase, o que dava às nossas conversas um tom cômico.

"O senhor acha que poderemos partir amanhã cedo?"

"Não, não, não... esteja pronto para sair às nove da manhã."

O pessimista é desconfiado e raras vezes concede o benefício da dúvida. Como diz Alain: "Se o cumprimentam, é para ridicularizá-lo; se o ajudam, para humilhá-lo. O segredo é um complô obscuro. Esses males da imaginação não têm remédio, no sentido de que, para o homem infeliz, os melhores acontecimentos sorriem em vão. Ele não tem mais vontade de acreditar na felicidade".[7] Do ponto de vista subjetivo, os otimistas gozam de um bem-estar muito maior e abordam as relações ou situações novas com muito mais confiança do que suspeita.

Talvez os pessimistas encarem essa enumeração de vantagens como uma forma de agressão arrogante e inoportuna, imaginando que a felicidade é impossível. Se o pessimismo e o sofrimento fossem tão imutáveis quanto as impressões digitais ou a cor dos olhos, seria muito mais delicado não falar sobre os benefícios da felicidade e do otimismo. Mas se o otimismo é uma maneira de ver a vida e a felicidade, uma condição que pode ser cultivada, comecemos o trabalho imediatamente, sem mais delongas ou tergiversações. Como escreveu Alain: "Como seria maravilhosa a sociedade dos homens se cada um pusesse a sua lenha na fogueira, em vez de ficar chorando sobre as cinzas!".[8]

Mesmo se nascemos com certa predisposição para ver a vida cor-de-rosa, e se a influência daqueles que nos elevam pode fazer com que a nossa atitude tenda para o pessimismo ou para o otimismo, a nossa interpretação do mundo pode mais tarde mudar, e de maneira considerável, porque a nossa mente é flexível.

Não nos detenhamos na imagem irreal do otimismo beato. Para além desse clichê com o qual adoramos perturbar os otimistas, oculta-se uma série de qualidades: esperança, determinação, faculdade de adaptação, lucidez, serenidade e força de caráter, pragmatismo, coragem e até mesmo audácia, todas essas encontradas em *sukha*, a verdadeira felicidade.

ESPERANÇA

Para um otimista, não faz sentido perder a esperança. *Sempre* se pode fazer alguma coisa (em vez de ficar se sentindo desesperado, resignado ou desgostoso com a vida); limitar os estragos (no lugar de deixar tudo se arruinar); descobrir uma solução alternativa (em vez de chafurdar na autopiedade pelo fracasso); reconstruir o que foi destruído (em vez de dizer "é o fim de tudo!"); tomar a situação corrente como um ponto de partida (no lugar de perder tempo chorando pelo passado e lamentando o presente); recomeçar do nada (em vez de terminar em nada); compreender que é essencial se esforçar sempre na direção que parece ser a melhor (em vez de ficar paralisado pela indecisão e pelo fatalismo); e usar cada momento presente para avançar, apreciar, agir e desfrutar o bem-estar interior (em vez de perder tempo ruminando o passado e temendo o futuro).

Mas há aqueles que dizem, como o fazendeiro australiano entrevistado por uma estação de rádio durante os incêndios florestais em 2001: "Perdi tudo, nunca mais vou conseguir reconstruir a minha vida". E há pessoas como o navegador Jacques-Yves Le Toumelin, que, ao ver em chamas o seu primeiro barco, incendiado pelos alemães em 1944, parafraseou Rudyard Kipling: "Se tu podes ver destruída a obra da tua vida e, sem perder tempo, colocar novamente tuas mãos à obra, então serás um homem, meu filho". Sem tardar, ele construiu um novo barco, com o qual deu a volta ao mundo, velejando sozinho.

A esperança é definida pelos psicólogos como a convicção de que é possível encontrar os meios para realizar as nossas metas, desenvolvendo a motivação necessária para isso. Sabe-se que a esperança melhora as notas dos estudantes em seus exames, bem como o desempenho dos atletas, ajuda a suportar as doenças e as enfermidades debilitantes, e torna a própria dor mais fácil de ser tolerada (como dores de queimaduras, de artrite, de contusões na coluna vertebral, ou diante da cegueira). Usando um método para mensurar a resistência à dor foi possível demonstrar, por exemplo, que pessoas que manifestam tendência marcante para a esperança são capazes de tolerar o contato com uma superfície muito fria por um tempo duas vezes maior do que aquelas que não a manifestam.[9]

A ESPERANÇA DE VIVER

Os efeitos curativos inegáveis dos placebos e de um bom número de remédios "água com açúcar" também podem ser listados entre os benefícios da esperança, que engendra o pensamento que vamos obter a cura, associada à decisão de seguir um tratamento. O efeito placebo remete a uma mudança de atitude, a despeito de o tratamento em si não ter nenhum efeito curativo. Os cientistas céticos contestam o efeito dos "remédios água com açúcar", mas ninguém contesta o efeito placebo, que sabemos ser responsável por uma melhora em 10% a 40% dos casos, conforme o tipo de doença. O placebo é uma espécie de "pílula de otimismo", mas não é indispensável. O melhor é desenvolvermos nós mesmos a alegria de viver e o desejo de sobreviver.

O contrário acontece com as pessoas que alimentam pouca esperança, são centradas nelas mesmas, têm pena da própria sorte e sentem-se impotentes. Os médicos e enfermeiros sabem que os doentes em fase terminal que desejam ter mais um pouco de tempo, para rever um ente querido por exemplo, vivem mais do que a sua condição prognosticaria. Da mesma maneira, os doentes que têm uma feroz determinação de sobreviver, e confiança de que podem se curar, resistem melhor aos momentos críticos.

O estudo de um grupo de doze mulheres atingidas pelo câncer no seio, acompanhadas durante quinze anos, e um estudo similar com homens portadores do vírus da AIDS[10] mostraram que, após descobrirem que têm uma doença incurável, aqueles que pensaram "não tem mais jeito" ou "vou morrer", caindo em uma resignação passiva ou desesperada, morreram mais depressa do que os que aproveitaram os derradeiros meses da sua vida para reavaliar suas prioridades e utilizar o tempo que lhes restava da maneira mais construtiva possível.

DETERMINAÇÃO

Esta atitude é o oposto da preguiça. Há vários tipos de preguiça, mas eles podem ser agrupados em três principais. O primeiro e mais óbvio é não querer nada senão comer bem, dormir bem e fazer o menos possível. O segundo, o mais paralisante de todos, leva-nos a abandonar a corrida antes ainda de ser dada a largada. Dizemo-nos: "Ah, isso não é para mim, está além das minhas capacidades". O terceiro, o mais pernicioso, consiste em saber o que de fato importa na vida, mas sempre deixar o essencial para mais tarde, dedicando-se a mil outras coisas de menor importância.

O otimista não desiste com facilidade. Fortalecido pela esperança de obter sucesso, ele persevera mais e costuma ser mais bem-sucedido do que o pessimista em condições adversas. O pessimista tem tendência a recuar diante das dificuldades, resignar-se ou distrair-se com ocupações que não resolvem seus problemas.[11] Tem pouca determinação, pois as suas dúvidas atingem tudo e a todos, antecipando o fracasso de cada empreendimento (em vez do potencial para crescer, desenvolver-se e dar frutos), e vê o mal--intencionado, o aproveitador e o egoísta em todas as pessoas. Vê uma ameaça em cada novidade e está sempre antecipando uma catástrofe. Em síntese, ao ouvir o ranger de uma porta, o otimista pensa que ela está se abrindo, e o pessimista, que ela está se fechando.

Há poucos anos fui para a França a fim de discutir maneiras de empreender projetos humanitários no Tibete, apesar das condições opressivas impostas pelo governo chinês. Quinze minutos depois do início da reunião, alguém disse, referindo-se a mim e a um dos outros participantes: "Vocês falam sobre a mesma coisa como se fossem dois mundos diferentes. Um acha que tudo acabará mal e o outro, que tudo acabará bem". O primeiro participante disse: "Para começar, é pouco provável que as autoridades aceitem vocês nessa região e, portanto, correm o risco de ser imediatamente expulsos. E depois, como farão para conseguir permissão para construir uma escola? E mesmo que consigam começar a obra, serão enganados pelos empreiteiros, que estão em conluio com os corruptos poderes locais. Além disso, não esqueçam de que nunca conseguirão forçá-los a ensinar em tibetano, ou seja, as aulas acabarão sendo dadas em chinês". Pessoalmente, achei sua fala difícil de suportar, dando-me vontade de sair dali o mais rápido possível, passar através das malhas da rede e fazer os projetos decolarem. Passados cinco anos, trabalhando com um amigo entusiástico e recebendo a ajuda de generosos benfeitores, construímos dezesseis postos de saúde, oito escolas e doze pontes. Em muitos casos, nossos amigos locais só solicitaram a permissão para construir depois que a clínica ou a escola já estavam prontas. Nesses lugares, milhares de pacientes e crianças receberam tratamento e educação. As autoridades locais, de início reticentes, hoje estão cheias de entusiasmo, pois encontram um jeito de incluir esses projetos nas suas estatísticas. Do nosso ponto de vista, o objetivo que buscávamos – ajudar aqueles que necessitam – foi atingido.

Mesmo que o otimista seja um pouco sonhador quando olha para o futuro, dizendo a si mesmo que no fim tudo dará certo – quando nem sempre é isso o que acontece –, a sua atitude traz mais frutos, já que, com a esperança de empreender cem projetos seguida de uma ação diligente, acabará por completar *cinquenta*. Se, ao contrário, limitar-se a empreender meros dez, o pessimista poderá, na melhor das hipóteses, completar cinco ou talvez até menos, já que dedicará pouca energia a uma tarefa que ele, desde o início, julga condenada ao fracasso.

Nos países em que há grande pobreza e opressão encontro muitas pessoas que, inspiradas por essas condições, se dedicam a prestar alguma ajuda. A maior parte delas é composta de otimistas que enfrentam a distância entre a imensidão da tarefa e a precariedade dos recursos disponíveis.

Tenho um amigo, Malcolm McOdell, que, juntamente com sua esposa, vem realizando um trabalho pelo desenvolvimento do Nepal há mais de trinta anos, baseando-se no princípio da "investigação apreciativa", uma aplicação bastante prática do otimismo.

"Assim que chego em um vilarejo", ele explica, "a primeira reação que as pessoas têm é reclamar das suas dificuldades. Digo a elas: 'Calma, é impossível que vocês só tenham problemas. Falem-me dos seus recursos e das boas qualidades que existem neste vilarejo e em cada um de vocês.' Nós nos reunimos, às vezes à noite, em torno de uma fogueira. As mentes e línguas se soltam e, com um tipo totalmente novo de entusiasmo, os aldeões fazem uma lista dos seus talentos, capacidades e recursos. Peço-lhes então para imaginar como poderiam, todos juntos, colocar tais qualidades a favor da comunidade. Assim que terminam a elaboração de um plano, faço a pergunta final: 'Quem, dentre vocês, está preparado, aqui e agora, para assumir a responsabilidade de tal e tal aspecto do programa?'". As mãos se erguem, promessas são feitas, e o trabalho começa logo nos dias seguintes. Essa abordagem está a anos-luz de distância daquela seguida pelos catalogadores de problemas, que conseguem realizar menos, com menor qualidade e levando mais tempo. McOdell preocupa-se em especial em dar melhores condições para as mulheres nepalesas, sendo que cerca de trinta mil delas hoje se beneficiam das suas iniciativas.

ADAPTABILIDADE

É interessante notar que, quando as dificuldades parecem insuperáveis, os otimistas reagem de maneira mais construtiva e criativa: eles aceitam os fatos com realismo, sabem como identificar o lado positivo da adversidade, tiram lições dos acontecimentos e propõem uma solução alternativa ou passam para um novo projeto. Os pessimistas preferem se distanciar do problema ou adotar estratégias escapistas – como recorrer ao sono, ao isolamento, ao uso de álcool ou drogas –, que diminuem a tomada de consciência dos seus problemas. Em vez de enfrentá-los com determinação, eles preferem ficar ruminando a sua infelicidade, nutrindo ilusões, sonhando com soluções "mágicas" e acusando o mundo inteiro de estar contra eles. Com frequência, os pessimistas têm grandes dificuldades em extrair lições do seu passado, o que leva à repetição dos seus problemas. São mais fatalistas ("Eu disse que isso não ia dar certo. É sempre a mesma coisa, não importa o que eu faça") e com facilidade se veem como "simples peões no jogo da vida".[12]

SERENIDADE

Por ter antecipado e testado até o fim todos os caminhos possíveis, o otimista, mesmo quando passa por um fracasso momentâneo, está livre de arrependimentos e do sentimento de culpa. Ele sabe como dar um passo atrás e está sempre pronto para imaginar uma nova solução, sem levar consigo o peso das derrotas precedentes e sem ficar imaginando que o pior espera por ele na próxima esquina. Desse modo, mantém a sua serenidade. A sua confiança é tão sólida quanto a proa de um navio que singra o seu caminho pelas águas da vida, sejam elas calmas ou tempestuosas.

Um amigo que vive no Nepal me contou que, certa vez, precisava pegar um avião para dar uma importante palestra na Holanda no dia seguinte. Os organizadores haviam alugado uma sala, anunciado a conferência nos jornais e esperavam uma audiência de milhares de pessoas. Chegando ao aeroporto, soube que o seu voo havia sido cancelado e que não havia outra maneira de sair do Nepal naquela noite. Ele me disse: "Eu sentia muitíssimo pelos organizadores, mas não havia nada que eu pudesse fazer. Foi então que uma grande calma tomou conta de mim. Eu acabara de me despedir de meus amigos em Katmandu e à minha frente meu destino tinha desaparecido por completo. Vivi um sentimento deliciosamente leve de liberdade. Na calçada, do lado de fora do aeroporto, sentei-me sobre a minha bagagem e brinquei com os porteiros e as crianças de rua que estavam ali por perto. Sorrio ao pensar que, se tivesse ficado doente de preocupação, isso não teria servido de nada. Depois de uma meia hora, levantei-me e voltei, a pé, para Katmandu, com minha pequena mochila, deleitando-me com o frio do crepúsculo..."

Lembro-me de uma viagem que fiz, certa ocasião, para o Tibete oriental. Chuvas torrenciais, junto com o desmatamento quase completo das florestas levado a cabo pelos chineses, tinham dado origem a enchentes devastadoras. O nosso veículo 4x4 avançava com dificuldade por uma estrada totalmente esburacada, no fundo de um desfiladeiro abissal, ao longo do curso de um rio que se transformara em uma torrente gigantesca e furiosa. Brilhando na luz amarelada do anoitecer, os paredões rochosos pareciam erguer-se até o céu, ecoando o ribombar das águas. A maior parte das pontes tinha sido carregada, e as águas turbulentas estavam erodindo a única estrada transitável que ainda existia. A cada instante, rochas desabavam dos flancos escarpados, despedaçando-se ruidosamente no pavimento. Era um bom teste para o otimismo dos passageiros. As diferenças entre eles eram enormes. Alguns estavam tão aflitos que queriam parar, apesar de não poderem buscar abrigo em lugar algum. Outros levavam tudo aquilo com compostura, impassíveis, quase se divertindo, e queriam seguir em frente para sair dali o mais rapidamente possível. Um de nós, no final, disse àquele que estava mais ansioso: "Você adora filmes de ação. Então, hoje é o seu dia de sorte – você está dentro de um!". Todos nós desatamos a rir e criamos coragem.

SIGNIFICADO

Mas há uma dimensão ainda mais profunda do otimismo, a da realização do potencial de transformação que mencionamos várias vezes e que está presente em cada ser humano, seja qual for a sua condição. É esse potencial, afinal, que dá sentido à vida humana. O pessimismo definitivo consiste em pensar que a vida, como um todo, não vale a pena ser vivida. O otimismo definitivo, por sua vez, consiste em compreender que cada momento que passa é um tesouro, tanto na alegria quando na adversidade. Não são simples nuances, mas uma diferença radical na maneira de ver as coisas. Essa divergência de perspectivas está ligada ao fato de termos ou não descoberto, dentro de nós, essa plenitude que, por si só, alimenta a paz interior e a serenidade, a cada instante.

EXERCÍCIO Vivenciar a mesma situação através dos olhos do otimismo e do pessimismo

Tome como exemplo uma viagem de avião. Imagine que você está fazendo uma longa viagem de avião, a caminho de uma cidade estranha, para começar um novo emprego. De repente, o avião passa por uma turbulência. Você vê as asas sacudindo e visualiza o desastre que virá em seguida. Quando a tormenta passa, você percebe que o seu assento é apertado demais. Não consegue encontrar uma posição confortável, e a sua mente se enche de reclamações sobre o estado a que chegaram as viagens de avião. Começa a se aborrecer com o fato de a aeromoça demorar para trazer a sua bebida. Quando pensa no seu novo emprego, tem certeza de que as pessoas que encontrará lá não vão gostar de você. Eles vão desprezar o seu conhecimento, excluí-lo dos projetos mais interessantes, e talvez cheguem a ponto de trapacear com você. Sem dúvida, esta viagem será uma catástrofe. Como pôde pensar que daria conta de lidar com tudo isso? Você está apavorado.

Vivencie o estado de depressão e desânimo criado por esses pensamentos.

Experimente então outra maneira de viver a mesma situação:

Quando o avião passa pela turbulência, você sabe que isso faz parte da jornada e sente vividamente que aquele instante que está vivendo é precioso. Assim que a tormenta se acalma, sente-se grato e espera poder usar o resto da sua vida de forma construtiva. Apesar do fato de que o seu assento não é particularmente confortável, você encontra algumas posições que aliviam sua tensão nas costas e nas pernas. Você aprecia a cortesia e a disponibilidade da aeromoça, tão ocupada que tem que ficar o voo todo em pé. Sente uma grande excitação com as aventuras que esperam por você. Imagina que as pessoas, lá, serão interessantes e produtivas, e que terá muitas oportunidades novas. Está convencido de que as suas atividades florescerão e que você tem os recursos interiores para superar quaisquer obstáculos que possam surgir.

Vivencie esse alegre estado de espírito, em sintonia com o positivo.

Aprecie as diferenças que existem entre estes dois estados mentais e compreenda que eles surgem por meio do funcionamento da sua mente, apesar de a situação exterior continuar igual.

CAPÍTULO 20

TEMPOS DOURADOS, TEMPOS CINZENTOS, TEMPO PERDIDO

> Aqueles que se torturam com o calor do verão
> anseiam pela lua cheia do outono
> sem nem mesmo temer a ideia
> de que então terão se passado, para
> sempre, mais cem dias da vida.
> BUDA

Certa vez, no Nepal, fui convidado para ficar em um lugar impressionante: um hotel de luxo construído na beira de um enorme desfiladeiro. De um lado, a natureza esplêndida, a inacreditável beleza do Himalaia nevado, a imensidão selvagem daquelas montanhas fascinantes, como que esculpidas em um outro mundo; de outro, um luxo frívolo. No meio da noite, a escuridão foi quebrada por uma tempestade de relâmpagos, despertando em mim uma mistura de fascínio pela beleza natural e de repulsa diante da inutilidade e superficialidade do nosso local de estada. Essa repulsa veio de uma reflexão sobre a perda de tempo.

O tempo é comparável a um pó muito fino que, distraídos, deixamos escorregar por entre os nossos dedos sem nem ao menos perceber. Se lhe damos um bom uso, é a ponte por onde fazemos passar a trama dos nossos dias para fabricar o tecido de uma vida significativa. Portanto, tomarmos consciência de que o tempo é o nosso bem mais precioso torna-se essencial para a busca da felicidade. Isso não quer dizer que tenhamos de nos livrar daquilo que é agradável na vida, mas sim que é preciso descartar tudo o que nos leva a desperdiçá-la. Sem causar dano à pessoa, é necessário ter força de espírito para não ceder àquela vozinha que nos sussurra para concordarmos com as incessantes concessões às exigências da vida cotidiana. Por que hesitar em fazer *tabula* rasa do supérfluo? Que vantagem há em nos dedicarmos ao superficial e ao inútil? Como diz Sêneca: "Não é que tenhamos tão pouco tempo, mas que o desperdiçamos demais".[1]

A vida é curta. Sempre perdemos, quando deixamos de lado as coisas essenciais, ou as adiamos ao nos deixarmos enredar pelas demandas incoerentes da sociedade. Os anos ou as horas de vida que nos restam para viver são como uma substância preciosa que se desfaz, podendo ser desperdiçada sem que percebamos. Apesar do seu grande valor, o tempo não sabe proteger-se a si mesmo, é como uma criança que pode ser levada pela mão por qualquer pessoa que passe.

Para o homem ativo, tempos dourados são aqueles em que ele pode criar, construir, realizar e dedicar-se ao bem dos outros e o seu próprio desenvolvimento. Para o meditador, o tempo lhe permite olhar com clareza para si mesmo, a fim de compreender o seu mundo interior e redescobrir a essência da vida. São os tempos dourados que, apesar da aparente inatividade, permitem que ele desfrute completamente do momento presente e desenvolva as qualidades interiores que lhe tornarão possível ajudar melhor os outros. No dia de um eremita, cada instante é um tesouro, e o seu tempo nunca é desperdiçado. No silêncio do seu retiro ele se torna, nas palavras de Khalil Gibran, "uma flauta em cujo coração o murmúrio das horas se transforma em música".

A pessoa desocupada fala em "matar o tempo". Que expressão terrível! O tempo fica parecendo então nada mais do que uma longa linha reta, monótona e triste. Estes são os tempos cinzentos, tempos de chumbo, que pesam como um fardo sobre aquele que está desocupado, fazendo prostrar qualquer um que não tolere os revezes, a espera, o atraso, o tédio, a solidão, às vezes até a vida em si. Cada momento que passa agrava o seu sentimento de estar aprisionado. Para outros, o tempo nada mais é do que a contagem regressiva para uma morte da qual têm medo, ou que podem até chegar a desejar, quando estão cansados de viver. Parafraseando Herbert Spencer, o tempo que não são capazes de matar acaba por matá-los.

Vivenciar o tempo como uma experiência dolorosa e insípida, sentir que não fizemos nada o dia inteiro, o ano inteiro, e depois a vida inteira, revela como é pequena a consciência que temos do potencial para o desenvolvimento que existe dentro de nós.

ALÉM DO TÉDIO E DA SOLIDÃO

O tédio é a sina daqueles que necessitam de distrações, para quem a vida é uma grande diversão e que murcham no minuto em que o espetáculo termina. O tédio é a aflição daqueles que não sabem o valor do tempo.

Já os que compreendem o inestimável valor do tempo usam cada intervalo das suas atividades diárias e estímulos exteriores para experienciar a deliciosa clareza e serenidade do momento. Para estes não há tédio, a mente não entra nesse estado de aridez e secura.

O mesmo vale para a solidão. Da população americana, 15% dizem vivenciar um sentimento intenso de solidão uma vez por semana. Aquele que se isola dos outros e do universo, capturado pela armadilha em que se transforma a bolha do seu ego, sente-se sozinho no meio de uma multidão. Mas aqueles que compreendem a interdependência que há entre todos os fenômenos não conhecem a solidão. O eremita, por exemplo, sente-se em harmonia com o universo inteiro.

Para o homem distraído, o tempo é apenas uma música de fundo soando, monótona, na confusão de sua mente. Este é o tempo perdido, o tempo desperdiçado. Sobre esse homem, Sêneca diria: "Ele não viveu muito tempo – apenas existiu durante muito tempo. O que você diria a respeito de um homem que é pego por uma tempestade feroz assim que lança o seu barco ao mar e que, fustigado pelo vento furioso que vem de todos os lados, açoitado pelas ondas para lá e para cá, é jogado de volta ao porto, no caminho inverso ao que desejava percorrer – sobre esse homem, você diria que ele navegou muito? Ele não navegou muito, só levou muitos trancos e chacoalhões".[2]

"Distração", aqui, não significa o tranquilo relaxamento de uma caminhada a pé pelo campo, mas as atividades inúteis e a interminável tagarelice mental que, longe de iluminar a mente, mergulham-na no caos e no esgotamento. Essa distração faz com que a mente fique vagueando sem nenhum descanso, nenhuma pausa, e direciona-a erroneamente para estradas secundárias e becos sem saída. Saber usar muito bem o tempo não significa ter sempre que estar correndo, ou estar sempre obcecado pelo relógio. Estejamos relaxados ou concentrados, descansando ou em intensa atividade, em todas as circunstâncias devemos ser capazes de reconhecer o verdadeiro valor do tempo.

RETORNO AOS TEMPOS DOURADOS

Como aceitamos o fato de não consagrar nem mesmo alguns breves momentos por dia à introspecção? Estamos endurecidos, insensíveis, *blasés*, a esse ponto? Ficamos realmente satisfeitos com uma conversinha espirituosa e um pouco de entretenimento banal? Vamos olhar para dentro. Há muito a fazer.

Vale a pena dedicar um momento de cada dia para cultivar o pensamento altruísta e observar o funcionamento da mente. Que não haja dúvida: essa investigação nos ensinará mil vezes mais, e de maneira muito mais duradoura, do que uma hora dedicada a ler as notícias locais ou os resultados esportivos! Não se trata de ignorar o mundo, mas de fazer bom uso do nosso tempo. De qualquer maneira, não precisamos ter medo de cair no extremo, vivendo como vivemos, nesta era de distrações onipresentes, em que o acesso à informação geral nos leva bem perto do ponto de saturação. Trata-se, sim, de que estamos estagnados no extremo oposto: o grau zero de contemplação. Podemos dedicar a ela alguns segundos, quando algum revés emocional ou profissional nos força a "pôr as coisas em perspectiva". Mas como e por quanto tempo? Com muita frequência, só ficamos esperando que "passe o mau momento", buscando ansiosamente alguma distração para "mudar as ideias" ou "refrescar a mente". Mudam os atores e o cenário, mas a peça continua a mesma.

Por que não sentar-se à margem de um lago, no topo de uma montanha, ou em uma sala tranquila, para examinar de quê somos feitos, no mais profundo de nós mesmos? Primeiro, examinar o que mais nos importa na vida, e depois, estabelecer prioridades entre as coisas essenciais e as outras atividades que forçadamente impomos ao nosso tempo. Podemos também nos beneficiar de certas fases da vida ativa para nos reencontrarmos e voltar o nosso olhar para dentro. Tenzin Palmo, uma monja inglesa que passou muitos anos em retiro, escreveu: "As pessoas dizem que não têm tempo para a meditação. Não é verdade! Você pode meditar quando anda pelo corredor, quando espera que o sinal abra para você no trânsito, trabalhando no computador, quando está em uma fila, no banheiro, penteando o cabelo. É preciso criar o hábito de estar no presente, sem os comentários mentais".[3]

O nosso tempo é contado desde o dia em que nascemos, cada segundo, cada passo nos traz mais próximos da morte. O eremita tibetano Patrul Rimpoche lembra-nos poeticamente que

> À medida que a sua vida passa como o mergulho do sol poente,
> A morte se aproxima, como as sombras da noite se alongam.

Longe de fazer com que fiquemos desesperados, uma percepção lúcida da natureza das coisas, ao contrário, nos inspira a viver plenamente cada dia que passa. A não ser que examinemos a nossa vida, daremos por certo que não temos escolha e que é mais fácil fazer uma coisa depois da outra, como sempre fizemos e sempre faremos. Mas, se não abandonarmos os entretenimentos fúteis e as atividades estéreis do mundo, certamente elas não nos abandonarão, vindo a tomar cada vez mais espaço em nossa vida.

Se adiarmos a nossa vida espiritual para amanhã, a nossa negligência se repetirá dia após dia. O tempo voa! A morte se aproxima a cada passo que dou, a cada olhar que tenho para o mundo, a cada tique-taque do relógio. Ela pode nos alcançar a qualquer instante, e não há nada que possamos fazer a esse respeito. Se a morte é certa, o momento de sua chegada é imprevisível. Como disse Nagarjuna, dezessete séculos atrás:

> Se a vida é assolada por muitos males
> E é ainda mais frágil do que uma bolha na água,
> É um milagre, depois de ter dormido,
> Inspirar, expirar, e acordar disposto![4]

No nível prático, se quisermos vivenciar nossa relação com o tempo de maneira mais harmoniosa, devemos cultivar certo número de qualidades. A atenção plena permite que permaneçamos alertas à passagem do tempo, e evita que ele se vá sem que percebamos. A motivação adequada é que dá ao tempo as suas cores e o seu valor. A diligência nos permite fazer bom uso dele. A liberdade interior evita que ele seja monopolizado pelas emoções perturbadoras. Cada dia, cada hora, cada segundo é como uma flecha que voa para o seu alvo. O tempo certo para começar é agora.

EXERCÍCIO **Apreciar o valor do tempo, saborear o momento presente**
Volte a sua mente para dentro e aprecie a riqueza de cada momento que passa. Em vez de ser uma sucessão sem fim de sentimentos, imagens e pensamentos dispersos, o tempo se torna pura atenção e presença, como um fluxo luminoso de ouro derretido.

No instante em que cessam os pensamentos passados e os pensamentos futuros ainda não surgiram — nesse intervalo não há uma percepção do agora, de um frescor prístino, claro, desperto, desnudo, simples? Permaneça um pouco nela, sem agarrar-se a nada, como uma criança pequena que observa uma paisagem imensa.

CAPÍTULO 21

SER UM COM O FLUXO DO TEMPO

> Uma vida boa é aquela que se caracteriza por uma absorção completa naquilo que fazemos.
> JEANNE NAKAMURA E MIHALY CSIKSZENTMIHALYI

Todos já sentimos a experiência de nos vermos intensamente absorvidos por um ato, uma vivência ou uma sensação. É isso que Mihaly Csikszentmihalyi, um dos mais importantes psicólogos da Claremont Graduate University, denomina "fluxo". Na década de 1960, quando estudava o processo criativo, Csikszentmihalyi ficou impressionado com o fato de que, quando a criação de uma pintura estava indo bem, o artista ficava totalmente absorvido em seu trabalho e continuava a fazê-lo até terminar, esquecendo o cansaço, a fome e o desconforto. Quando terminava a criação, o seu interesse diminuía abruptamente. Ele vivenciou uma experiência de fluxo, durante a qual o fato de estarmos imersos no que fazemos, enquanto fazemos, conta mais do que o resultado final.

Intrigado por esse fenômeno, Csikszentmihalyi entrevistou um grande número de artistas, alpinistas, jogadores de xadrez, cirurgiões, escritores e artesãos, pessoas que tinham no puro prazer do ato, do seu fazer, a motivação principal. É claro que para um alpinista que escalou dezenas de vezes a mesma face da montanha, o prazer de chegar ao topo é menos importante do que o de subir até lá. O mesmo vale para aquele que veleja por uma baía, sem nenhum destino preciso, que toca um instrumento musical, ou se entrega a jogar paciência. Nesses momentos, ficamos "completamente envolvidos na própria atividade. O sentimento do eu se desintegra. Não vemos o tempo passar. Cada ação, movimento e pensamento provém inevitavelmente do precedente e dá origem ao que vem depois, como acontece ao tocarmos *jazz*. Todo o ser está envolvido, e utilizamos ao máximo as nossas capacidades".[1] Diane Roffe-Steinrotter, medalha de ouro nas Olimpíadas de Inverno de 1994, afirma que não se lembra de nada do que aconteceu quando fez o percurso da prova de *downhill*, a não ser que se sentiu totalmente relaxada: "Tive a impressão de ser uma queda-d'água".[2]

A entrada no estado de fluxo depende intimamente da quantidade de atenção dedicada à experiência vivida. William James escreveu: "Minha experiência é aquilo em que eu aceito prestar atenção".[3] Se quisermos entrar nesse estado, a tarefa deve monopolizar toda a nossa atenção e apresentar um desafio à altura das nossas habilidades. Se for difícil demais, ficaremos tensos e ansiosos; se fácil demais, relaxaremos e logo nos sentiremos entediados. Na experiência do fluxo, estabelece-se uma ressonância entre a ação, o ambiente externo e a mente. Na maior parte dos casos, essa fluidez é sentida como uma experiência ótima e que traz muita satisfação, por vezes até êxtase. É o oposto não só do tédio e da depressão, como também da agitação e das distrações. É interessante notar que, enquanto dura esse estado, a consciência do eu não existe. Tudo o que permanece na pessoa é o estado desperto, e ela se torna uma com a sua ação, deixando de observar a si mesma.

Para dar um exemplo pessoal, muitas vezes senti isso ao servir de intérprete para os mestres tibetanos. O intérprete precisa concentrar toda a sua atenção no discurso, que pode durar de cinco a dez minutos, e depois traduzi-lo oralmente, seguindo nessa sequência sempre, sem interrupção, até o fim da sessão de ensinamentos – que às vezes se estende por várias horas. Percebi que a melhor maneira de realizar essa tarefa é mergulhar em um estado mental muito similar ao que Csikszentmihalyi chama de fluxo. Enquanto o mestre fala, deixo a minha mente em um estado de completa disponibilidade, tão livre do pensamento quanto uma folha de papel em branco, atenta mas sem tensão. Depois, procuro transmitir com minhas próprias palavras o que entendi, como ao verter o conteúdo de um jarro que acabou de ser preenchido para outro. Para isso, basta lembrar o ponto de partida e o encadeamento do ensinamento, deixando que os detalhes venham surgindo sem esforço. A mente fica ao mesmo tempo focalizada e relaxada. Dessa maneira, é possível reconstruir muito fielmente um ensinamento longo e complexo. Se acontece de o fluxo do ensinamento ser quebrado por pensamentos ou um evento exterior, a mágica se perde e fica difícil retomar o fio da meada. Quando isso ocorre, não são só alguns detalhes que me escapam, mas a mente fica em branco, e por alguns instantes não consigo me recordar de nada. Percebi que é mais fácil não anotar nada precisamente para sustentar a experiência do fluxo, que permite a tradução mais fiel possível. Quando tudo vai bem, essa fluidez produz um sentimento de alegria serena; a consciência do eu – ou seja, observar-se a si mesmo – fica praticamente ausente; o cansaço desaparece e não se nota o passar do tempo, como o fluir de um rio cujo movimento é impossível de distinguir de longe.

Segundo Csikszentmihalyi, podemos igualmente vivenciar o fluxo no desempenho das tarefas mais comuns, como passar roupa ou trabalhar em uma linha de produção. Tudo depende de como vivemos a experiência da passagem do tempo. Já fora do fluxo, quase todas as atividades são tediosas, quando não insuportáveis. Csikszentmihalyi observou que algumas pessoas entram com maior facilidade no estado de fluxo do que outras. Essas pessoas, em geral, "são curiosas e se interessem pelas coisas da vida, são persistentes e dotadas de nível de egocentrismo muito baixo. Essas disposições lhes permitem ser motivadas por recompensas ou gratificações interiores".[4]

Levar em consideração o estado de fluxo permitiu, em muitos casos, a obtenção de melhorias nas condições de trabalho em diversas fábricas (entre elas a Volvo, fabricante sueca de automóveis); a criação de novos *layouts* de galerias e objetos de museus (como o Getty Museum em Los Angeles), de tal modo que os visitantes, naturalmente atraídos por cada uma das seções, passam por elas sem se cansar; e também grandes avanços nas instituições educacionais – por exemplo, a Key School, em Indianapolis.[5] Nessa escola, as crianças são estimuladas a ficar absorvidas por quanto tempo quiserem e no seu próprio ritmo por qualquer coisa que lhes desperte o interesse, o que as estimula a estudar em um estado de fluxo. Elas se interessam mais pelos estudos e aprendem com prazer.

EXERCÍCIO Prática do "caminhar atento"

Estas instruções são do mestre budista vietnamita Thich Nhat Hahn:
"Andar somente pelo prazer de andar, livre e firmemente, sem nos apressarmos. Estamos presentes em cada passo que damos. Quando queremos falar, paramos de andar e damos toda a atenção à pessoa que está à nossa frente, às nossas palavras e à nossa escuta. [...] Pare, olhe em volta e veja como a vida é maravilhosa: as árvores, as nuvens brancas, o céu infinito. Ouça os passarinhos, delicie-se com a brisa suave. Caminhemos como pessoas livres, sentindo os nossos passos ficarem cada vez mais leves com o nosso andar. Apreciemos cada passo que damos."[6]

DAR AO FLUXO TODO O SEU VALOR

A experiência do fluxo nos estimula a persistir em uma dada atividade, fazendo com que tenhamos vontade de retomá-la. Assim, é possível que ela se torne um hábito ou até mesmo uma dependência, já que o fluxo não envolve somente atividades construtivas e positivas. O apostador que caiu no vício do jogo fica tão absorvido pela roleta ou máquinas caça-níqueis que chega a ponto de não sentir mais o tempo passar, esquecendo-se completamente de si mesmo e perdendo talvez toda a sua fortuna. O mesmo vale para o caçador que persegue a sua presa ou o assaltante que executa com cuidado o seu plano.

Por mais satisfação que possa trazer o cultivo da experiência do fluxo, ela é somente um *instrumento*. Para que possa gerar, a longo prazo, uma qualidade de vida melhor, deve estar imbuída de qualidades humanas, como altruísmo e sabedoria. O valor do fluxo depende da motivação que colore a mente: pode ser negativa, no caso do assaltante; neutra, para uma atividade cotidiana como passar a roupa, por exemplo; ou positiva, quando participamos de uma operação de salvamento ou meditamos sobre a compaixão.

Jeanne Nakamura e Csikszentmihalyi escrevem que "a maior contribuição [do fluxo] para a qualidade de vida consiste em dar um valor à experiência do momento presente".[7] Em consequência, ela se revela muito preciosa quando se trata de apreciar cada instante da existência e de usá-la da maneira mais construtiva possível. Podemos assim evitar perder o nosso tempo em uma sombria indiferença.

Podemos também praticar formas de fluxo cada vez mais significativas e interiorizadas. Sem a necessidade de atividades exteriores, podemos aprender a repousar, sem qualquer esforço, em um estado de presença mental constante. Contemplar a natureza da mente, por exemplo, é uma experiência profunda e fértil que combina relaxamento e fluxo. Relaxamento sob a forma de calma interior, atenta mas sem tensão. A perfeita lucidez é uma das características principais que distingue esse estado mental do estado habitual de fluxo. Essa lucidez não exige que o sujeito observe a si mesmo, pois aqui também há um desaparecimento quase total da noção de um "eu". Esse desaparecimento não impede o conhecimento direto da natureza da mente, a "presença pura". Uma experiência como essa é fonte de paz interior e abertura para o mundo e para os outros. Finalmente, a experiência do fluxo contemplativo abraça a nossa percepção inteira do universo e da interdependência que há entre todos os elementos que o compõem. Podemos dizer que o ser desperto permanece continuamente em estado de fluxo sereno, vívido e altruísta.

EXERCÍCIO Entrar no fluxo da "presença aberta"

Sente-se confortavelmente em posição de meditação, com os olhos abertos suavemente, a postura ereta, e busque a calma interior. Tente então tornar a sua mente tão vasta quanto o céu. Não focalize a atenção em nada em particular. Permaneça relaxado, calmo, e ao mesmo tempo completamente atento. Deixe a mente ficar livre de construtos mentais, no entanto clara, vívida e abrangente. Sem nenhum esforço e, ainda assim, sem distração. Sem tentar bloquear as percepções sensoriais, as memórias ou a imaginação, sinta que elas não têm nenhuma influência sobre você. Permaneça tranquilo. As percepções não podem alterar a serena vastidão básica da sua mente. Sempre que surgirem pensamentos, permita que eles se desfaçam assim que se formam, como um desenho feito na superfície da água, que não deixa nenhum vestígio. Vivencie por alguns momentos a paz que sente, após o exercício.

CAPÍTULO 22

A ÉTICA COMO CIÊNCIA DA FELICIDADE

> Não é possível viver feliz sem ter uma vida bela, justa e sábia, nem ter uma vida bela, justa e sábia sem ser feliz.
>
> EPICURO

Os dicionários definem a ética como: "ciência da moral, arte de dirigir a conduta" (*Petit Robert*) ou como a "ciência que toma por objetos imediatos o julgamento de apreciação sobre os atos qualificados de bons ou maus" (*Lalande*). Toda a questão é essa. Que critério usar para qualificar um ato como bom ou mau? A ética budista não é somente um modo de agir, mas um modo de ser. O ser humano dotado de bondade amorosa, compaixão e sabedoria agirá eticamente de modo espontâneo porque é bom em seu coração. No budismo, um ato é antiético se o seu objetivo é causar sofrimento, e ético se visa trazer bem-estar genuíno para os outros. É a motivação, altruísta ou maligna, que qualifica a ação como "boa" ou "má", da forma semelhante ao cristal que toma a cor do tecido sobre o qual repousa. A ética também afeta o nosso bem-estar: fazer alguém sofrer é provocar o nosso próprio sofrimento, seja de imediato ou a longo prazo, e fazer alguém feliz é, no final das contas, a melhor maneira de garantir a nossa felicidade.

Através da atuação das leis de causa e efeito, que o budismo chama de carma – as leis que governam as consequências das nossas ações –, a ética se encontra, portanto, intimamente ligada ao bem-estar. Como escrevem Luca e Francesco Cavalli-Sforza: "A ética nasceu como a ciência da felicidade. Para ser feliz, é melhor cuidar dos outros ou pensar exclusivamente em si mesmo?".[1] Os preceitos éticos budistas são pontos de referência para lembrar-nos de adotar uma atitude altruísta e construtiva com os outros e com nós mesmos. Os preceitos destacam as consequências das nossas ações e nos estimulam a evitar aquelas que provocam sofrimentos.

As religiões monoteístas se baseiam em mandamentos divinos e muitas filosofias guiam-se por conceitos que creem ser absolutos e universais – o Bem, o Mal, a Responsabilidade, o Dever – ou um ponto de vista utilitarista, que pode ser resumido como "o bem maior para o maior número de pessoas". No mundo contemporâneo, filósofos, cientistas, políticos e outros indivíduos que se encontram para discutir modos éticos de ação, como nos comitês de ética, tentam fazer o melhor uso possível do pensamento racional e das informações científicas disponíveis para resolver os dilemas levantados pelos recentes progressos nas pesquisas, tais como a manipulação do ambiente, a genética, as pesquisas com células-tronco e os sistemas de suporte artificial à vida.

Na ética budista, como explica o Dalai Lama, "é difícil imaginar um sistema ético significativo separado da experiência individual do sofrimento e da felicidade".[2] O objetivo da ética budista é liberar todos os seres, nós mesmos inclusive, do sofrimento, tanto o momentâneo quanto o duradouro, bem como desenvolver a capacidade de ajudar os outros a obter essa liberação. Para atingir esse objetivo, devemos equilibrar equitativamente a nossa aspiração pelo bem-estar com a dos outros.

Vista sob essa perspectiva, uma ética desumanizada, fundada sobre conceitos abstratos, tem pouca utilidade. Para que a ética seja humana, ela deve refletir a aspiração mais profunda de todo ser vivo, homem ou animal, a saber: conhecer o bem-estar e evitar o sofrimento. Esse desejo não depende de nenhuma filosofia ou cultura, sendo o denominador comum de todos os seres sencientes. Como escreveu o neurocientista e filósofo Francisco Varela, "uma pessoa verdadeiramente virtuosa não age a partir da ética, mas incorpora-a como um especialista incorpora o seu saber.

O homem sábio é ético, ou, mais explicitamente, as ações desse homem surgem de inclinações produzidas pela sua disposição em resposta a situações específicas".[3] Para isso é preciso ter presença mental, sabedoria e uma disposição altruísta básica bem plantada na mente, ainda que necessite ser cultivada por toda a vida. Não se trata de aplicar regras ou princípios, mas em manter a atenção plena e desenvolver uma natureza compassiva. Um aspecto da compaixão é a sua prontidão espontânea para agir em benefício dos outros. Os atos altruístas, então, derivam naturalmente dessa compaixão.

Não é mais uma questão de definir Deus ou o Mal de maneira absoluta, mas de permanecer atento à felicidade e ao sofrimento que engendramos através dos nossos atos, nossas palavras e nossos pensamentos.

Existem aqui dois fatores determinantes: a motivação e as consequências dos nossos atos. Mesmo que tentemos usar as nossas melhores capacidades para predizer os resultados das nossas ações, temos muito pouco controle sobre o desdobramento dos eventos exteriores. No entanto, *sempre* temos a escolha de adotar uma motivação altruísta e de nos empenharmos para ajudar a criar um resultado positivo. Dessa maneira, é preciso examinar incessantemente a nossa motivação, como diz o Dalai Lama: "Estamos agindo com a mente aberta ou com uma mente pequena? Levamos em consideração a situação geral ou estamos vendo somente algumas especificidades? Vemos as coisas a curto ou a longo prazo? [...] A nossa motivação é genuinamente compassiva? [...] A nossa compaixão está limitada apenas às nossas famílias, aos nossos amigos e àqueles com quem nos identificamos? [...] Precisamos pensar, pensar, pensar".[4]

O núcleo essencial da ética é, portanto, o nosso estado mental e não a forma que tomam as nossas ações. Se confiássemos apenas na aparência dessas ações, seria impossível distinguir, por exemplo, uma mentira trivial, diplomática e inofensiva, dita apenas para não ferir alguém, de uma outra, mal-intencionada, dita para fazer mal. Se um assassino pergunta a você onde se escondeu a pessoa que ele está perseguindo, é óbvio que esse não é o momento de dizer a verdade. O mesmo vale para uma ação violenta. Suponha que uma mãe dê um empurrão em seu filho, lançando-o do outro lado da rua, para evitar que ele seja atropelado. Esse ato é violento só na aparência, pois ela salvou a vida do filho. Já alguém que se aproxima de você com um largo sorriso e muitos cumprimentos com o único objetivo de roubá-lo está tendo uma conduta não violenta apenas na aparência – as suas intenções, na verdade, são violentas.

A questão que se coloca é: sob que critérios determinar o que é felicidade e o que é sofrimento para os outros? Daremos a um bêbado uma garrafa de bebida porque fará com que ele fique "feliz", ou não a daremos, para evitar que ele acabe logo com a sua vida? É aqui que, juntamente com a motivação altruísta, entra em cena a noção de *sabedoria*. O ponto mais importante deste livro consiste em diferenciar o verdadeiro bem-estar do prazer e de outras formas falsificadas de plenitude ou felicidade. A sabedoria é o que nos permite distinguir os pensamentos e atos que contribuem para a felicidade autêntica dos que a destroem. A sabedoria se baseia na *experiência* direta, não no dogma. É ela que, unida à motivação altruísta, permite avaliar, caso a caso, se uma decisão é ou não oportuna.

De modo algum isso significa que não haja necessidade de leis e de regras de conduta. Essas regras e leis são expressões essenciais da sabedoria acumulada no passado. Elas são justificadas, pois certos atos – roubar, matar, mentir – são quase sempre nocivos. No entanto, permanecem apenas como diretrizes. Também é a sabedoria que nos permite reconhecer a *exceção necessária*. O roubo é geralmente repreensível, porque de costume é motivado pela ganância e priva injustamente alguém da sua propriedade, causando-lhe assim dor e sofrimento. Mas quando, durante um período de fome, a compaixão nos leva a roubar víveres de armazéns que estão quase estourando de tão cheios, e cujo dono é tão miserável que não dá um só bocado de comida aos famintos que estão à sua porta, esse roubo não é mais repreensível – é desejável. A lei continua válida na sua generalidade, mas a sabedoria compassiva sancionou a exceção, e esta, conforme diz o provérbio tão conhecido, confirma a regra, em vez de destruí-la. Como disse, em certa ocasião, Martin Luther King: "A desumanidade do homem não é perpetrada somente pelas ações corrosivas daqueles que são maus. Ela também acontece pela inação viciada daqueles que são bons". Quando o sofrimento causado pela omissão é maior do que aquele causado pela ação, *deve-se* empreender alguma ação. Não agir seria esquecer a própria razão da existência da norma, que é proteger as pessoas do sofrimento.

O PONTO DE VISTA DO OUTRO

A ética da compaixão não pode se limitar a sentir empatia pelo sofrimento dos outros, ou mesmo à decisão de fazer algo em termos práticos quanto a esse sofrimento. Ela implica também transcender o egocentrismo e obter a compreensão de que a barreira que separa o eu e o outro é uma construção mental. Todos os fenômenos, bem como o eu e o outro, estão profundamente interconectados no nível da sua natureza mais fundamental e profunda. Portanto, devemos nos colocar no lugar do outro e tentar imaginar o que sente aquele sobre o qual recaem as consequências da nossa conduta.

MIL INOCENTES OU APENAS UM?

Um dilema clássico nos ajuda a compreender melhor a abordagem pragmática do budismo. Ele pode se resumir na seguinte questão, formulada por André Comte-Sponville: "Se, para salvar a humanidade, fosse necessário condenar um inocente (torturar uma criança, como coloca Dostoievski), você o faria?".[5] Não, respondem os filósofos. Não vale a pena jogar esse jogo, ou melhor, mais que um jogo, trata-se de uma ignomínia. "Porque, assim, a justiça desapareceria", escreve Kant, "e a existência humana na Terra não teria valor algum".[6] Comte-Sponville vai além:

> Neste ponto o utilitarismo chega ao seu limite. Se a justiça fosse meramente um contrato utilitário, de conveniência [...] uma maximização do bem-estar coletivo [...] seria justo, para assegurar a felicidade de quase todos, sacrificar alguns, mesmo que esse sacrifício aconteça sem o seu consentimento, e ainda que eles sejam perfeitamente inocentes e indefesos. Isso, no entanto, é exatamente o que a justiça proíbe, ou deveria proibir. [John] Rawls, escrevendo sobre Kant, tem razão a esse respeito: a justiça vale mais do que o bem-estar ou a eficácia, e é melhor que ambos; ela não deve sacrificar-se por eles, ainda que seja pela felicidade da maioria.[7]

Mas a justiça só seria sacrificada se decretássemos que a escolha de sacrificar uma criança para salvar mil outras pessoas seria, *em princípio*, aceitável. Entretanto, *a questão não é saber se essa escolha é aceitável ou não*, mas sim evitar ao máximo possível, e concretamente, o sofrimento. Entre duas soluções, *uma tão inaceitável quanto a outra*, não se trata de transformar a expressão "felicidade para a maioria" em dogma, nem de considerar a criança inocente como um simples *meio* para salvar a vida dos outros, desprezando o seu próprio direito à vida. Mas diante de uma situação inevitável, a questão é escolher o menor dos dois males em termos de sofrimento. A escolha não rompe o tecido da justiça, e também é verdade dizer que escolher não agir seria condenar tacitamente os mil inocentes.

É fácil, aqui, deixar-se levar tanto pela abstração quanto pelo sentimentalismo. Caímos na abstração dogmática quando nos recusamos a raciocinar com base na experiência vivida. É sentimentalismo responder à morte de uma criança inocente só porque podemos imaginar vividamente essa cena e não conseguimos ver as centenas de habitantes da cidade senão como uma entidade abstrata. É preciso colocar a questão de outra forma: "É aceitável sacrificar mil inocentes para salvar um?".

Se muito poucas questões morais são expressas em termos tão dramáticos, a ética prática deve levar em conta, com visão interior e compaixão, todos os prós e contras de uma dada situação. Uma ética assim é um desafio contínuo, porque exige uma motivação imparcial e altruísta, bem como o persistente desejo de aliviar o sofrimento dos outros. É grande a dificuldade de pô-la em prática, porque ela transcende o recurso cego e automático ao texto da lei e aos códigos morais. Portanto, também é grande o risco que corre de ser distorcida ou manipulada. De fato, essa ética requer um tipo de flexibilidade que é, em si, uma fonte de perigo. Se for cooptada pelo egoísmo e pela parcialidade, pode ser explorada para fins negativos que vão contra os seus objetivos iniciais. Daí a necessidade, para todos e em especial para aqueles que exercem a justiça, de desenvolver a sabedoria e uma profunda preocupação com o bem-estar dos outros.

"Na vida real", como assinala Varela, "nós *sempre* operamos em algum tipo de proximidade de uma situação dada. [...] Nós temos uma prontidão para a ação adequada para cada situação vivida específica".[8] O Dalai Lama observa: "Às vezes, temos que agir imediatamente. É por isso que o nosso desenvolvimento espiritual tem uma importância tão crucial para assegurar que as nossas ações sejam eticamente consistentes.

Quanto mais espontâneas forem essas ações, mais probabilidade haverá de que reflitam a nossa disposição interior naquele momento".[9]

A IDEALIZAÇÃO DO BEM E DO MAL

Em matéria de ética – e de felicidade, como vimos – os filósofos e os humanistas sustentam opiniões muito divergentes. Há éticas do Bem em si, do bem-estar da maioria, do respeito absoluto ao indivíduo, da Razão, do Dever, do contrato social etc. Apesar da diversidade desses pontos de vista – diversidade que reflete a ausência de critérios fundamentais reconhecidos por todos – podemos identificar duas orientações principais em ética: a que repousa em princípios abstratos, e a pragmática, fundamentada, como no caso da ética budista, na experiência vivida.

Immanuel Kant, por exemplo, refere-se ao sentimento de dever que, de maneira última e absoluta, governa todas as questões morais. Ele rejeita a ideia de que se deve agir pelo bem dos outros, movido por um altruísmo alimentado pela empatia e compaixão. Para ele, tais sentimentos humanos não são confiáveis. Ele apela, em lugar disso, para uma adesão a princípios morais que sejam universais e imparciais. Preconiza a necessidade de uma intenção pura, cujo critério de verificação é a satisfação de trabalhar em conformidade com a *lei moral* mesmo quando esta obrigar o indivíduo a agir contra os seus interesses e inclinações pessoais. Ainda segundo ele, o bem é um dever que deve conduzir à felicidade da humanidade como um todo, sem que a felicidade seja um objetivo em si mesma: "Mas não se pode concluir que a distinção entre o princípio da felicidade e o da moralidade sejam *opostos* um ao outro. A pura razão prática não exige que *renunciemos* a toda pretensão à felicidade, mas somente que, no momento em que o dever está em questão, *não levemos em conta* a felicidade".[10]

O dever é limitado pela necessidade de ser universal e, consequentemente, desconsidera os casos específicos. Isso ignora a própria natureza da experiência humana. Como explica Francisco Varela: "As unidades de conhecimento adequadas são, em primeiro lugar, *concretas*, corporificadas, vividas; o conhecimento é uma questão de estar situado e em um contexto; o caráter único do conhecimento, sua historicidade e contexto, não são somente um 'ruído' que oculta uma configuração abstrata na sua verdadeira essência".[11]

Estas diversas noções de um Bem absoluto retornam geralmente à crença na existência de entidades transcendentes (Deus, as Ideias, o Bem em si) que existem por si mesmas, independentemente do mundo dos fenômenos transitórios. Como vimos, a visão do budismo é totalmente diferente. O mal não é um poder demoníaco exterior a nós mesmos, e o bem não é um princípio absoluto independente de nós. Tudo se passa em nossa mente. O amor e a compaixão são reflexos da natureza profunda de todos os seres vivos, aquilo que chamamos de "bondade original", ou "natureza búdica". O mal é um desvio dessa bondade original que pode ser remediado.

A ÉTICA UTILITARISTA

De acordo com Jeremy Bentham, um filósofo inglês do século XVIII e XIX e fundador do utilitarismo moral, "a felicidade maior para o maior número de pessoas é o fundamento da moral e das leis".[12] O budismo concorda com essa abordagem muito mais humana. No entanto, apesar de seus objetivos serem recomendáveis e altruístas, o utilitarismo baseia as suas análises em uma avaliação muito confusa da natureza da felicidade, unindo indiscriminadamente os prazeres superficiais e a felicidade profunda. O budismo faz uso da mudança pessoal – a transformação interior – para enriquecer a mente ética com a sabedoria, permitindo assim que ela seja capaz de adotar uma motivação mais altruísta e usar de uma lucidez maior, conseguindo uma afinação mais sutil do seu julgamento. De novo, o maior defeito do sistema utilitarista, a longo prazo, é o risco de confundir o prazer com a felicidade genuína, ou, mais precisamente, de reduzir a última ao primeiro.

CONDENAÇÃO, PUNIÇÃO E REABILITAÇÃO

Jeremy Bentham também propunha a substituição das formas tradicionais de sanção por uma legalidade fundada sobre a análise das consequências dos atos em termos de felicidade e de sofrimento. Essa abordagem tem certa semelhança com a do budismo, como atesta a discussão entre o Dalai Lama e alguns magistrados na América do Sul. O Dalai

Lama havia proposto a eles o seguinte problema: "Dois homens cometeram o mesmo delito e são passíveis a uma pena de quinze anos de prisão. Um é sozinho na vida enquanto o outro tem quatro filhos para cuidar, pois a mãe se foi. Vocês levarão em conta o fato de que, em um dos casos, quatro crianças serão privadas do seu pai, por quinze anos?". Os juízes responderam que era impossível considerar esse tipo de diferença, porque os próprios fundamentos da justiça seriam desestabilizados. No entanto, esse exemplo mostra que, se levarmos em consideração a situação pessoal dos culpados, constataremos que a mesma condenação terá consequências muito diferentes no que tange aos sofrimentos que dela resultam. É certo que, se definimos a justiça em termos de punição, é fundamentalmente injusto que os dois criminosos não recebam a mesma pena pelo mesmo delito. Mas como não enfrentar as repercussões específicas das decisões que tomamos?

Por outro lado, podemos igualmente considerar a ética como uma disciplina "médica", em que um conjunto de sintomas e indicações nos permitem prever e prevenir os desconfortos causados pelas emoções negativas, bem como curar aqueles que são afetados por elas. Desse ponto de vista, o encarceramento de um criminoso pode ser considerado mais uma hospitalização do que uma condenação irrevogável. Ele deve ser preso para que possamos impedi-lo de fazer mal ou ferir alguém, e somente pelo tempo em que constituir perigo para a sociedade. Mas, em vez de pensar que um criminoso não pode mudar de modo verdadeiro e profundo, o budismo acredita que a bondade de uma pessoa permanece intacta, lá no fundo do seu ser, mesmo quando, na superfície, ela está horrivelmente pervertida. Não se trata de ignorar ingenuamente a extensão em que essa natureza de bondade possa estar sepultada pelo ódio, a ganância e a crueldade, mas sim de compreender que, por existir sempre, existe a possibilidade de a bondade reaparecer.

A punição também nunca deve ser uma forma de *vingança*, sendo que a forma mais extrema disso é a pena de morte. Vimos no capítulo referente ao ódio que a vingança é um desvio da justiça, já que o seu propósito principal não é proteger o inocente, mas ferir o culpado e "limpar" a sociedade do "inimigo" que a agride ou ofende. Isso é justiça de caubóis, não vida iluminada. Nesses casos, qualquer ato que tem por motivação principal infligir sofrimento ou matar, como na pena de morte, não pode ser considerado ético.

OS LIMITES DO UTILITARISMO

O utilitarismo preconiza uma maximização da soma geral de prazeres disponíveis para uma dada comunidade. Entretanto, como não dispõe de critérios significativos para avaliar a felicidade, pode tornar-se arbitrário, absurdo até. Cegamente aplicado, esse princípio de maximização pode na verdade levar ao sacrifício de certos membros da sociedade. Aristóteles, por exemplo, era a favor da escravidão – se não houvesse escravos, todos os intelectuais teriam que trabalhar e deixar de dedicar-se às suas dignas e elevadas atividades! Esse foi um desvio utilitarista. Esse tipo de raciocínio enganador é inconcebível para o budismo, que pede continuamente para nos colocarmos no lugar da outra pessoa. Ao fazer isso, nenhuma pessoa sensível poderia julgar satisfatória a condição de um escravo.

Na Índia, nos séculos VI e V antes de Cristo, prevalecia também uma forma de escravidão prescrita e codificada pela casta. Os intocáveis e os aborígenes (*adivasi*) eram os servos da Índia antiga. Mas o Buda recusa essa hierarquização extrema, decretando que, no seio da comunidade budista, o intocável se torne igual ao brâmane. Logo, no sul da Ásia, o budismo desencadeou uma revolução social, abolindo as diferenças de *status* de maneira a permitir o acesso à liberdade e à felicidade para todos os indivíduos.

Mas voltemos ao utilitarismo do século XIX. Uma das críticas mais importantes dirigidas ao utilitarismo foi formulada pelo filósofo contemporâneo americano John Rawls. Ele rejeitou a doutrina da felicidade coletiva como justificativa última para os nossos atos, e propôs, em seu lugar, o respeito à inviolabilidade dos direitos individuais, junto com o princípio da igual liberdade e da cooperação equitativa.

De acordo com Rawls, uma ação não pode ser boa se não for, em primeiro lugar, *justa*. Do ponto de vista do budismo, estas duas noções estão intrinsecamente ligadas. Uma ação considerada justa sob uma ética *dogmática* pode ser má na *realidade*. Esse é o caso quando Kant pateticamente se recusa a aceitar uma mentira que poderia salvar uma vida humana. Segundo ele, qualquer mentira, por qualquer razão, é uma injustiça para com toda a humanidade, porque, nos autorizando a mentir, destruiríamos a credibilidade de toda a fala em geral. Seria difícil estarmos mais longe da justiça...

Ao afirmar a primazia da justiça sobre o bem, Rawls idealiza o justo e deprecia o bem, pressupondo que o homem é fundamentalmente egoísta e incapaz de agir sem estar calculando o que lhe seria mais favorável:

> Como cada um deseja proteger seus próprios interesses, sua concepção que tem do bem, pessoa alguma tem motivo para consentir em uma perda duradoura da sua própria satisfação com o objetivo de produzir um aumento na soma [do bem-estar] total. Na ausência de instintos altruístas sólidos e duradouros, um ser racional não aceitaria uma estrutura de base meramente porque ela maximiza a soma algébrica das vantagens, sem ter em conta os efeitos permanentes que ela possa ter sobre os seus próprios direitos e interesses de base.[13]

Talvez tenhamos que aceitar o fato de que o individualismo exacerbado, nascido de uma poderosa atração pelo eu, é onipresente nas sociedades modernas. Mas é essa a fonte mais inspiradora para derivarmos os princípios éticos que regularão o nosso comportamento? O filósofo Charles Taylor sabiamente observou: "Grande parte da filosofia moral contemporânea [...] concentrou-se no que é certo fazer em vez de concentrar-se no que é certo ser; em definir o conteúdo das obrigações em vez de definir o que é a natureza da vida boa; e deixou pouco ou nenhum espaço conceitual para a noção do bem como o objeto do nosso amor e lealdade, ou como o foco privilegiado da nossa atenção e vontade".[14]

Como comenta Varela:

> Nas comunidades tradicionais, há modelos de competência ética – por exemplo, o modelo do "sábio" – que são ainda mais especializados do que os do senso comum. Em nossa sociedade moderna, entretanto, tais modelos de competência ética (diferentemente, por exemplo, dos modelos de competência esportiva) são mais difíceis de identificar. Esta é uma das razões importantes que contribui para que o pensamento ético moderno tenha um sabor tão niilista.[15]

É possível ser um grande pianista, matemático, jardineiro ou cientista e, ao mesmo tempo, ter um caráter irritadiço e ciumento. Mas, no Ocidente, é possível ser considerado um grande moralista e, no entanto, não viver pelos princípios morais que se defende. Devemos lembrar aqui a exigência budista de que a pessoa e os seus ensinamentos sejam coerentes. A ética não é como qualquer outra ciência comum. Ela deve surgir da mais profunda compreensão das qualidades humanas, e essa compreensão só sobrevém quando empreendemos pessoalmente essa jornada de descobertas. Uma ética que é construída exclusivamente de ideias intelectuais e que não se apoia a todo momento na virtude, na sabedoria genuína e na compaixão, não tem fundamento sólido.

A ÉTICA E A NEUROCIÊNCIA

Quando enfrentamos um dilema ético, uma abordagem utilitarista compassiva requer uma análise lúcida da situação e uma motivação genuinamente altruísta. Para isso, temos que superar os poderosos conflitos emocionais que surgem quando a decisão envolve um sacrifício doloroso ou uma perda pessoal. Pesquisas recentes no campo da neurociência indicam que as regiões cerebrais ligadas ao raciocínio e ao controle cognitivo estão envolvidas na resolução de dilemas morais em que os valores utilitaristas requerem decisões emocionais difíceis, como o que vimos no sacrifício da criança inocente.

As pesquisas feitas pelo filósofo e neurocientista Joshua Greene revelaram que a consideração de tais questões desencadeia uma atividade maior nas regiões do cérebro associadas ao controle cognitivo.[16] Essas áreas competem com áreas do cérebro associadas às respostas emocionais. Ele teorizou que as respostas sociais e emocionais que herdamos dos nossos ancestrais primatas subjazem às proibições absolutas que estão no centro das visões dogmáticas como a de Immanuel Kant, segundo a qual certas linhas morais não devem ser atravessadas independentemente de um bem maior que poderia, de outro modo, ser atingido. Em sentido contrário, a avaliação imparcial que caracteriza o utilitarismo altruísta torna-se possível devido a estruturas nos lobos frontais do cérebro, que evoluíram mais recentemente e dão base ao controle cognitivo de alto nível.

Como ressalta Greene: "Se esta explicação for correta, ela terá a irônica implicação de que, psicologicamente falando, a abordagem 'racionalista' kantiana da filosofia moral está baseada não em princípios de pura razão prática, mas em um conjunto de respostas emocionais que foram subsequentemente racionalizadas". Isso viria a confirmar que uma escolha ética altruísta, que considera em profundidade a melhor maneira de minimizar o sofrimento dos outros, não deve ser obscurecida pelo sofrimento emocional ou pelos vieses pessoais. Tal escolha utilitária não resulta de um raciocínio frio, mas de uma compaixão genuína, reforçada pela sabedoria.

A ÉTICA EM CRISE?

A história mostrou que os ideais utópicos e os dogmas que reivindicam saber a diferença entre o Bem e o Mal nos conduziram a séculos de intolerância, perseguições religiosas e regimes totalitaristas. Aqueles que propõem tais ideais ecoaram a sua fórmula cansada em muitas variações sobre o tema: "Em nome do Bem Absoluto, faremos de você uma pessoa feliz. No entanto, se você se opuser, teremos, cheios de pesar, que eliminá-lo".

Incapaz de aderir às leis absolutas, alienado dos mandamentos divinos, desencorajado pelo pensamento de que a humanidade é fundamentalmente má e confinado a uma ética flutuante que se baseia nas teorias antagônicas de uma miríade de filósofos e moralistas, o homem moderno sente-se desamparado. Escreve Han de Wit: "Este fiasco fez nascer um derrotismo moral no coração da cultura ocidental moderna".[17]

De sua parte, a ética do altruísmo genuíno, denunciada pelas descobertas da neurociência, prefere navegar na corrente incessante dos fenômenos que se desdobram em mil formas, conduzidos pelo vento da bondade. Somente através do cultivo constante da sabedoria e da compaixão poderemos realmente nos tornar os guardiães e herdeiros da felicidade.

CAPÍTULO 23

A FELICIDADE NA PRESENÇA DA MORTE

Lembra-te de que há dois tipos de fanáticos: os que não sabem que têm que morrer, e aqueles que se esqueceram de que estão vivos.

PATRICK DECLERK

A morte, tão distante e tão próxima... Distante, porque sempre a imaginamos vindo um pouco mais tarde; próxima, porque pode nos atingir a qualquer momento. Se a nossa morte é certa, a hora em que chega é imprevisível. Quando ela se apresenta, não há eloquência que possa persuadi-la a esperar, não há poder que possa detê-la, não há riqueza que possa comprá-la, nem beleza que possa seduzi-la:

> Como o rio que corre para o mar,
> Como o sol e a lua que escorregam para os montes do poente,
> Como os dias e as noites, as horas, os instantes que fogem,
> A vida humana se escoa inexoravelmente.[1]

LEMBRAR-SE DA MORTE
PARA ENRIQUECER CADA INSTANTE DA VIDA

Como enfrentar a morte sem voltar as costas à vida? Como podemos pensar nela sem entrar em desespero e sem temê-la? Etty Hillesum escreveu: "Ao excluirmos a morte da nossa vida, não vivemos plenamente, e ao acolher a morte no coração da nossa vida, fazemos com que esta cresça e se enriqueça".[2] De fato, a maneira como vemos a morte tem um impacto considerável na nossa qualidade de vida. Algumas pessoas ficam aterrorizadas, outras preferem ignorá-la, e outras ainda a contemplam para apreciar melhor cada instante que passa e reconhecer aquilo que vale a pena ser vivido. Aceitar a morte como parte da vida serve de estímulo para a diligência e para evitar que desperdicemos o nosso tempo com distrações vãs. Gampopa, o sábio tibetano do século XII, escreveu: "No começo, devemos temer a morte como um cervo que tenta escapar de uma armadilha. A meio caminho, é preciso não ter nada de que se arrepender, como o camponês que trabalhou com cuidado a sua terra. No final, é preciso que estejamos felizes, como alguém que cumpriu uma grande tarefa".

É melhor aprender a tirar proveito do medo que a morte inspira do que ignorá-lo. Não precisamos viver com uma preocupação lancinante com a morte, mas devemos permanecer conscientes da fragilidade da existência, para não deixarmos de dar valor ao tempo que nos resta para viver. A morte muitas vezes ataca sem aviso. Podemos estar gozando de boa saúde, desfrutando uma boa refeição com amigos, num lugar belíssimo e, no entanto, vivendo nossos momentos finais. Deixamos para trás os nossos amigos, as conversações interrompidas, a nossa refeição pela metade, os nossos planos inacabados.

Não ter nada de que se arrepender? Aquele que aproveitou ao máximo o potencial extraordinário que a vida humana lhe ofereceu, por que teria ele algo de que se arrepender? Com tempo bom ou ruim, o fazendeiro que trabalhou, semeou e ceifou a sua colheita não se arrepende de nada, sabe que fez o seu melhor. Só podemos nos censurar por aquilo que não fizemos. Alguém que usou cada segundo da sua vida para se tornar uma pessoa melhor e para contribuir para a felicidade dos outros, pode legitimamente morrer em paz.

"E EU NÃO SEREI MAIS, E NADA MAIS SERÁ"

A morte se parece com uma chama que se extingue, uma gota de água que a terra absorve? Se é este o caso, como afirmou Epicuro, ela não tem nenhuma relação com a felicidade: "Portanto, a morte, o mais aterrorizador dos males, não é nada para nós já que, quando existimos, a morte ainda não está presente, e quando ela está presente, nós não existimos".[3] Mas e se a aventura não para por aí, se a morte é apenas uma transição e a nossa consciência continuará a vivenciar incontáveis estados de existência? Teremos que enfrentar essa importante passagem – não nos concentrando no nosso medo do sofrimento desse momento, mas adotando uma atitude altruísta e pacífica, livre do apego às posses e aos nossos entes queridos.

De qualquer modo, é claro que é preferível viver serenamente os nossos meses ou momentos finais, e não com angústia. De que serve se torturar com o pensamento de deixar para trás os nossos entes queridos e as nossas posses, e ficar obcecado com a decadência do nosso corpo? Como explica Sogyal Rimpoche: "A morte representa a destruição suprema e inevitável daquilo a que mais nos apegamos: nós mesmos. Vemos claramente, portanto, até que ponto os ensinamentos sobre o não ego e a natureza da mente podem nos ajudar".[4] À medida que a morte se aproxima, então, o melhor é adotar uma atitude serena, altruísta e desapegada. Dessa maneira evitamos fazer da morte um tormento mental ou uma provação física.

Não devemos esperar até o último minuto para nos prepararmos, porque dificilmente esse será o momento certo para decidir seguir em uma jornada espiritual. "Você não se envergonha", escreveu Sêneca, "de reservar para si só o que sobra da vida e de deixar para a sabedoria somente aquele tempo que não pode ser dedicado a nenhum outro assunto? Como é tarde começar a viver só no momento em que é preciso deixar de viver!".[5] É agora que precisamos nos engajar nesse caminho, enquanto temos o corpo e a mente saudáveis. Escutemos Dilgo Khyentse Rimpoche:

> A flor da juventude nos preenche de um vigor sadio, e queremos desfrutar intensamente a vida. Com um entusiasmo indomado, nos esforçamos para aumentar nossa fortuna e nosso poder.

Alguns não hesitam em prejudicar os interesses alheios para atingir seus objetivos. Mas no instante da nossa morte, compreendemos o quanto eram vãs essas atividades febris. Será muito tarde, ai!, para voltar atrás. Nada serve mais no momento da morte, a não ser a experiência espiritual que tenhamos adquirido ao longo da vida. Rápido! Pratiquemos antes que a velhice nos prive das nossas faculdades físicas e intelectuais.[6]

A MORTE DOS OUTROS

Como podemos lidar com a morte das outras pessoas? Se a morte de uma pessoa querida às vezes é sentida como um trauma irreparável, há um outro modo de vê-la que não tem nada de mórbido, porque uma "boa morte" não é necessariamente trágica. No Ocidente contemporâneo, as pessoas tentam de toda maneira desviar o olhar diante da morte. Ela é disfarçada, encoberta, tornada asséptica para parecer mais aceitável. Como não há nenhum meio material de evitá-la, preferimos removê-la totalmente do campo da nossa consciência. Ao fazer isso, ela fica ainda mais chocante quando por fim acontece, porque estamos despreparados para enfrentá-la. Enquanto isso a vida vai se escoando, dia após dia, e se não aprendermos a descobrir um sentido nela, a cada momento, tudo não terá sido mais do que desperdício de tempo.

Na Europa, no tempo do Antigo Regime, a família inteira se reunia em torno daquele que estava morrendo, os padres administravam o sacramento, e ele dizia as suas últimas palavras. Ainda hoje – no Tibete, por exemplo – quase sempre as pessoas morrem na companhia da família ou dos amigos. Isso permite também que as crianças vejam que a morte é uma parte natural da vida. Se um mestre espiritual está presente à cabeceira da pessoa que está morrendo, a morte vem serenamente, e os entes queridos são reconfortados. Se, além disso, essa pessoa tem experiência na prática espiritual, ninguém tem motivo para se preocupar. Muitas vezes as pessoas que voltam de uma cremação dizem: "Tudo correu muito bem". Logo em seguida à cremação de um amigo – um budista americano que morreu em Katmandu –, um embaixador americano no Nepal me disse que nunca tinha assistido a um funeral tão tranquilo.

A MORTE DO SÁBIO

O sábio goza de um tipo muito especial de liberdade: preparado para a morte, ele aprecia, a cada momento, a riqueza e a generosidade da vida. Ele vive cada dia como se fosse o único. Esse dia, naturalmente, se torna o mais precioso da sua existência. Quando olha para o pôr do sol, pergunta a si mesmo: "Será que verei o sol levantar-se novamente, amanhã de manhã?". Ele sabe que não tem tempo a perder, que o tempo é precioso e que seria tolice desperdiçá-lo com coisas insensatas. Quando a morte finalmente chega, ele morre tranquilamente, sem tristeza ou arrependimento, sem apego ao que está deixando para trás. Ele deixa esta vida como a águia que se eleva no azul do céu... Escutemos a canção do eremita Milarepa:

> Com medo da morte, fui para as montanhas,
> Meditei muitas e muitas vezes sobre a hora incerta da sua chegada,
> E tomei o baluarte da natureza imortal e imutável.
> Agora estou além de todo o medo da morte.

CAPÍTULO 24

UM CAMINHO

> Devemos ser a mudança que
> queremos ver no mundo.
>
> MAHATMA GANDHI

Às vezes, temos que nos sentir como exploradores, ardendo pela aspiração de realizar tudo o que vale a pena e de viver uma existência tal que no momento da morte não tenhamos arrependimentos. Aprendamos a liberdade. O ponto central da prática espiritual é obter controle sobre a mente. É por isso que se diz: "A meta do ascetismo é obter a maestria sobre a mente. Sem isso, que bem ele nos traz?". Recordemos que "ascetismo" significa "exercício" – neste caso, o treinamento da mente.

A intenção que deve nos conduzir a um caminho espiritual é a de nos transformarmos com vistas a ajudar os outros a se liberarem do sofrimento. Isso, num primeiro momento, nos leva a constatar a nossa própria impotência atual para realizar essa tarefa. Em seguida, vem o desejo de nos aperfeiçoarmos, para superar esse obstáculo.

Uma vez que tenhamos nos engajado no caminho espiritual e começado a praticá-lo com determinação, o momento importante vem vários meses ou anos mais tarde, quando percebemos que nada mais é como antes e, em particular, que nos tornamos incapazes de, conscientemente, fazer mal aos outros. E que o orgulho, a inveja e a confusão mental não são mais os mestres incontestes da nossa mente. Precisamos nos perguntar se a prática espiritual que fazemos nos transforma em pessoas melhores e contribui para a felicidade dos outros. É importante repetir essa questão muitas e muitas vezes e concentrar-se lucidamente nela. Em que ponto estamos? O que conseguimos realizar? Estagnação, regressão ou progresso? Estabelecida a harmonia interior e firmemente ancorado o bem-estar, torna-se mais fácil estender gradativamente a sua radiância a todos os que nos cercam e à nossa atividade social.

Não pode haver um método único para nos fazer progredir sem impedimentos em direção à liberação do sofrimento. A diversidade dos meios reflete a diversidade das pessoas. Cada um de nós começa do ponto em que se encontra, com o seu próprio temperamento e disposições pessoais, a sua arquitetura intelectual e as suas crenças. E cada um de nós pode encontrar um método adequado para trabalhar com os seus processos mentais e pouco a pouco ir se liberando do jugo das emoções prejudiciais até perceber a natureza última da mente.

Alguns podem se perguntar se não é luxo querer dissipar assim os seus tormentos internos e a sua dor para obter a liberdade interior, quando há tantos outros que sofrem passando fome, na pobreza extrema, nas guerras ou em incontáveis outros desastres. Por que não tentamos aliviar todo esse sofrimento de imediato? Se isso fosse possível, os cientistas também desistiriam das pesquisas só para cuidar dos casos emergenciais. Da mesma forma, qual seria a utilidade de passar cinco anos construindo um hospital? As instalações elétricas e encanamentos não curam ninguém. Seria melhor ir para a rua, montar algumas barracas e começar já, neste instante, a tratar dos doentes. Para que serve estudar, aprender, tornar-se especialista em determinada área? O mesmo vale para o caminho da transformação interior – ele nunca pode ser arbitrário. O conhecimento, o amor e a compaixão do sábio não surgem do nada, como uma flor que desabrochasse em pleno céu azul. Como disse Aristóteles: "Seria um erro deixar as coisas mais belas e mais importantes ao acaso".

OUVIR, REFLETIR, MEDITAR

Como qualquer aprendizado, a prática do caminho espiritual tem vários estágios. Devemos primeiro receber ensinamentos e depois assimilá-los. Uma criança não nasce com todo o conhecimento inato. Devemos então nos assegurar de que o conhecimento adquirido não se transforme em letra morta, como muitos belos livros que raramente são consultados. Profundas considerações devem ser dedicadas ao seu significado. Buda disse aos seus seguidores: "Não aceitem os meus ensinamentos apenas por respeito a mim. Examinem e ponham à prova o que lhes ensinei, como o ourives examina o ouro, cortando, aquecendo e martelando".

Não devemos nos contentar, portanto, com a compreensão meramente intelectual. Não ficamos curados por deixarmos a receita do médico à cabeceira da cama ou por sabê-la de cor. É necessário integrar o que aprendemos, para que a nossa compreensão se torne intimamente ligada ao nosso fluxo mental. Não se trata mais de teorias, mas de autotransformação. De fato, como vimos, esse é o sentido da palavra "meditação": familiarizar-se com um novo modo de ser. Podemos assim nos familiarizar com todos os tipos possíveis de qualidades – bondade, paciência, tolerância... – e então continuar a desenvolvê-las através da meditação.

Por meio desse exercício, praticado inicialmente em sessões breves mas regulares, suscitamos em nós uma qualidade determinada, que então deixamos penetrar em todo o nosso ser, até que ela chegue a tornar-se uma segunda natureza. Podemos igualmente meditar para adquirir a calma interior, estabilizando a mente por meio da concentração sobre um objeto: uma flor, um sentimento, uma ideia, uma representação do Buda. No começo a mente é instável, mas aprendemos a domá-la – como se colocássemos uma borboleta de volta à flor da concentração, cada vez que ela bate as suas asas para longe. O objetivo não é transformar a nossa mente em um aluno aplicado e entediado, mas torná-la flexível, estável, forte, lúcida, vigilante – em resumo, fazer dela uma ferramenta melhor para a transformação interior, em vez de abandoná-la à sua sorte como uma criança mimada que resiste a todo aprendizado.

Por último, podemos meditar de modo não conceitual, sobre a natureza da mente em si, olhando diretamente para a consciência pura como uma simples presença desperta, a atenção pura que sempre está por trás da tela de pensamentos, ou através da contemplação da própria natureza dos pensamentos que cruzam a nossa mente.

Há muitas outras maneiras de meditar, mas, por mais variadas que sejam, todas têm em comum o fato de operarem, em nós, um longo processo de transformação interior. Diferentemente da simples reflexão intelectual, a meditação implica em uma experiência muitas vezes renovada da mesma análise introspectiva, do mesmo esforço de transformação ou da mesma contemplação. Não se trata apenas de experienciar algum relâmpago repentino de compreensão, mas de chegar a uma nova percepção da realidade e da natureza da mente, de incubar novas qualidades até que elas se tornem parte integral do nosso ser. Muito mais do que brio intelectual, a meditação é uma habilidade que requer determinação, sinceridade e paciência.

A meditação é seguida pela ação, ou seja, a sua aplicação na vida cotidiana. De que serve uma "grande sessão" de meditação se ela não se traduz em uma melhora em todo o nosso ser, que pode se colocar a serviço dos outros? "Meu coração se tornará uma árvore carregada de frutos que poderei colher e distribuir?", perguntou Khalil Gibran.[1] Uma vez que as sementes da paciência, força interior, serenidade, amor e compaixão, tenham chegado à maturidade, é para os outros que devemos oferecer os frutos.

COMO UM CERVO FERIDO

Mas para atingir essa maturidade precisamos de tempo e condições adequadas. Para favorecer a estabilização e o desenvolvimento de uma prática meditativa e uma transformação interior – que, de início, são frágeis –, às vezes, é necessário mergulhar em um profundo recolhimento, mais fácil de atingir quando nos isolamos com tranquilidade em um lugar retirado. Isso é o que faria um cervo ferido: esconder-se na floresta até que se curem os seus ferimentos – aqui, trata-se dos ferimentos da ignorância, da animosidade, da inveja... No turbilhão da vida cotidiana, muitas vezes nos sentimos tão machucados e exauridos que não temos forças para fazer os exercícios que nos permitiriam adquirir mais energia.

Retirar-se na solidão não quer dizer perder o interesse pelo que acontece com as outras pessoas. Muito pelo contrário, colocar alguma distância entre nós e as atividades do mundo permite-nos ver as coisas sob uma nova perspectiva, mais ampla e mais serena, e assim compreender melhor a dinâmica da felicidade e do sofrimento. Ao encontrarmos a nossa paz interior, tornamo-nos capazes de compartilhá-la com os outros.

Esses períodos de solitude são úteis apenas na medida em que a compreensão e a força que obtemos deles conseguem resistir quando são expostas aos ventos da existência. E isso deve se verificar tanto na adversidade, que pode provocar desânimo, quanto no sucesso, que muitas vezes pode nos incitar à arrogância ou à preguiça. Tudo isso não é coisa fácil de conseguir, pois os nossos hábitos e inclinações são obstinados. Eles se parecem com os rolos de papel: tentamos estendê-los, mas no momento em que os soltamos se enrolam de novo, como uma mola. É necessário ter muita paciência. Assim, não deve ser surpresa para nós o fato de que um eremita leve anos para descobrir a natureza última da sua mente.

E, no entanto, esse eremita não está isolado da sociedade, já que ele se abre para a própria fonte dos comportamentos humanos. Ele não dedica sua vida à contemplação porque não tem nada melhor para fazer ou porque foi rejeitado pela sociedade, mas porque deseja elucidar os mecanismos da felicidade e do sofrimento para beneficiar a si mesmo e também – acima de tudo – aos outros.

Em nossas sociedades modernas, não seria muito razoável esperar que muitos homens e mulheres dedicassem meses ou anos à vida contemplativa. Por outro lado, não há quem não possa consagrar alguns minutos por dia e, de tempos em tempos, um ou dois dias inteiros, a sentar-se calmamente para, com clareza, olhar dentro da sua mente e ver a maneira como percebe o mundo ao seu redor. Isto é tão essencial quanto o sono para a pessoa que está exausta ou o ar fresco para quem respirou por muito tempo a poluição da cidade.

AONDE LEVA O CAMINHO

Todos, ou quase todos, estão interessados na felicidade. Mas quem se interessa pela iluminação? A própria palavra parece exótica, vaga e distante. No entanto, o único bem-estar verdadeiro é o que acompanha a eliminação completa da ilusão e dos venenos mentais, e, dessa maneira, do sofrimento. Iluminação é o nome dado pelo budismo ao estado de liberdade última que vem com o perfeito conhecimento da natureza da mente e do mundo dos fenômenos. O viajante despertou do sono letárgico da ignorância, e as distorções da psique cederam lugar a uma visão correta da realidade. A divisão entre sujeito e objeto desapareceu na compreensão da interdependência de todos os fenômenos. Por consequência, obteve-se um estado de não dualidade, que está além das maquinações do intelecto e é invulnerável a quaisquer pensamentos aflitivos. O sábio tomou consciência do fato de que o eu individual e as aparências do mundo fenomênico não têm nenhuma realidade intrínseca. Ele compreende que todos os seres têm o poder de se liberarem da ignorância e da infelicidade – mas eles não sabem disso! Como poderia então deixar de sentir uma compaixão infinita e espontânea por todos aqueles que, enganados pelos sortilégios da ignorância, erram perdidos nos tormentos do *samsara*?

Tal estado pode parecer muito distante das nossas preocupações cotidianas, mas ele certamente não está fora do nosso alcance. Todo o problema reside no fato de que ele está tão perto que não conseguimos vê-lo, como na situação do olho que não é capaz de ver as suas próprias pálpebras. Encontramos um eco deste conceito budista em Ludwig Wittgenstein: "Os aspectos mais importantes das coisas são ocultos para nós em razão da sua simplicidade e familiaridade".[2] A iluminação está efetivamente próxima, ao nosso alcance, no sentido de que todos temos, dentro de nós, o potencial que constitui a nossa verdadeira natureza. Ao contrário de Rilke, que escreveu que "todos morreremos inacabados", o budismo diz que todos nós nascemos completos, já que cada ser tem dentro de si um tesouro que só nos pede para ser revelado. Mas isso não acontece por si. O leite é a origem da manteiga, mas não irá produzi-la se o abandonarmos à sua sorte, é preciso batê-lo. As qualidades da iluminação se manifestam ao final da longa transformação que constitui o caminho espiritual.

Isso não significa que tenhamos que sofrer como mártires até aquele dia longínquo e improvável em que de repente obteremos a beatitude da terra prometida. O fato é que cada estágio constitui um passo no caminho que nos leva a uma satisfação e realização profundas. A jornada espiritual é como viajar de um vale para outro – adiante de cada passagem há uma paisagem ainda mais magnífica do que a que deixamos para trás.

ALÉM DA FELICIDADE E DO SOFRIMENTO

Do ponto de vista da verdade absoluta, nem a felicidade nem o sofrimento têm existência real. Ambos pertencem à verdade relativa, percebida pela mente que permanece presa pelos grilhões da confusão. Aquele que compreende a verdadeira natureza das coisas é como um navegador que aporta em uma ilha feita de ouro puro: mesmo que procure seixos comuns, não irá encontrá-los. Dilgo Khyentse Rimpoche nos explica: "Como as nuvens que se formam no céu, ficam por algum tempo e depois se dissolvem no vazio do espaço, os pensamentos ilusórios aparecem, duram um momento e depois desaparecem na vacuidade da mente. De fato, nada realmente aconteceu".[3]

Escutemos o eremita e bardo errante tibetano, Shabkar, em seu canto sobre a iluminação e a compaixão:

> Pacificado e descansado, nesse estado próprio da liberdade,
> Chego à imensidão da dimensão absoluta,
> Incondicionada, para além dos conceitos.
> A mente, restituída a si mesma,
> Ampla como o espaço, completamente transparente e serena;
> As venenosas e dolorosas amarras
> Dos construtos mentais
> Desatam-se por si mesmas.
>
> Enquanto permaneço nesse estado,
> Que é como um céu imenso e límpido,
> Vivo uma alegria que está além da palavra,
> Do pensamento ou da expressão.
>
> Olhando com os olhos de uma sabedoria
> Que é ainda mais infinita do que o céu que tudo abrange,

Os fenômenos do *samsara* e do nirvana
Se tornam espetáculos deslumbrantes.
Nessa dimensão de luz,
Não é necessário nenhum esforço,
Tudo acontece por si,
Natural e serenamente.
Alegria absoluta!

A compaixão pelos seres sencientes,
Que já foram minhas mães, surge das profundezas de mim –
E não são só palavras vazias:
Agora trabalharei para beneficiar os outros![4]

UM TESTEMUNHO FINAL

Posso dizer, sinceramente e sem ostentação, que sou um homem feliz, assim como digo que sei ler ou que tenho uma boa saúde. Se eu tivesse sido feliz sempre e continuamente, desde o momento em que, quando era pequeno, caí dentro de uma poção mágica, essa afirmação não teria nenhum interesse. Mas não foi sempre assim. Como criança e adolescente, estudei o melhor que pude, amei a natureza, toquei música, esquiei, velejei, observei os pássaros, aprendi a fotografar, amei a minha família e os meus amigos. Mas nunca me ocorreu dizer que era feliz. A felicidade não fazia parte do meu vocabulário. Eu tinha consciência do potencial que pensava estar presente dentro de mim, como um tesouro oculto, e o imaginava também nos outros. Mas a natureza desse potencial era vaga, e eu não tinha ideia de como realizá-lo. O florescimento que sinto agora, a cada momento da minha existência, foi construído ao longo do tempo, e em condições propícias à compreensão das causas da felicidade e do sofrimento.

Em meu caso, a boa sorte de encontrar-me com pessoas notáveis, que eram ao mesmo tempo sábias e compassivas, foi decisiva, porque o poder do exemplo diz mais do que qualquer discurso. Elas me mostraram o que podemos realizar e provaram-me que é possível tornar-se livre e feliz, de maneira duradoura, desde que se dê atenção a isso. Quando estou entre amigos, compartilho minha vida com eles com alegria. Quando estou só, em meu retiro ou em outro lugar, cada instante que passa é um deleite. Quando empreendo um projeto na vida ativa, regozijo-me se ele tem êxito e não vejo razão para queixar-me se ele não tem, já que dou a ele o meu melhor. Tive a sorte, até o dia de hoje, de ter o que comer e um teto sobre minha cabeça. Considero que as minhas posses são ferramentas, e não considero nenhuma delas indispensável. Sem um computador portátil eu pararia de escrever, e sem minha câmera deixaria de fotografar, mas isso de modo algum prejudicaria a qualidade de cada momento da minha vida. Para mim, o essencial foi ter encontrado os meus mestres espirituais e recebido deles os ensinamentos. Isso me deu mais do que o suficiente para meditar até o fim dos meus dias!

Meu desejo mais profundo é que as ideias apresentadas neste livro possam servir como luzes, ainda que tênues, no caminho da felicidade transitória e definitiva para todos os seres.

> Enquanto existir o espaço
> E enquanto existirem seres sencientes
> Possa eu também permanecer
> Para dissolver a miséria do mundo.
>
> Shantideva

NOTAS

EPÍGRAFE

Luca e Francesco Cavalli-Sforza, *La science du bonheur*. Paris: Odile Jacob, 1998.

INTRODUÇÃO

1. Matthieu Ricard, *Animal migratons*. Londres: Constable, 1970.
2. Jean-François Revel e Matthieu Ricard, *The monk and the philosopher: a father and son discuss the meaning of life*. Nova Iorque: Schocken, 2000. Edição brasileira: *O monge e o filósofo*. São Paulo: Mandarim, 1998.
3. Paul Ekman, Richard J. Davidson, Matthieu Ricard e B. Alan Wallace, "Buddhist and psychological perspectives on emotions and well-being", em *Current Directions in Psychological Science* 14:2 (abril 2005), p. 59-63.

CAPÍTULO 1: SOBRE A FELICIDADE

EPÍGRAFE: Jean-Jacques Rousseau, *Emile ou l'éducation*, 1762. Edição brasileira: *Emílio ou da educação*. São Paulo: Martins Fontes, 2004.

1. Henri Bergson, "Les deux sources de la morale et de la religion", em *Remarques finales*. Paris: PUF, 1997.
2. Ruut Veenhoven, "Advances in understanding happiness", Erasmus University Rotterdam e University of Utrecht, Holanda, traduzido de "Progrès dans la compréhension du bonheur", em *Revue Québécoise de Psychologie* 18 (1997).
3. André Burguière, *Le Nouvel Observateur*, edição especial "Le Bonheur", 1988.
4. Robert Misrahi, *Le bonheur, essai sur la joie*. Paris: Optiques, Hatier, 1994. Edição brasileira: *A felicidade*. Rio de Janeiro: Difel, 2001.

5. André Comte-Sponville, *Le bonheur, désespérément*. Nantes: Editions Pleins Feux, 2000. Edição brasileira: *A felicidade, desesperadamente*. São Paulo: Martins Fontes, 2005.

6. Katherine Mansfield, *Bliss and other stories*. North Stratford: Ayer, 1977. Edição brasileira: *Felicidade e outros contos*. Rio de Janeiro: Revan, 2000.

7. Etty Hillesum, *Etty: a diary 1941-43*. Londres: J. Cape, 1983.

8. Rabindranath Tagore, *Stray birds*. Nova Iorque: Macmillan, 1916.

9. Nicolas de Chamfort, *Maximes*. Paris: Gallimard. Quanto a Stendhal, escreveu em uma carta à sua irmã Pauline Beyle: "Creio, e demonstrarei, que toda infelicidade não vem senão do erro e que toda felicidade nos é procurada pela verdade". Stendhal, "Carta à sua irmã Pauline Beyle", em *Correspondance*. Paris: Gallimard, 1963-1968.

10. Hillesum, *op. cit.*

11. Georges Bernanos, *Journal d'un curé de campagne*. Paris: Plon, 1951. Edição brasileira: *Diário de um pároco de aldeia*. São Paulo: Paulus, 2000.

CAPÍTULO 2: A FELICIDADE É O PROPÓSITO DA VIDA?

EPÍGRAFE: Epicuro, "Lettre à Ménécée", em *Lettres et maximes*. Paris: Epiméthée, PUF, 1995. Edição brasileira: *Carta sobre a felicidade (a Meneceu)*. São Paulo: Unesp, 1997.

1. Chögyam Trungpa, *Cutting through spiritual materialism*. John Baker e Marvin Casper (Ed.). Boston: Shambhala, 1973. Edição brasileira: *Além do materialismo espiritual*. São Paulo: Cultrix, 1999.

2. Dominique Noguez, *Les plaisirs de la vie*. Paris: Payot et Rivages, 2000.

3. Immanuel Kant, *Critique de la raison pure*, trad. Tremesaygues et Pacaud. Paris: PUF, 1971.

4. Immanuel Kant, *Critique de la raison pratique*, trad. François Picavet. Paris: PUF, 1971. Edição brasileira: *Crítica da razão pura*. São Paulo: Martin Claret, 2002.

5. Romain Rolland, *Jean-Christophe*, vol. VIII. Paris: Albin Michel, 1952.

CAPÍTULO 3: UM ESPELHO DE DUAS FACES: OLHAR PARA DENTRO, OLHAR PARA FORA

1. Dalai Lama, palestra pública realizada em Coimbra, Portugal, em 26 de novembro de 2001. Traduzido do tibetano por Matthieu Ricard.

2. Marcus Aurelius, *Pensées*, vol. 19. Paris: Société d'Editions, 1953.
3. B. Alan Wallace, *Buddhism with an attitude: the Tibetan seven-point mind training*. Ithaca: Snow Lion, 2003. Edição brasileira: *Budismo com atitude*. Rio de Janeiro: Nova Era, 2007.
4. Richard Layard, *Happiness: lessons from a new science*. Londres: Allen Lane, Penguin Books, 2005.
5. Charlotte Brontë, *Villette*, em Charlote e Emily Brontë, *Complete novels*. Nova Iorque: Random House Value Publishing, 1995.
6. Pascal Bruckner, *L'euphorie perpétuelle*. Paris: Grasset, 2000. Edição brasileira: *A euforia perpétua*. Rio de Janeiro: Difel, 2002.
7. Alain, *Propos sur le bonheur*. Paris: Gallimard, 1998.

CAPÍTULO 4: FALSOS AMIGOS

EPÍGRAFE: Dilgo Khyentse Rimpoche, *The hundred verses of advice of Padampa Sangye*. Boston: Shambhala, 2004.

1. Christophe André, *Vivre heureux: psychologie du bonheur*. Paris: Odile Jacob, 2003. Edição brasileira: *Viver feliz*. São Paulo: Martins Fontes, 2006.
2. Paul Ekman, *Emotions revealed*. Nova Iorque: Times Press, 2003.
3. P. Brickman, D. Coates e R. Janoff-Bulman, "Lottery winners and accident victims: is happiness relative?", em *Journal of Personality and Social Psychology* 36 (1978), p. 917-27.
4. Michael Argyle, "Causes and correlates of happiness", em D. Kahneman, E. Diener e N. Schwarz, eds., *Well-being: the foundations of hedonic psychology*. Nova Iorque: Russell Sage Foundation, 2003.
5. Jean-Paul Sartre, *La nausée*. Paris: Gallimard, 1954. Edição brasileira: *A náusea*. Rio de Janeiro: Nova Fronteira, 2006.
6. G. C. Whiteneck et al., "Rocky Mountain spinal cord injury system", em *Report to the National Institute of Handicapped Research*, (1985), p. 29-33.

CAPÍTULO 5: A FELICIDADE É POSSÍVEL?

1. Misrahi, *op. cit.*
2. D. G. Myers, *The American paradox*. New Haven: Yale University Press, 2000.
3. Arthur Schopenhauer, *The world as will and representation*, trad. E. F. J. Payne. Nova Iorque: Dover, 1969. Edição brasileira: *O mundo como vontade e representação*. Rio de Janeiro: Contraponto, 2001.

4. Sigmund Freud, *Malaise dans la civilisation*, trad. Odier. Paris: PUF, 1971. Edição brasileira: *Mal-estar na civilização*. Rio de Janeiro: Imago, 1997.

5. Martin Seligman, *Authentic happiness*. Nova Iorque: Free Press, 2002. Edição brasileira: *Felicidade autêntica*. Rio de Janeiro: Objetiva, 2004.

6. Dalai Lama e Howard Cutler, *The art of happiness: a handbook for living*. Rockland: Compass, 1998. Edição brasileira: *A arte da felicidade*. São Paulo: Martins Fontes, 2000.

7. Wallace, *op. cit.*

8. Comte-Sponville, *op. cit.*

9. Cavalli-Sforza, *op. cit.*

CAPÍTULO 6: A ALQUIMIA DO SOFRIMENTO

1. M. D. S. Ainsworth, "Infant-mother attachment", em *American Psychologist* 34 (1979), p. 932-7. P. R. Shaver e C. L. Clark, "Forms of adult romantic attachment and their cognitive and emotional underpinnings", em G. Noam e K. Fischer (Ed.). *Development and vulnerability in close relationships*. Hillsdale: Erlbaum, 1996. P. R. Shaver e M. Mikulincer, "Attachment theory and research: core concepts, basic principles, conceptual bridges", em A. Kruglanski e E. T. Higgins (Ed.). *Social psychology: handbook of basic principles*, 2. ed. Nova Iorque: Guilford, 2005.

2. M. Mikulincer e P. R. Shaver, "Attachment security, compassion, and altruism", em *Current Directions in Psychological Science* 14 (2005), p. 34-38.

3. Andrew Solomon, *The noonday demon: an atlas of depression*. Nova Iorque: Scribner, 2001. Edição brasileira: *O demônio do meio-dia*. Rio de Janeiro: Objetiva, 2002.

4. G. Corneau, *La guérison du coeur: nos souffrances ont-elles un sens?* Paris: Laffont, 2001.

5. E. Fernandez e D. C. Turk, "The utility of cognitive coping strategies for altering pain perception: a meta-analysis", em *Pain* 38 (1989), p. 123-35.

6. Lisa K. Mannix, Rohit S. Chadurkar, Lisa A. Rubicki, Diane L. Tusek, Glen D. Solomon, "Effect of guided imagery on quality of life for patients with chronic tension-type headache", em *Headache* 39 (1999), p. 326-34.

7. Tenzin Choedrak com Giles Van Grasdorff, *The rainbow palace*. Londres: Bantam, 2000.

8. Ani Pachen e A. Donnelly, *Sorrow mountain: the journey of a Tibetan warrior nun*. Nova Iorque: Kodansha America, 2000.

CAPÍTULO 7: OS VÉUS DO EGO

EPÍGRAFE: Chandrakirti, *Madhyamakalankara*. Chandrakirti (século VII) foi um dos grandes comentadores indianos dos ensinamentos de Buda e de Nagarjuna.

1. Han F. de Wit, *De lotus en de roos: boeddhisme in dialoog met psychologie, godsdienst en ethiek*. Kampen: Kok Agora, 1998.
2. Correspondência particular.
3. Aaron Beck, *Prisoners of hate: the cognitive basis of anger, hostility, and violence*. Nova Iorque: HarperCollins, 1999.
4. D. Galin, "The concepts of 'self', 'person', and 'I', in Western psychology and in buddhism", em Alan Wallace (Ed.). *Buddhism and science: breaking new ground*. Nova Iorque: Columbia University Press, 2003.
5. Han F. de Wit, *De lotus en de roos*, op. cit.
6. Charles Scott Sherrington, *The integrative action of the nervous system*. New Haven: Yale University Press, 1948.

CAPÍTULO 8: QUANDO OS PENSAMENTOS SE TORNAM NOSSOS PIORES INIMIGOS

EPÍGRAFE: Alain, op. cit.

1. Andrew Solomon, *The noonday demon: an atlas of depression*. Nova Iorque: Scribner, 2001.
2. *Ibid.*
3. Dilgo Khyentse Rimpoche, *The heart treasure of the enlightened ones*. Boston: Shambhala, 1993.
4. Nicolas Boileau, *Épitre V à Guilleraghes*. Paris: Gallimard, 1995.
5. Luca e Francesco Cavalli-Sforza, *La science du bonheur*, op. cit.
6. Traduzido do inglês para o francês por Glenn H. Mullin, *Selected works of the Dalai Lama VII, songs of spiritual change*. Ithaca: Snow Lion, 1985.
7. Dalai Lama, *L'art de la compassion*. Paris: Robert Laffont, 2002.

CAPÍTULO 9: O RIO DAS EMOÇÕES

1. Ver R. J. Davidson e W. Irwin, "The functional neuroanatomy of emotion and affective style", em *Trends in Cognitive Science* 3 (1999), p. 11-21; R. J. Davidson, "Cognitive neuroscience needs affective neuroscience (and vice versa)", *Cognition and Emotion* 42 (2000), p. 89-92; A. R. Damasio, *Descartes' error*. Nova Iorque: Avon, 1994 (Edição brasileira: *O erro de*

Descartes. São Paulo: Companhia das Letras, 1996); e E. T. Rolls, *The brain and emotion*. Nova Iorque: Oxford University Press, 1999.

2. Ver Nico H. Fridja, "Emotions and hedonic experience", em Kahneman, Diener e Schwarz (Ed.). *Well-being*, p. 204.

3. Ekman, Davidson, Ricard e Wallace, *op. cit.*

4. *Ibid.*

5. L. Cosmides e J. Tooby, "Evolutionary psychology and the emotions", em M. L. Lewis e J. Haviland-Jones, eds., *Handbook of emotions*, 2. ed. Nova Iorque: Guilford, 2000; P. Ekman e W. V. Friesen, "The repertoire of nonverbal behavior: categories, origins, usage, and coding", em *Semiotica 1* (1969), p. 49-98; C. Izard, *The face of emotion*. Nova Iorque: Appleton-Century-Crofts, 1971.

6. Ver especialmente H. S. Friedman, *Hostility, coping, and health*. Washington: American Psychological Association, 1992; e J. Vahtera, M. Kivimaki, A. Uutela e J. Pentti, "Hostility and ill health: role of psychosocial resources in two contexts of working life", em *Journal of Psychosomatic Research* 48 (2000), p. 89-98. Deve-se notar, entretanto, que no Ocidente a hostilidade e a violência são pensadas não como emoções *per se*, mas como traços de personalidade ou de caráter.

7. W. Barefoot et al., "The health consequences of hostility", em Chesney *et al.* (Ed.). *Anger and hostility in cardiovascular and behavioral disorders*. Nova Iorque: McGraw-Hill, 1985.

8. R. J. Davidson, D. C. Jackson e N. H. Kalin, "Emotion, plasticity, context, and regulation: perspectives from affective neuroscience", em *Psychological Bulletin* 126 (2000), p. 890-906; também Ekman, *op. cit.*

9. Solomon, *op. cit.*

10. Ekman, Davidson, Ricard e Wallace, *op. cit.*

11. D. Myers, "Happiness", em *Psychology*, 6. ed. Nova Iorque: Worth, 2001.

12. Barbara Fredrickson, "Positive emotions", em C. R. Snyder e Shane J. Lopez (Ed.). *Handbook of positive psychology*. Nova Iorque: Oxford University Press, 2002.

13. William James, *The principles of psychology*. Cambridge: Harvard University Press, 1890/1981.

CAPÍTULO 10: EMOÇÕES PERTURBADORAS: OS REMÉDIOS

1. Dolf Zilmann, "Mental control of angry aggression", em D. Wegner e P. Pennebaker, *Handbook of mental control*. Englewood Cliffs: Prentice Hall, 1993.

2. J. E. Hokanson et al., "The effect of status, type of frustration, and aggression on vascular process", em *Journal of Abnormal and Social Psychology* 65 (1962), p. 232-7.

3. C. Daniel Batson, Nadia Ahmad, David A. Lishner e Jo-Ann Tsang, "Empathy and altruism", em *Handbook of Positive Psychology* 35 (2002), p. 485-97.

4. Alain, *op. cit.*

5. Dalai Lama, *Ancient wisdom, modern world: ethics for the next millennium*. Londres: Little Brown, 1999.

6. Dilgo Khyentse, *The heart treasure of the enlightened ones, op. cit.*

7. Ekman, *Emotions revealed, op. cit.*

8. Alain, *op. cit.*

9. Ekman, Davidson, Ricard e Wallace, *op. cit.*

10. Chögyam Trungpa, *Cutting through spiritual materialism, op. cit.*

11. Pierre Hadot, *Qu'est-ce que la philosophie antique?* Paris: Gallimard, 1995. Col. Folio: Essais.

CAPÍTULO 11: O DESEJO

1. Schopenhauer, *op. cit.*

2. Martin E. Seligman, *Authentic happiness*. Nova Iorque: Free Press, 2002.

3. Nagarjuna, Suhrlleka, *Lettre à un ami*, tradução do tibetano por Matthieu Ricard. Edição brasileira: *Carta a um amigo*. São Paulo: Palas Athena, 1994.

4. Anatole France, *La vie em fleur*. Paris: Gallimard Jeunesse, 1983: XXI.

5. Christian Boiron, *La source du bonheur*. Paris: Albin Michel, 2000.

6. Alain, *op. cit.*

7. K. C. Berridge, "Pleasure, pain, desire, and dread: hidden core processes of emotion", em Kahneman, Diener e Schwarz (Ed.). *Well-being*.

CAPÍTULO 12: O ÓDIO

*NOTA DO TRADUTOR: Aqui as palavras *hatred* em inglês e *haine* em francês foram traduzidas em seu vocábulo português mais próximo, ódio, apesar de, na literatura budista, ser mais comum o uso da forma raiva. Sempre que, no original, grafar-se *anger*, ou *colère*, daremos preferência à forma raiva. (N. do T.)

1. Beck, *op. cit.*
2. Dilgo Khyentse Rimpoche, *Le trésor du coeur des êtres éveillés*. Paris: Le Seuil, Points Sagesse, 1996, comentário do versículo 40.
3. Dalai Lama e M. Ricard, *365 Dalai Lama: daily advice from the heart*. London: Thorsons Element, 2003.
4. Discurso na Universidade Sorbonne por ocasião de um reencontro dos laureados com o Prix de la Mémoire, em 1993.
5. Hillesum, *op. cit.*
6. Paul Lebeau, *Etty Hillesum, un itinéraire spirituel*. Paris: Albin Michel, 2001.
7. Shantideva, *La marche vers l'éveil*. Saint-Léon-sur-Vézère: Padmakara, 1991, VII. Edição brasileira: *Guia do estilo de vida do bodhisatva*. São Paulo: Tharpa Brasil, 2003.

CAPÍTULO 13: A INVEJA

1. Swami Prajnanpad, *La vérité du bonheur*. Col. Lettres à ses disciples, v. 3. Paris: L'Originel, 1990.

CAPÍTULO 14: O GRANDE SALTO EM DIREÇÃO À LIBERDADE

1. A. Comte-Sponville, *Petit traité des grandes vertus*. Paris: PUF, 1995. Edição brasileira: *Pequeno tratado das grandes virtudes*. São Paulo: Martins Fontes, 2001.

CAPÍTULO 15: UMA SOCIOLOGIA DA FELICIDADE

EPÍGRAFE: Daniel Kahneman, "Objective happiness", em Kahneman, Diener e Schwarz (Ed.). *Well-being*.

1. Ruut Veenhoven, por exemplo, catalogou e comparou nada menos do que 2.475 publicações científicas sobre a felicidade, em Bibliography of happiness. RISBO, *Studies in social and cultural transformation*, Roterdã: Erasmus University, 1993.
2. F. M. Andrews et al., *Social indicators of well-being*. Nova Iorque: Plenum, 1976; E. Diener, "Subjective well-being", em *Psychological Bulletin* 96 (1984), p. 542-75.
3. D. A. Dawson, *Family structure and children's health: United States*, 1988. Department of Health and Human Services publication 91-1506. *Vital and Health Statistics*, series 10, n. 178, Washington: National Center for Health Studies, 1991.

4. M. Argyle, "Causes and correlates of happiness", *op. cit.*

5. Layard, *op. cit.*

6. *Ibid.*

7. P. Brickman e D. T. Campbell, "Hedonic relativism and planning the good society" em M. H. Appley (Ed.). *Adaptation-level theory: a symposium* Nova Iorque: Academic Press, 1971.

8. R. Biswas-Dieener e E. Diener, "Making the best of a bad situation: satisfaction in the slums of Calcutta", em *Social Indicators Research*, 2002.

9. Martin Seligman, *The optimistic child*. Nova Iorque: Houghton Mifflin, 1996.

10. WHO, *World Health Report*, 1999.

11. Do website do NIMH (National Institute of Mental Health), *Suicide facts for 1996*.

12. Layard, *op. cit.*

13. Pesquisa Gallup de 1994.

14. Seligman, *Authentic happiness*, *op. cit.*

15. A. Tellegen et al., "Personal similarity in twins reared apart and together", em *Journal of Personality and Social Psychology* 54 (1998), p. 1030-9.

16. D. Francis, J. Diorio, D. Liu e M. J. Meaney, "Nongenomic transmission across generations of maternal behavior and stress responses in the rat", *Science* 286 (1999), p. 1155-8.

17. Martin Seligman, *What you can change and what you can't*. Nova Iorque: Knopf, 1994.

18. K. Magnus et al., "Extraversion and neuroticism as predictors of objective life events: a longitudinal analysis", em *Journal of Personality and Social Behavior* 65 (1993), p. 1046-53.

19. D. Danner et al., "Positive emotions in early life and longevity: findings from the nun study", em *Journal of Personality and Social Psychology* 80 (2001), p. 804-13.

20. G. Ostir et al., "Emotional well-being predicts subsequent functional independence and survival", em *Journal of the American Geriatrics Society* 98 (2000), p. 473-78.

21. J. Kaprio, M. Koskenvo e H. Rita, "Mortality after bereavment: a prospective study of 95.647 widowed persons", em *American Journal of Public Health* 77 (1987).

22. E. Diener, "Subjective well-being", em *Psycholotical Bulletin* 96 (1984), p. 542-75.

23. E. Diener *et al.*, "Resources, personal strivings, and subjective well-being: a nomothetic and idiographic approach", em *Journal of Personality and Social Psychology* 68 (1994), p. 926-35.

24. Veenhoven, "Advances in understanding happiness".
25. Cavalli-Sforza, *op. cit.*
26. D. Leonhardt, "If richer isn't happier, what is?", em *New York Times*, 19 de maio de 2001, B9-11.

CAPÍTULO 16: A FELICIDADE NO LABORATÓRIO

1. Para uma discussão a respeito deste assunto, ver Alan Wallace, *The taboo of subjectivity: toward a new science of consciousness* (Nova Iorque: Oxford University Press, 2000), bem como Matthieu Ricard e Trinh Xuan Thuan, *The quantum and the lotus* (Nova Iorque: Crown, 2002).
2. G. Kemperman, H. G. Kuhn e F. Gage, "More hippocampal neurons in adult mice living in an enriched environment", em *Nature* 386 (3 de abril de 1997), p. 493-95. Para um levantamento geral, ver Gerd Kemperman e Fred Gave, "New nerve cells for the adult brain", em *Scientific American*, maio de 1999.
3. P. S. Ericksson et al., "Neurogenesis in the adult human hippocampus", *Nature Medicine* 4:11 (Nov. 1998), p. 1313-17.
4. Daniel Goleman, *Destructive emotions: how can we overcome them?* Nova Iorque: Bantam, 2003. Edição brasileira: *Como lidar com emoções destrutivas*. São Paulo: Campus, 2003.
5. A. Lutz, L. L. Greischar, N. B. Rawlings, M. Ricard e R. J. Davidson, "Long-term meditators self-induce high-amplitude gamma synchrony during mental practice", em *PNAS* 101:46 (16 de novembro de 2004).
6. Davidson entrevistado por Sharon Begley em "Scans of monks' brains show meditation alters structure, functioning", em *Wall Street Journal*, 5 de novembro de 2004, B1.
7. Davidson entrevistado por Mark Kaufman em "Meditation gives brain a charge, study finds", em *Washington Post*, 3 de janeiro de 2005, A5.
8. *Ibid.*
9. Begley, *op. cit.*
10. *Ibid.*
11. R. J. Davidson e M. Rickman, "Behavioral inhibition and the emotional circuitry of the brain: stability and plasticity during the early childhood years", em L. A. Schmidt e J. Schulkin, eds., *Extreme fear and shyness: origins and outcomes*. Nova Iorque: Oxford University Press, 1999.
12. Goleman, *Destructive emotions*, *op. cit.*
13. Lutz et al., *op. cit.*

14. Goleman, *Destructive emotions*, op. cit.

15. *Ibid.*

16. Kaufman, op. cit.

17. R. J. Davidson, J. Kabat-Zinn, et al., "Alterations in brain and immune function produced by mindfulness meditation", em *Psychosomatic Medicine* 65 (2003), p. 564-70.

CAPÍTULO 17: FELICIDADE E ALTRUÍSMO

1. Relatado em "Science in action", BBC World Service, 2001.

2. E. Diener e M. E. P. Seligman, "Very happy people", em *Psychological Science* 13 (2002), p. 81-4.

3. Seligman, *Authentic happiness*, op. cit.

4. Jean-Jacques Rousseau, *Rêveries du promeneur solitaire*. Paris: Éditions Nationales, 1947. Edição brasileira: *Devaneios do caminhante solitário*. Brasília: UNB, 1995.

5. E. Sober, "Kindness and cruelty in evolution", em *Visions of compassion*, Richard J. Davidson e Anne Harrington (Ed.). Nova Iorque: Oxford University Press, 2002.

6. Han F. de Wit, *De lotus en de roos*, op. cit.

7. G. Hardin, *The limits of altruism: an ecologist's view of survival*. Bloomington: Indiana University Press, 1977.

8. C. Daniel Batson, "Why act for the public good? Four answers", em *Personality and Social Psychology Bulletin* 20 (1994), p. 603-10

9. C. Daniel Batson, Janine L. Dyc et al., "Five studies testing two new egoistic alternatives to the empathy-altruism hypothesis", em *Journal of Personality and Social Psychology* 55:1 (1988), p. 52-7.

10. Nancy Eisenberg, "Empathy-related emotional responses, altruism, and their socialization", em Davidson e Harrington, *Visions of compassion*.

11. Shantideva, *La marche vers l'éveil*, op. cit., VIII.

CAPÍTULO 18: FELICIDADE E HUMILDADE

EPÍGRAFE: Dilgo Khyentse Rimpoche, *Heart treasure*, op. cit.

1. S. Kirpal Singh, 1968, artigo não publicado.

2. M. Perez, K. D. Vohs, T. E. Joiner, "Discrepancies between self- and other-

esteem as correlates of aggression", em *Journal of Social and Clinical Psychology* 24:5 (agosto de 2005), p. 607-20.

3. J. J. Exline e R. F. Baumeister, Case Western Reserve University, 2000. Dados não publicados citados em J. P. Tangney, "Humility", em Snyder e Lopez (Ed.). *Handbook of positive psychology*.

CAPÍTULO 19: OTIMISMO, PESSIMISMO E INGENUIDADE

EPÍGRAFE: Alain, *op. cit.*

1. M. Seligman, *Apprendre l'optimisme*. Paris: Interedictions, 1994.
2. L. G. Aspinwall et al., "Understanding how optimism works: an examination of optimistics' adaptative moderation of belief and behavior", em *Optimism and pessimism: implications for theory, research, and practice*. Washington: American Psychological Association, 2001.
3. L. G. Aspinwall et al., "Distinguishing optimism from denial: optimistic beliefs predict attention to health threat", em *Personality and Social Psychology Bulletin* 22 (1996), p. 993-1003.
4. Seligman, *Authentic happiness*, *op. cit.*
5. T. Maruta *et al.*, "Optimists vs. pessimists: survival rate among medical patients over a 30-year period", em *Mayo Clinic Proceedings* 75 (2000), p. 140-43.
6. M. Seligman, *Learned optimism: how to change your mind and your life*. Nova Iorque: Free Press, 1998.
7. Alain, *Propos sur le bonheur*, *op. cit.*
8. Alain, *op. cit.*
9. C. R. Snyder et al., "Hope theory", em Snyder e Lopez (Ed.). *Handbook of positive psychology*; Curry et al., "The role of hope in student-athlete academic and sport achievement", em *Journal of Personality and Social Psychology* 73 (1997), p. 1257-67.
10. Ver principalmente S. Greet et al., "Psychological response to breast cancer and 15-year outcome", em *Lancet* I (1991), p. 49-50, e também G. M. Reed et al., "Realistic acceptance as a predictor of decreased survival time in gay men with AIDS", em *Health Psychology* 13, p. 299-307.
11. Charles S. Carver e Michael F. Sheier, "Optimism", em Snyder e Lopez, eds., *Handbook of positive psychology*, 2002, Oxford University Press, 17, p. 231-43.
12. C. R. Snyder et al., "Hope theory", *op. cit.*, p. 266.

CAPÍTULO 20: TEMPOS DOURADOS, TEMPOS CINZENTOS, TEMPO PERDIDO

1. Sêneca, *De la brièveté de la vie*. Paris: Rivages Poche, 1990, XVI, 3. Edição brasileira: *Sobre a brevidade da vida*. Porto Alegre: L&PM, 2006.
2. *Ibid*.
3. Vicki Mackenzie, *Cave in the snow: a Western woman's quest for enlightenment*. Londres: Bloomsbury, 1998.
4. Nagarjuna, *Suhrlleka*, traduzido do tibetano por Matthieu Ricard.

CAPÍTULO 21: SER UM COM O FLUXO DO TEMPO

EPÍGRAFE: J. Nakamura e M. Csikszentmihalyi, "The concept of flow", em Snyder e Lopez (Ed.). *Handbook of positive psychology*.

1. M. Csikszentmihalyi, "Go with the flow", na revista *Wired*, setembro de 1996.
2. "Like a waterfall", em *Newsweek*, 28 de fevereiro de 1994. Citado por Daniel Goleman, *Emotional intelligence*. Nova Iorque: Bantam, 1995. Edição brasileira: *Inteligência emocional*. Rio de Janeiro: Objetiva, 1996.
3. William James, *op. cit*.
4. Csikszentmihalyi, "Go with the flow".
5. S. Whalen, "Challenging play and the cultivation of talent. Lessons from the Key School's flow activities room", em N. Colangelo e S. Astouline, eds., *Talent development III*. Scottsdale: Gifted Psychology Press, 1999.
6. De um guia para as práticas e atividades escrito pelos monges de Plum Village, França.
7. Nakamura e Csikszentmihalyi, *op. cit*.

CAPÍTULO 22: A ÉTICA COMO CIÊNCIA DA FELICIDADE

EPÍGRAFE: Epicuro, *Maximes capitales*.

1. Cavalli-Sforza, *op. cit*.
2. Dalai Lama, *Ancient wisdom, modern worl, op. cit*.
3. Francisco J. Varela, *Ethical know-how: action, wisdom, and cognition*. Stanford: Stanford University Press, 1999.
4. Dalai Lama, *Ancient wisdom, modern world, op. cit*.
5. Comte-Sponville, *Petit traité, op. cit*.

6. Immanuel Kant, *The philosophy of law: an exposition of the fundamental principles of jurisprudence as the science of right.*

7. Comte-Sponville, *Petit traité, op. cit.*

8. Varela, *op. cit.*

9. Dalai Lama, *Ancient wisdom, modern world, op. cit.*

10. Immanuel Kant, *Critique of practical reason, op. cit.*

11. Varela, *op. cit.*

12. Jeremy Bentham, *The principles of morals and legislation.* Nova Iorque: Prometheus, 1988.

13. *John Rawls, A theory of justice.* Cambridge: Belknap Press, 2005. Edição brasileira: *Uma teoria da justiça.* São Paulo: Martins Fontes, 2002.

14. Charles Taylor, *Sources of the self: the making of modern identity.* Cambridge: Harvard University Press, 1989.
Edição brasileira: *Fontes do self.* São Paulo: Loyola, 1997.

15. Varela, *op. cit.*

16. J. Greene *et al.*, "The neural basis of cognitive conflict and control in moral judgement", em *Neuron* 44 (2004), p. 389-400.

17. De Wit, *op. cit.*

CAPÍTULO 23: A FELICIDADE NA PRESENÇA DA MORTE

EPÍGRAFE: Patrick Declerk, "Exhortations à moi-même", em
Le Nouvel Observateur, edição especial "La Sagesse d'aujourd'hui", abril-maio de 2002.

1. Padmasambhava, o mestre que introduziu o budismo no Tibete no século VIII-IX da nossa era. Tradução do tibetano de M. Ricard.

2. Hillesum, *op. cit.*

3. Epicuro, "Lettre à Ménécée", em *Lettres et maximes.*

4. Sogyal Rimpoche, *The Tibetan book of living and dying.* San Francisco: HarperSanFrancisco, 1992. Edição brasileira: *Livro tibetano do viver e morrer.* São Paulo: Palas Athena, 1999.

5. Sêneca, *op. cit.*

6. Dilgo Khyentse Rimpoche, *Les cent conseils de Padampa Sangyé*. Saint-Léon-sur-Vézère: Padmakara, 2001.

CAPÍTULO 24: UM CAMINHO

1. Khalil Gibran, *Le prophète*. Paris: Le Livre de Poche, 1993.
2. Ludwig Wittgenstein, *On certainty (Über Gewissheit)*. Nova Iorque: Harper and Row, 1969.
3. Dilgo Khyentse Rimpoche, *The heart treasure of the enlightened ones*, op. cit., comentário do versículo 33.
4. Matthieu Ricard et al., trad., *The life of Shabkar*. Ithaca: Snow Lion, 2001.

AGRADECIMENTOS PELOS DIREITOS AUTORAIS

O autor é grato pela permissão para reproduzir trechos das seguintes publicações:

"Advances in understanding happiness", de Ruut Veenhoven, Erasmus University Rotterdam e Universidade de Utrecht, Holanda, traduzido de "Progrès dans la compréhension du bonheur", *Revue Québécoise de Psychologie* 18 (1997), reprodução com a permissão do autor.

"Scans of the monks' brains show meditation alters structure, functioning", *The Wall Street Journal*, 5 de novembro de 2004, B1. Reprodução com a permissão do *The Wall Street Journal*, copyright © 2004 Dow Jones & Company, Inc. Todos os direitos mundialmente reservados. Licença de números 1382650953002 e 1382671136678.

"Meditation gives brain a charge, study finds", de Mark Kaufman, *The Washington Post*, 3 de janeiro de 2005, A5. Copyright © 2005, The Washington Post. Reprodução permitida.

"Destructive emotions: how can we overcome them? A scientific dialogue with the Dalai Lama", de Daniel Goleman, narrador, copyright © 2003 The Mind and Life Institute. Usado com a permissão de Bantam Books, uma divisão da Random House, Inc.

"Go with the flow" publicado originalmente na revista *Wired*, setembro de 1996. Entrevista de Mihaly Cskszentmihalyi, por John Geirland. Reprodução permitida.

AGRADECIMENTOS

Este livro é uma oferenda. Coloquei nele todo o meu coração, mas não criei nada. As ideias que expressei foram inspiradas no exemplo vivo e nos ensinamentos que recebi dos meus mestres espirituais – Kyabje Kangyur Rimpoche, Kyabje Dudjom Rimpoche, Kyabje Dilgo Khyentse Rimpoche, Sua Santidade o XIV Dalai Lama, Kyabje Trulshik Rimpoche, Taklung Tsétrul Pema Wangyal Rimpoche, Shechen Rabjam Rimpoche, Jigme Khyentse Rimpoche e Dzigar Kongtrul Rimpoche; inspiraram-se também em todos aqueles de quem pude estar próximo neste mundo e nas experiências que vivenciei.

Toda a minha gratidão vai para aqueles que pacientemente me ajudaram a dar a este livro a sua afinação mais sutil: Carisse e Gérard Busquet, pelas preciosas sugestões que não cessaram de me fazer durante toda a redação; Dominique Marchal, Christian Bruyat, Patrick Carré, Serge Bruna Rosso, minha mãe Yahne Le Toumelin, Yan Reneleau, Yann Devorsine, Raphaële Demandre, Raphael Vignerot, Gérard Godet, Sylvain Pinard, Alain Thomas, Jill Heald, Caroline Francq e muitos outros amigos, cujas reflexões e comentários foram salutares para a formulação e ordenação das ideias aqui apresentadas.

Minha editora de sempre, Nicole Lattès, esteve no coração da concepção e do desenvolvimento desta obra e forneceu os encorajamentos necessários ao escritor improvisado que sou. Os comentários lúcidos e a bondosa ajuda de Françoise Delivet, das Edições Laffont, abriram-me os olhos para diversas maneiras de esclarecer o sentido e a formulação do texto. Se ele permanece imperfeito, sou o único responsável!

Meus agradecimentos a Pascal Bruckner, cuja obra *L'euphorie perpétuelle* deu a este livro o seu primeiro impulso, e a Catherine Bourgey, que se ocupou, com a sua competência e gentileza habituais, de apresentá-lo ao público.

Enfim, a presença em minha vida do abade de Shechen, Rabjam Rimpoche, neto de meu mestre Dilgo Khyentse Rimpoche, e o fato de que todos os recursos gerados pela publicação deste livro são dedicados à realização de projetos espirituais e humanitários que têm nele a sua inspiração, constituem para mim uma constante fonte de alegria.

SOBRE O AUTOR

Matthieu Ricard é um monge budista que teve uma promissora carreira na área de genética celular antes de deixar a França para estudar o budismo, no Himalaia, há trinta e cinco anos. Ele é autor de vários *bestsellers*, fotógrafo e participante ativo das atuais pesquisas científicas sobre os efeitos da meditação no cérebro. Vive e trabalha em projetos humanitários no Tibete e no Nepal.

NOTA DO TRADUTOR

A tradução de *Felicidade – a prática do bem-estar* para o português teve como fontes o original em francês, *Plaidoyer pour le bonheur* (Paris, 2003) e a posterior tradução para o inglês, *Happiness* (Nova Iorque, 2004), esta última com prefácio de Daniel Goleman.

Há diversas diferenças entre as duas edições. Certos trechos são mais resumidos em inglês e perderam um pouco da riqueza literária do francês em favor de um texto mais "pragmático", se podemos dizer assim, ao gosto americano. Por outro lado, os capítulos referentes às relações entre a neurociência e a meditação estão bem mais atualizados na edição americana; ela contém, também, exercícios que estão ausentes no original francês.

Como traduzir? Consultamos o autor, que nos deixou com plena liberdade. Procuramos então restaurar a riqueza presente em certos trechos da edição francesa, atualizando-a com as novas descobertas e os exercícios presentes na americana...

Foi um trabalho muito enriquecedor e que nos trouxe grande prazer. Desejamos, com o autor, que esta tradução possa contribuir, ainda que modestamente, para a felicidade temporária e definitiva de todos os seres.

Sugestão de leitura da Palas Athena Editora

A REVOLUÇÃO DO ALTRUÍSMO
Matthieu Ricard

Fruto de um encontro transdisciplinar sobre a natureza humana, unindo pesquisadores destacados da atualidade e novos achados científicos nas esferas da psicologia, biologia evolutiva, etologia, neurociência e economia – uma revolução em marcha – que revela o amor, a compaixão, o senso de responsabilidade, a cooperação e boa vontade para com nossos semelhantes e os animais como vantagens evolutivas, econômicas e psicológicas antes insuspeitadas. Abre amplos horizontes sociais de engajamento local e responsabilidade global para o que de fato é importante na comunidade de vida do planeta.

AS FOLHAS CAEM SUAVEMENTE
Susan Bauer-Wu

A sabedoria de gerações de mestres e tradições milenares é destilada para nos ensinar a viver bem ainda nos momentos mais delicados da vida humana, com honestidade, plenitude, compaixão e empatia. Um guia escrito com a precisão de um cientista, a visão de um estudante e o pragmatismo de alguém que se importa com as pessoas, convidando para descobertas em situações desafiadoras.

COMPAIXÃO OU COMPETIÇÃO – Valores humanos nos negócios e na economia
Dalai Lama, Sua Santidade

O Dalai Lama oferece ao leitor ideias criativas a respeito do papel da empresa e da economia em nossa sociedade. Tratando temas críticos como cooperação ou conflito, sustentabilidade ou lucro imediato, compaixão ou competição, desafia a buscar um significado diferente – um modo mais eficaz de atender os interesses dos outros e também os nossos.

MANUAL PRÁTICO – Mindfulness: curiosidade e aceitação
Marcelo Demarzo e Javier García-Campayo

Mindfulness, ou "atenção plena" – modo de ser que permite ancorar no presente, de forma consciente e com aceitação da experiência – originou uma psicoterapia de terceira geração sobre a qual já existe uma importante evidência científica. Demonstra sua eficácia tanto no tratamento de doenças psiquiátricas como médicas. Sua difusão em diversos países e inúmeros campos gerou uma verdadeira "revolução mindful", estendendo-se para ambientes educativos, empresariais e esportivos.

MENTE ZEN, MENTE DE PRINCIPIANTE
Shunryu Suzuki

E se você procurar sentar e ficar quieto por algum tempo para descobrir o que é a sua mente? A inocência da primeira pergunta "o que sou eu?" é a mente de principiante. Suzuki traz a prática do Zen como disciplina e caminho viável – a postura e a respiração, as atitudes e a compreensão básicas da prática – a mente aberta, que inclui a dúvida e a capacidade de ver de forma sempre nova, em seu frescor original.

O MUNDO MAIS BONITO QUE NOSSOS CORAÇÕES SABEM SER POSSÍVEL
Charles Eisenstein

Este livro transforma nosso modo de ver o mundo e também nossa capacidade para produzir transformações – pessoais, sociais, ambientais e em todas as esferas da atividade humana. Por que o mundo não é como gostaríamos? O que deu errado? Como mudar? Afinal, qual é a natureza da realidade e como podemos nos alinhar a ela a fim de tornar nosso mundo um lugar melhor para viver? Realismo, ciência, sensibilidade, refinamento filosófico e experiência em ativismo social são os ingredientes marcantes deste livro que, numa linguagem direta e simples, revela onde mora a esperança no cenário aparentemente desolador do mundo contemporâneo.

O PODER DA PARCERIA
Riane Eisler

Um convite audacioso de um manual prático completo – que habilita a olharmos para os modelos dos nossos relacionamentos e deixarmos de pensar em nós mesmos como impotentes, vítimas da situação – para mudar o mundo e nossas relações pautando-as pelos modelos de parceria, reconhecendo com equidade os direitos das crianças, mulheres, homens, idosos, do meio ambiente e dos animais. Da mesma autora de *O cálice e a espada*, este é um livro que permite olhar com maior profundidade para nós mesmos e gerir nossa comunicação no ambiente familiar e social.

SOLO, ALMA, SOCIEDADE – Uma nova trindade para o nosso tempo
Satish Kumar

O autor elucida a sabedoria oriental para o Ocidente. Cuidar do ambiente natural (Solo), manter o bem-estar pessoal (Alma), e sustentar valores humanos (Sociedade) são os imperativos morais de nosso tempo. Esta visão holística se encontra imortalizada nas antigas filosofias indianas hinduísta, budista e jainista, revisitadas por Mahatma Gandhi e Rabindranath Tagore. Por sua vez, essas ideias foram adaptadas para o Ocidente por E. F. Schumacher em *O negócio é ser pequeno*. Para facilitar a emergência de um novo e sustentável futuro, precisamos de uma transformação pedagógica que mude o foco do trio Leitura, Escrita e Aritmética para a educação de Cabeça, Coração e Mãos. Este livro oferece o caminho e a orientação para uma revolução não violenta no nosso pensamento e modo de vida.

Para conhecer outras obras da Editora: www.palasathena.org.br

MISTO
Papel produzido
a partir de
fontes responsáveis
FSC® C133282

GRÁFICA PAYM
Tel. [11] 4392-3344
paym@graficapaym.com.br